BRENG ALLES TERUG NAAR HUIS

Nicola Lagioia

Breng alles terug naar huis

Vertaald door
Jeroen De Keyser

2010
DE BEZIGE BIJ
AMSTERDAM

Iedere verwijzing naar bestaande personen of gebeurtenissen is louter toeval. Af en toe zijn omwille van het verhaal lichte wijzigingen aangebracht aan de topografie van Bari, de chronologie van bekende historische gebeurtenissen en bepaalde gewoonten en culturele gegevens.

Er zat een beer in het bos…

Er zit een beer in het bos. Voor sommigen is hij goed zichtbaar. Anderen zien hem helemaal niet. Sommigen zeggen dat de beer tam is, anderen dat hij gemeen en gevaarlijk is. Als niemand zeker kan weten wie gelijk heeft, is het dan niet het slimst even sterk te zijn als de beer? Als er een beer is...

In de regen van boodschappen die op de stad neerdaalde tijdens de laatste zomer waarin ik had kunnen vechten om te bewijzen dat in de beroemde kaart van Billy Bones een grond van waarheid school, was de hersenbreker in het krantenartikel hierboven een weergave van de belangrijkste televisiespot die toen werd uitgezonden. Het was de periode waarin *Amadeus* schitterde op de Oscar-uitreiking en mijn land formeel niet langer een staatsgodsdienst had. Maar ik las het artikel met het vage meerderwaardigheidsgevoel waarmee ik kranten benaderde: ik begreep nauwelijks dat aan de overkant van de oceaan een westernacteur de verkiezingen had gewonnen, ik sloeg de krant dicht en begon voor de derde keer op rij *Schateiland* te lezen.

Een jaar later zou ik al geen tijd meer hebben gehad voor boeken: Vincenzo en Giuseppe zouden toen al als een windhoos mijn leven zijn binnen gewaaid. Maar uiteindelijk sleurden ze me mee in de afgrond van spijt en slapeloze nachten waaruit ik nog altijd niet ben ontsnapt.

Behalve met het boek van Stevenson had ik juli en augustus doorgebracht met *Kuifje*-strips en met alle mogelijke verhalen waarin een minderjarige de wereld rond kon reizen zonder te worden opgebeld door zijn ouders. Dat plotse verlangen naar verre horizonten benevelde mijn kijk op wat zich vlakbij bevond. Ik zag er bijvoorbeeld hoegenaamd geen been in het nieuwe concordaat tussen de Heilige Stoel en de republiek Italië te verzoenen met kardinaal Cesare Baronio, de obscure zestiende-eeuwse prelaat naar wie ondanks de doorbraak van het heliocentrisme alsnog het atheneum was vernoemd waar mijn ouders overwogen me in te schrijven.

In werkelijkheid was dat niet meer dan een volledig verroest hek waarachter twee grote gebouwen van wit tufsteen hun uiterste best deden om niet onder hun eigen gewicht te bezwijken en door een of andere constructiefout tot puin te worden gereduceerd. Tussen de spijlen van het hek en het bibliotheekje bevond zich de onoverdekte sportzaal, een stuk asfalt waarop witte verfstrepen het volleybalveld hadden kunnen afbakenen als het niet door weer en wind tot een miniatuurmaanlandschap was teruggebracht. Maar de scholieren mopperden daar nooit over, en we riepen 'uit!', telkens als de bal een zijlijn passeerde die we in onze verbeelding met absolute zekerheid wisten te situeren. We protesteerden al evenmin toen een paar centimeter ijs de leidingen deed springen en we de hele Zuid-Italiaanse winter – in lengte en strengheid niet meer dan een oogwenk op de pracht van de hele schepping – met zijn allen de lessen volgden zonder onze jas uit te trekken. Niettemin waren mijn ouders, die me iedere ochtend zagen verdwijnen aan het eind van het hobbelige pad dat naar het Cesare Baronioatheneum leidde, ervan overtuigd dat ze me aan een soort Italiaans Eton hadden toevertrouwd.

'Studeer, ik zeg het je, je krijgt kansen die ik nooit heb gehad...'
Dat zei mijn vader terwijl hij 's avonds in de woonkamer gebukt ging onder duistere berekeningen in verband met bankleningen, zijn wenkbrauwen fronsend tot een pijnlijke grimas.

Hetzelfde deed hij een paar dagen voor het begin van mijn laatste jaar in de onderbouw, alvorens me zoals gewoonlijk mee te sleuren op een van zijn werkrondes. Voor hem was de school, die hij niet langer had bezocht dan een eerste semester aan een technisch instituut, als de 'verlaten heuvel' die Leopardi 'altijd zo na aan 't hart lag'. Hij besefte niet dat de nieuwe pedagogische aanpak parafrasen gebruikte als zelfmoordmiddel – 'de heuvel die ik altijd zo leuk vond', getroostte onze leraar Italiaans zich met veel moeite te vertalen. Onderwijs stond nu voor Leopardi zonder de troeven van de poëzie. Ons gevoel voor kosmopolitisme reikte dus niet verder dan de Marken. Of liever, dan Apulië. Erger nog: dan Bari in 1984.

Mijn vader had zich aan de armoede ontworsteld door uitsluitend op zijn eigen vergissingen te vertrouwen. Hij kon dus de eentonige laagvlakte van de didactische nivellering overvliegen zonder daarvoor een brevet te hebben. Toch was hij sinds enige tijd in geijkte frasen beginnen te spreken. *Je krijgt kansen die ik nooit heb gehad* was de voor intern familiaal gebruik gereduceerde versie van Hamlets monoloog die in alle huizen van het land talloze malen werd opgevoerd.

Zijn afnemende originaliteit ging dat jaar hand in hand met zijn zakelijke succes. Hij was doodmoe van zijn waanzinnige tochten door de provincies van Zuid-Italië aan boord van een witte, van het borduurwerk uitpuilende bestelwagen, van zijn besprekingen met bankdirecteuren, gespecialiseerd in financieel terrorisme (in het hoofdkwartier van de christendemocraten was minder angstig gereageerd op de ontvoering van Aldo Moro dan bij mij thuis op het dreigende 'dichtdraaien van de kredietkraan'), en verscheen voor mij en mijn moeder in een toestand van vergevorderde schizofrenie. De ene dag zag hij ons aan de bedelstaf, de andere dag voorspelde hij dat we rijk, schatrijk zouden worden, en meester van een toekomst met als bovennatuurlijke einddoel het witte kruis op rood fond dat boven Zwitserse banken wapperde.

Mijn vader stamde uit vele generaties havelozen die andermans land hadden bewerkt, andermans plee hadden schoongemaakt, oorlogen hadden gestreden waarin nooit duidelijk was wie er wat bij te winnen had, en die daarvoor in ruil niet het gesofisticeerde burgerlijke concept van de vernedering hadden gekregen, maar wereldse goederen als terechtstelling, uitzetting, gekkenhuis, bloedvergiftiging, kindermoord... Maar nu bleek er eindelijk een opening. Er hing optimisme in de lucht. De herfstwind voedde in de poolkap van onze harten een ongebreideld verlangen naar luxegoederen: sportwagens uit Maranello, nertsjassen uit Pavia, en zelfs kant en andere dure lingerie, die voor de dochters van een nieuwe generatie van notabelen niet langer gelijkstond aan de onontkoombare weg naar het huwelijk, maar aan: 'O, een echt stukje Apulisch ambachtswerk!' Overal konden we dat met de hand geborduurd linnengoed verkopen. Ook voor ons was het moment gekomen om wat geld te verdienen.

'Vertel jij me dan eens hoe ik me er gisteren uit zou hebben gebabbeld met de ambtenaren van het import- en exportbureau, als ik niet als jongeman aan de Costa Azzurra badjassen was gaan verkopen?'

Toen hij het ruim een jaar voordat ik naar het atheneum zou gaan op een avond over de voordelen had die me te wachten stonden als ik vreemde talen studeerde, hoorde ik in zijn stem voor het eerst een valse noot. Tot het jaar daarvoor had ik mijn vaders preken logisch en rechtlijnig gevonden. Wellicht was ik na verloop van tijd slimmer geworden, of misschien waren het de boeken en strips die ik de voorafgaande maanden had verslonden, maar toen hij zei: 'Maar met mijn Frans zou ik nooit met een minister of een ambassadeur aan tafel kunnen zitten. Jij daarentegen...' klonk dat me niet alleen als een zegen in de oren.

Zonder dat hij ophield met praten, begon hij de documenten te controleren voor onze ronde van de volgende dag. Zorgelijk liet hij de papieren door zijn handen gaan. Ik wist dat ze alleen maar goed nieuws brachten, maar het leek wel alsof mijn vader niet bestand was tegen de aanblik van de achtste nul in een reeks facturen. In wat hij zei, had hij van zijn vroegere armoede altijd een erezaak gemaakt, het bewijs van zijn trots als selfmade man. Maar diep vanbinnen voelde hij het anders aan: die armoede bleef een schuldgevoel, een soort erfzonde die nu door geld kon worden weggebrand, zodat hij eindelijk een toegangskaartje voor de maatschappij kon bemachtigen. Hij kon nu wel aan boord klimmen, maar bleef zich een verstekeling voelen. Hem lukte het niet, maar zijn zoon zou zich tenminste ongegeneerd in de beschaafde wereld kunnen bewegen. Terwijl hij het over mijn toekomstige kwaliteiten als polyglot had, wuifde hij in gedachten dus al met zijn zakdoek naar een oceaanstomer die eigenlijk nauwelijks het anker had gelicht. Maar nog afgezien van het feit dat ik nergens heen ging, vreesde ik in dat ingebeelde afscheid iets te herkennen wat op rancune leek.

'Hop, naar bed,' zei hij, en hij trok zich terug in het kantoortje tussen de badkamer en de keuken, waar hij doorging met zijn eindeloze berekeningen. Ik had hem willen gehoorzamen, maar bleef nog een uur in de woonkamer zitten, gehypnotiseerd door het grote Brionvega-scherm waar een acteur in een smoking met wapperende panden voorlas uit kranten die hij uit een vuilnisemmer haalde, terwijl een groot roze konijn vooruit en achteruit huppelde zonder ooit uit beeld te verdwijnen.

De volgende ochtend wekte mijn vader me bij het ochtendkrieken. We ontbeten en dronken melk en koffie terwijl het roze hemellicht langzamerhand de keuken veroverde. Hij veegde wat beschuitkruimels van zijn broek en luisterde aan de gangdeur of mijn moeder al wakker was. 'Zullen we?' vroeg hij terwijl hij zijn leren koffertje van de vloer pakte.

We reden Bari uit met de witte Fiorino, waarvan de kilometerteller al zo vaak weer op nul was gezet dat we er zeker al een paar keer de hele evenaar rond mee waren gereden. Toen we de stad achter ons hadden gelaten, kwamen we in een landschap dat afkomstig leek uit een schilderij van Leonardo da Vinci, zij het met toevoeging van goedkoop metaal: moddervelden tot vlak naast de weg, een van wolken zwangere hemel en overal schuttingen van ijzeren golfplaat die de uitdijende verkavelingen binnen de perken moesten houden. De Fiorino vertraagde vlak voor de eerste bebouwde kom.

Bitetto, Triggiano, Capurso, Cellamare... In al die dorpjes zaten borduursters. Mijn vader leverde hun linnen, zijde en katoen, en zij toverden die eenvoudige stoffen om tot de schat van een rijke bruid die voor ons niets meer was dan een regeltje in de afrekeningen van onze detailhandelaren. De borduursters waren oud, vaak stokoud. Hun huizen aan steegjes of doodlopende straatjes tartten op paradoxale wijze de tijd: er hing een sfeer als in de periode voor het risorgimento, maar tussen de vuurpotten, houten tafeltjes en volle konijnenhokken stonden ook televisies en wekkerradio's. In elk huis woonde wel een weduwe, een wees of minstens een mongooltje. En werd het sommige pubermeisjes verboden de keuken te betreden om te voorkomen dat ze met hun op hol slaande hormonen de slagroom deden mislukken. En toen kwamen wij, in hun ogen een soort bemiddelaars uit hogere sferen.

Die dag gingen we in Sovereto bij Annina langs.

Ik kon me de tachtigjarige vrouw met haar ogen vol staar nog herinneren, want we waren er een jaar eerder ook langs geweest. Zij had maar liefst vijf verstandelijk gehandicapte dochters, die allemaal meeborduurden. Het was duidelijk dat haar chromosomen en die van haar man niet samengingen, maar Annina's familie had het geluk zo laag op de maatschappelijke ladder te staan dat ze zo goed als ongenaakbaar was: de problemen van de 'meisjes' werden daarbinnen gewoon als een van de vele andere moeilijkheden ervaren.

Hun wereld bestond uit een voortdurende roes van tandeloze glimlachen, doodskisten, onbegrijpelijk gemompel en konijnen die werden gevild in een soort offerhok dat ik me maar al te goed herinnerde. Het jaar ervoor had ik gepiep gehoord door de gesloten deur achter in de keuken, en was ik nieuwsgierig genoeg om een kijkje te durven nemen. Toen ik met ogen vol tranen terugkwam, begonnen zij – Annina, haar mongoloïde dochters en de andere borduursters – onbeheerst te lachen. Ze bulderden, staken elkaar aan, hikten, lachten hun tandvlees bloot en sloegen met hun handen op hun dijen. Ik kalmeerde ogenblikkelijk, want hun ongebreidelde lach bevatte het krachtigste tegengif tegen de spot, namelijk begrip. Ze vonden het heel normaal dat een stadsjongen het op een huilen zette bij het zien van een gekeeld konijn. Met hun lach probeerden ze me binnen te laten in hun leven, met de bijbehorende natuurlijke schaamteloosheid en obscene onomkeerbaarheid. Ik hield meteen op met huilen, en zij met lachen. Een minuut stilte voor het droeve lot der knaagdieren.

Gekeelde konijnen, vuurpotten en ontbloot tandvlees, dat was nog tot daar aan toe, maar hun *handen*! Wat zagen de handen van die vrouwen eruit... Mager, houterig, vol knoesten en rode vlekken. Ze bewogen hun naald van de ene kant van de stof naar de andere met een ongelooflijke snelheid, regelmaat en precisie. Ze leken niet te worden geleid door een god maar door een noodlot, ouder dan de Schrift. Geen ziekte kon die handen tot stoppen brengen. Alleen de dood. Staar noch geesteszieken konden hen storen: het volstond dat hun zenuwstelsel ooit één keer met één hersencel had gecommuniceerd. En daar verschenen de kruissteken, stukjes smokwerk, zijden bloemen, druiventrossen...

Zodra we die dag hun huis binnen kwamen, hielden minstens twintig handen op met borduren en rustten afwachtend op hun rok. Achttien ogen werden neergeslagen. Annina stond op en kwam ons tegemoet. Ze aaide over mijn gezicht en omhelsde vervolgens mijn vader met de innige welwillendheid die wordt voorbehouden aan een kwetsbare zoon die zijn geluk heeft gevonden. Ze begonnen te praten in dialect. Bij het horen van die agressief verdubbelde medeklinkers had ik me nooit op mijn gemak gevoeld. Ik begreep bijna niets van wat ze zeiden. Maar ik keek om me heen en zag een reeks bewegingen die me tot een jaar eerder nooit waren opgevallen.

Met uitzondering van diegene die ik 'de vijfde mongoloïde dochter van Annina' had gedoopt – een veertigjarige met strakgespannen spieren die bleef doorwerken en zich door niets of niemand liet afleiden – hadden de andere borduursters toen we binnenkwamen hun routine onderbroken. Terwijl mijn vader en Annina bleven praten, verdwenen twee van hen discreet naar de keuken. Een ander hield in en liep de trap op naar het magazijn. Annina gebaarde mijn vader te wachten en begaf zich naar de slaapkamer. Ze keerde zwijgend terug. Ze hield een geborduurd laken in haar armen en legde het op tafel. Mijn vader gaf haar een omslag met contant geld. Vervolgens werd de kamer weer gevuld met gepraat en gelach. De andere vrouwen kwamen naar ons toe en ineens waren we helemaal omsingeld. Ze brachten ons koffie en dienbladen vol kersen, gebak, gedroogde vijgen en andere offergaven. 'Tast toe, tast toe!' zeiden ze, met een blik van huizenhoge erkenning.

Zoals de meeste jongeren leed ik aan een vorm van goedkope overgevoeligheid voor ongelijkheid. Toch vond ik in dit geval niet dat er een echte wanverhouding bestond. Wij hadden de Fiorino en een BMW. We stonden op het punt te verhuizen naar een villa, terwijl zij in een soort varkenshok woonden en het algemeen stemrecht beschouwden als een aanvulling op de gehoorzaamheid die ze verschuldigd waren aan de vergissingen van hun echtgenoot. Maar ze werden niet zoals wij door geld bezoedeld. Buiten Annina's huis kon onze relatie met haar slechts als uitbuiting worden bestempeld. Maar binnen... binnen voltrokken zich Bijbelse taferelen in het klein: het ontbreken van iedere zweem van kwaadaardigheid tartte een eindeloze stroom van boeken over de klassenstrijd. Dat was uiteraard hun verdienste – de minzame onderwerping van Annina werd nooit iets louter formeels.

Mijn vader besefte dat. Hij boog het hoofd. Nadat hij de lakensets in de bestelwagen had geladen, liep hij terug naar binnen en nam met een stevige omhelzing afscheid van Annina. Op dat moment wankelde hij. Hij voelde in de botten van die vrouw de duurzaamheid van de lange, loodzware slaap waarin al onze voorvaderen begraven lagen en waaruit alleen hij ternauwernood was ontwaakt. Terugkeren was onmogelijk. Buiten scheen er licht en was er de getemde nachtmerrie van de beschaving.

Wij waren klaarwakker. We stoven de pas opnieuw aangelegde ringweg op. We reden vrachtwagens voorbij, en ook politiemotoren en -wagens. Het ijzer van de vangrails schitterde, de witte muren van privéklinieken schitterden, en op de radio werd gemeld dat Ronald Reagan tot president van de Verenigde Staten was herverkozen dankzij een televisiespotje waarin twijfel werd geuit over het bestaan van een beer die men niettemin dreigend door het bos zag lopen. Over de aanwezigheid van die beer (zo hoorde ik op de radio) werd het hele spotje lang gesproken zonder dat ook maar eenmaal de Sovjet-Unie werd vermeld, en al evenmin de impliciete dreiging waarover het hele filmpje ging: een kernoorlog. Mijn vader sloeg rechts af en verliet de ringweg.

Na de borduursters gingen we bij de eerste groothandel langs. We parkeerden voor een eenzame loods, met daarachter wijngaarden en olijfbomen. Achter het eigenlijke magazijn bevond zich het kantoor van Loprieno. Zijn allerheiligste bestond uit niet meer dan een triplextafel op x-vormige schragen, een bescheiden aantal bestelbonnen, her en der rondslingerend, en een beeld van de heilige Nicolaas, patroon van de handelaren, dat tegen een muur stond die als gevolg van insijpelend vocht een weergaloze marmergele kleur had gekregen. Hoe slechter die onderhouden was, des te meer geld bracht de tent op, daar kon je zeker van zijn.

De groothandelaar was een boom van een vent met vlezige lippen, wiens voorkomen wat minder zwaar werd door zijn achterovergekamde haar, dat alle kanten op waaide. Mijn vader en hij bedolven elkaar onder de schouderklopjes terwijl ze eindeloos klaagden over belastingen, personeelskosten en dus ook hun eigen eerlijkheid. Toen hield het gejeremieer op en begon mijn vader zijn stalen uit hun plastic verpakking te halen. Loprieno nam zijn boekhouding ter hand. Ze spuiden prijzen, hoeveelheden en betalingstermijnen. En beiden beschuldigden elkaar ervan uit te zijn op het faillissement van de ander.

Na een uur van afmattende onderhandelingen ondertekenden ze de nodige documenten, drukten elkaar de hand en sloegen met een geforceerde glimlach hun mappen dicht. De mimiek die de pantomime van de onderhandelingen moest schragen, was nog niet begraven, maar bleef aanwezig als een rest confrontatie die geen van beiden toebehoorde... Ze richtten zich nu tot mij. Uit beider ogen sprak ernst en bezieling.

'Je vader...' zei Loprieno ontdaan, 'je hebt geen idee wat hij allemaal voor jullie heeft gedaan...' Hij zuchtte. 'Je had hem twintig jaar geleden moeten zien. Hij stond om vijf uur op om zijn rug kapot te gaan werken op de groothandelsmarkt. Hij laadde kisten uit die zo zwaar waren als...' Hij doorkliefde de rokerige lucht met een bruusk gebaar, alsof hij daarmee wilde benadrukken dat het noodzakelijk was mij te beschermen tegen de herinnering aan de offers die mijn vader had moeten brengen voor een zoon die destijds – zo kon ik niet nalaten met een branderig gevoel in mijn maag te bedenken – niet meer dan een abstracte hypothese was. Hij probeerde de welstand waarnaar we zozeer hadden gestreefd te becommentariëren met een ander gebaar: hij stak zijn arm uit naar het venster, alsof de omringende velden en de huizen die daarachter in aanbouw waren, en de dorpen en de hele provincie van ons waren, of slechts op het geschal van de cavalerie van handelsvertegenwoordigers wachtten om met een koortsachtig streven naar orders te worden veroverd. Zo verwierf Loprieno, die tot dan toe slechts een vulgaire opportunist was geweest, in de woorden van mijn vader in een oogwenk eveneens een hoger gehalte: 'Begrijp je? En hij is begonnen als loopjongen...'

'Ach, wat zou je willen dat ze begrepen!' vertrouwde mijn vader Loprieno met hoge stem toe, of misschien wel omgekeerd, want op dat moment waren ze in hun extase perfect inwisselbaar.

'Ze zijn geboren met hun gat in de boter,' antwoordde de ander zonder zich zelfs maar de moeite te getroosten mij aan te kijken.

De valse noot die ik de vorige avond in de stem van mijn vader had menen te horen, klonk nu als het lawaai van roestig gereedschap dat tegen elkaar schuurde. Mijn blik werd wazig.

Het was tijd om te vertrekken. Op het gezicht van mijn vader en van Loprieno stond nu een vage sympathie te lezen, die in absolute onverschilligheid zou veranderen zodra elk naar zijn eigen bekommernissen terugkeerde. Voordat hij de deur sloot, kon Loprieno de verleiding niet weerstaan: hij voelde de behoefte mij met een vriendelijke tik zijn zegen te geven. *Paf.* Ik sidderde. Ik had zijn tafel willen omgooien. En zijn telefoon tegen de muur keilen. Maar ik volgde mijn vader door de uitgang van de loods, waar de olijfbladeren door de septemberwind van donkergroen naar bleekgroen werden gewiegd. Ik keek naar de bomen, en door mijn aderen begon een nieuw soort woede te stromen.

We waren alweer op de ringweg. We reden ambulances, scooters en vrachtwagens met aanhangwagens voorbij, en baanden ons een weg door de loden ochtend. Onze tocht liep ten einde: nu alleen nog de banken.

Mijn vader hield het stuur stevig vast en zei geen woord. Hij reed door rood en versnelde bruusk, alsof de weg de incarnatie was van de strijd die hem om halfvijf 's ochtends uit zijn slaap rukte en naar een berg facturen voerde die moesten worden gecontroleerd. Eerst dacht ik dat hij werd gedreven door schuldgevoelens over de scène in het kantoor van die groothandelaar. Maar zijn stilzwijgen was zo ondoorgrondelijk dat het erop leek dat het voortkwam uit een onoverwinnelijke eenzaamheid, een geheimzinnige gemoedstoestand die verband hield met het lot dat dat jaar geschreven stond in het gesternte van een land dat het vijfde belangrijkste was van de geïndustrialiseerde wereld – een ijzige wind die kwam aanzetten vanuit de ruimte, die al enige tijd door de kantoren van notarissen, apothekers en huisartsen waaide, en die met enige vertraging nu pas ons soort mensen bereikte.

Pasquale Ladisa... Of nee: Pasquale *Di Liso*. De bankdirecteur was een lange, magere man, met de typische beweeglijke blik van iemand die altijd een goede indruk wil maken. In zijn kleine filiaal vlak bij het stadscentrum werkten een stuk of zes loketbedienden, allemaal met das en groen wollen gilet. Hijzelf daarentegen droeg bretels op een hemd van Ralph Lauren.

Hij ontving ons in het halfduister van een kantoor waar iele zonnestralen strepen trokken door luiken die zorgvuldig voor het raam waren geïnstalleerd. Het slimste-jongetje-van-de-klassyndroom was hem noodlottig geworden en hij was waarschijnlijk al om zeven uur present in het bankfiliaal. Hij groette de schoonmaaksters en nog voor hij de beursindexen controleerde, ging hij voor het raam staan om de plastic lamellen in de juiste hoek te zetten. Dat was zijn ochtendlijke boetedoening: hij kantelde ze eerst even naar de ene kant, dan naar de andere... en intussen crashte misschien wel de Banco Ambrosiano.

Hij begroette mijn vader met een halve buiging. Vervolgens schreeuwde hij bijna: 'Dat is hem dus, je zoon!', met de nadruk van iemand die na jarenlang zoeken op een oliebron is gestuit. Hij vertelde me dat ook hij een zoon van mijn leeftijd had: 'Een wiskundig genie... Ik zal jullie weleens aan elkaar voorstellen.' We gingen in de fauteuils zitten. Mijn vader en hij vouwden hun handen op het bureau en begonnen te praten. Om de vijf minuten werden ze gestoord doordat het lampje van een groot, zwartgelakt telefoontoestel begon te flikkeren.

'Nee, luister, Di Liso, zo kunnen we niet blijven doorgaan...' zei mijn vader, terwijl hij zijn ogen ten hemel sloeg om zijn volgende schot voor te bereiden. Dat flutfiliaaltje, zo vervolgde hij, deed het mede dankzij hem zo goed: hoe waagde hij het hem geen uitstel te verlenen?

'Als dat al zo is,' grinnikte de directeur, 'zit jij toch nog wat beter in de slappe was. Ik heb gehoord dat jullie naar een villa gaan verhuizen,' zei hij terwijl hij naar mij glimlachte. Mijn vader gaf me een schop onder tafel om te voorkomen dat ik zou antwoorden, en zijn gezicht liep paars aan. Telkens als hij met zijn neus op de feiten werd gedrukt, namelijk dat we niet bepaald straatarm waren, werd hij overvallen door zulke woedeaanvallen. Toen begon alweer een andere uitputtingsslag: ze spanden zich in om aan te tonen wie van hen er het ergste aan toe was.

Di Liso sloeg met zijn vuist op tafel: 'Noem jij dit krakkemikkige ding een bureau? En die fauteuils van nepleer? En dat postvakje?' Hij vertelde dat hij aan het eind van ieder jaar een gedetailleerd protest naar het hoofdkantoor faxte, maar het enige wat hij uit Milaan terugkreeg, was de gebruikelijke luxueuze Bijbeleditie.

Mijn vader sprong overeind. Hij rolde zijn broek op tot zijn kuiten, hief zijn ene been op en plantte zijn voet op het bureau: 'Kijk naar die schoenen! Twintig jaar draag ik die al,' zei hij, 'al twintig jaar koop ik geen nieuwe schoenen. Heb ik wel of geen respect voor geld, wat denk je?'

Die suède schoenen, maat tweeënveertig, vervaardigd volgens de regels van de beste Italiaanse ambachtskunst... Telkens als mijn vader zijn morele superioriteit wilde aantonen, begon hij over die schoenen. Ik had die onverdraaglijke tirades altijd al voor mezelf goedgepraat omdat hij een leven leidde zo sober als dat van een heremiet. Maar nu, in deze tempel van het geld, leken ze me een verlangen te herbergen dat ik maar moeilijk met de juiste naam kon benoemen.

Uiteindelijk kwamen ze tot een overeenkomst (in de jaren tachtig kwam iedereen altijd tot een overeenkomst). Di Liso verleende vijftig dagen uitstel. Hij haalde het hoofdkantoor erbij: 'Als ze dat daar in Milaan te weten komen...' – waarschuwde hij zowel mijn vader als zichzelf – 'besef je wel welk risico ik voor jou loop? Ze zijn in staat een inspecteur op me af te sturen.'

'Waarom!' Mijn vader deed alsof hij het risico minachtte. Di Liso beaamde met een glimlach die zijn gevoel van macht moest illustreren. Stilte was nu vereist: hij voelde zijn hypothalamus gloeien van voldoening.

'Dus, alles in orde?' vroeg hij nadat hij een agenda had dichtgeklapt die hij niet eens had geraadpleegd. Mijn vader vertrok geen spier. De vijftig dagen uitstel voor de terugbetaling van het geld leken hem te hebben verbannen naar een plek waar opperste onverschilligheid heerste. 'Vijftig dagen...' – zei hij na een slopende stilte – 'is dat alles wat je kunt doen?' Onze ronde zat er ook voor dat jaar weer op.

We reden met tien kilometer per uur door de grote opstopping van de Viale Unità d'Italia. Daarna reden we langs het ziekenhuis. Terwijl de bomen langs de straten en het *fth fth fth* van de eerste sproeiers verraadde dat we de betere woonbuurten naderden, bedacht ik dat Long John Silver je met dezelfde hand kon wurgen waarmee hij je uit het water had gered. En dus, besloot ik, moest ik erg op mijn hoede zijn voor de man die nu zat mee te fluiten met de autoradio, en toen zei: 'Kom, uitstappen, we zijn er!' alvorens de Fiorino tussen de witte strepen te parkeren.

De condens op de winterse keukenramen, typische ongelooflijke bloemetjestegels die later zeer in trek zouden zijn bij liefhebbers van modern keramisch design, de tweede verdieping van een klein okergeel gebouw met de onbeschrijflijke sierlijkheid van de vroege jaren zeventig. Her en der een paar andere gebouwen, en daarachter platteland en enkele heuveltjes met een motorcrossparcours.

Er waren enkele maanden voorbijgegaan sinds het begin van het schooljaar, maar ik wist dat de crossers bleven komen tot de eerste natte sneeuw. Ik ging op het balkon staan en keek jaloers naar de profielen van de Husqvarna's, KTM's en Ducati's, die als in een Super 8 donker in het honinggele lentelicht hingen.

Ik draaide me om en viel huilend in de armen van mijn moeder. Ze was nog heel slank en droeg een op maat gemaakte jurk met geruite knopen. Haar golvende zwarte haar bedekte haar ene oog en ze fluisterde met een glimlach: 'Hij is nu eenmaal zo, trek het je niet aan.'

Mijn vader had namelijk tijdens zijn middagmaal de telefoon laten rinkelen zonder dat de aandacht waarmee hij het nieuws over een mislukte aanslag op Margaret Thatcher volgde daaronder leek te lijden. Toen de telefoon voor de zesde keer rinkelde, was hij toch opgestaan, alsof hij met dat signaal de controle over de situatie mocht verliezen. Hij nam de hoorn op en zei eerst zelfs hartelijk: 'Girolamo, om vier uur ben ik bij je.' Maar na een korte woordenwisseling keek hij somberder: 'Godverdorie, ik kom meteen!'

Opeens stond hij met de sleutels van de BMW in zijn rechterhand, zijn aktetas in de andere, overjas om de schouders en daarboven een reeks verwensingen aan het adres van Girolamo Palmieri, zijn vertegenwoordiger voor Apulië, Campanië, Latium en wie weet welke andere streken nog allemaal, die hem zojuist had laten weten dat Gianfranco Balestrucci – een grote klant in de provincie Foggia – nogmaals een uitvlucht had bedacht om onder een betaling uit te komen die hij al twee maanden eerder had moeten doen.

Mijn moeder probeerde zijn woede te temperen: 'Eet toch eerst je bord...' alsof alleen de beheersing van zijn instincten hem het probleem kon helpen oplossen. Mijn vader zweeg eventjes. Vervolgens zei hij giftig dat een vrouw die nog nooit een klant had moeten achtervolgen tot in Syracuse om het geld te incasseren voor koopwaar die geheel volgens de regels van de kunst was verkocht, gestreken, ingepakt en verstuurd, niet de juiste persoon was om over dergelijke zaken adviezen te verstrekken.

Toen nam ik het woord. Mijn hart versnelde meteen, en iets waarop ik al lang broedde, baande zich een weg naar boven. Ik legde mijn vuisten op tafel, wendde me vertrouwelijk tot haar alleen, en zei minachtend: 'Laat hem gaan, die sukkel. Het is beter als jij en ik alleen thuis zijn.'

Mijn vader wees ongelovig naar mijn moeder. 'Jezus maria!' barstte hij los met een grafstem. 'Dat is dus wat hij van jou over mij te horen krijgt!' Nadat hij haar ten onrechte had beschuldigd, keek hij om zich heen. 'Jullie willen mij kapotmaken...' voegde hij eraan toe, waarmee hij ons degradeerde en tegelijk opwaardeerde tot de categorie van die vreselijke abstracte krachten die hem altijd al hadden willen kapotmaken.

Alleen, zo preciseerde hij, hadden we de pretentie hem kapot te maken terwijl we evengoed van zijn geld bleven profiteren. Daarom zouden we het verdiend hebben van ontbering om te komen – wat zijn geweten hem jammer genoeg niet toestond, besloot hij mismoedig. Om zich van die paradox te bevrijden zonder mij te hoeven slaan, bonkte hij met zijn vuist op de keukenmuur, zodat het vaatwerk rinkelde. Hij vertrok met slaande deuren. Een pleisterkalkwolkje bleef een ogenblik hangen in de hal.

Op dat moment vluchtte ik naar mijn balkon en deed ik alsof ik me zelfs door mijn moeder gekrenkt voelde. Ik vertrouwde erop dat ik haar kon laten geloven dat ik vanwege mijn inschattingsfout over het rollenspel (zij had op mij moeten inhaken maar had dat niet gedaan) de leiband van haar schuldgevoel strakker aan mocht spannen, om ons bondgenootschap tegen de rest van de wereld te versterken. Maar op het balkon opende zich de ruimte van het platteland dat baadde in het licht van de vroege middag, waarin zich de motoren aftekenden die in de ijlte hun schitterende parabolen beschreven. Ik wilde naar buiten lopen om die jongens die op de lange dagen waarvan ik geheel en al was uitgesloten, een carburator hadden leren schoonmaken, beter te leren kennen. En ik had ze ook willen *volgen* – bedacht ik kwaad en verdrietig – want zodra de avond viel zouden ze hun motor naar een garage hebben gebracht vol gereedschap en parafernalia (tennispolsbandjes als teken van viriliteit, een bandana die ze hadden uitgeleend aan een meisje en vervolgens teruggekregen als levend getuigenis van de ontdekking van seks of van een daaropvolgend verdriet) en vanuit die garages, vermoedde ik, zouden ze ten slotte weer naar buiten zijn gestroomd, in een nachtelijke wanorde van straten vol stemmen en vooral ontmoetingen – ruzies, kussen, discussies, afscheid (zij, zíj waren al op het moment van het afscheid gekomen!), en om daarbij te kunnen horen, zou ik bereid zijn geweest om genadeloos mijn eigen ouders te verkopen.

Daarna zette ik een paar stappen achteruit, voelde een hand op mijn schouder en vervolgens lag ik, een en al overgave, in de armen van mijn moeder. 'Trek het je niet aan...' zei ze, en ze streelde mijn hoofd. Ik begreep dat ze er niet in was getrapt. Ze was er zich perfect van bewust dat ik niet kon bogen op een tegoed op haar schuldgevoelens, en ondanks mijn poging haar te misleiden was onze alliantie ongeschonden. Zij had zelfs niet de behoefte mij te vergeven – want in haar ogen had ze mij al voor altijd vergeven. Dus wat konden die motorrijders en hun avonturen me schelen, als deze vrouw mij tegen zich aan drukte?

Ik liet me gedwee mee terugvoeren naar de met bloemetjes betegelde keuken. Vandaar liepen we naar de woonkamer, waar het regionaal nieuws het op de vertrouwde Brionvega-tv had over vijf mensen die waren aangehouden voor het witwassen van geld afkomstig van de handel in verdovende middelen. De carabinieri waren binnengevallen in een appartement in de wijk Japigia, maar de twee gebroeders Terlizzi – 'de leiders van de clan...' zei de verslaggever – waren voor de zoveelste keer ontkomen. Mijn moeder zette de televisie uit: 'Ga zitten, ik moet je iets vertellen.' Ik gehoorzaamde. Ze ging op de canapé naast me zitten, trok haar rok recht en begon me te vertellen over de tijd toen mijn vader, op zijn zestiende, met twee koffers vol lelijke handdoeken door de straten van een dorpje in Calabrië trok waar een beurs had moeten plaatsvinden die op het laatste moment was afgeblazen. En aangezien hij zelfs geen treinkaartje had om naar Bari terug te keren, ging hij wanhopig langs alle deuren van dat dorp, en slaagde hij erin het wantrouwen te overwinnen van diegenen die opendeden. Hij verkocht al zijn artikelen met verlies om uiteindelijk te kunnen wegduiken tussen de stinkende banken van een boemeltrein die door de nachtelijke Apennijnen ratelde.

Ze kwam dichter bij me zitten en fluisterde: 'Je kunt het hem niet kwalijk nemen, die nachtmerrie zal hem altijd blijven achtervolgen.' Ik keek haar overlopend van dankbaarheid aan: ze had me de donkere krochten van mijn vaders jeugd binnengevoerd, niet om me te dwingen zijn woede-uitbarstingen te aanvaarden, maar om me de gedachte te laten omarmen dat die aloude offers geen wraak verdienden – zoals het bloed dat bij de Sioux was gevloeid geen rechtvaardiging bood op aanspraken op de wolkenkrabbers van Manhattan – aangezien zij en ik er het logische gevolg van waren. Het was niet anders, hij was een ding, wij tweeen een ander, hoe wreed dat ook was.

'Je hebt nog een heel leven voor je,' besloot ze glimlachend. En ik voelde een ijskoude, wonderlijke zegening over mijn hoofd neerdalen.

Die middag, maar ook op andere middagen, luisterde ik naar mijn moeder, en het waren niet haar woorden die me overtuigden, het was haar onbeschrijflijke schoonheid. Zij was een van die wonderlijke, met babyvoeding gecorrigeerde genencocktails die vanaf de eerste jaren na de oorlog de stoelen in de bioscopen lieten sidderen. In principe had ze eruit moeten zien als een worstelaarster van een meter zevenenveertig met enorme onderarmen, aangezien ze de dochter was van boeren die op hun beurt afstamden van deelpachters wier katholieke geloof gebaseerd was op het feit dat de portretten van de Madonna die waren getekend door een parochiaan, er hoe dan ook aantrekkelijker uitzagen dan de bebaarde sujetten in zwarte sjaals die in diezelfde kerk opeengepakt zaten. Maar er was een revolutie geweest in de voedingsindustrie, een onverwachte overvloed van kindervoeding en multivitaminekoekjes die de puberteit van mijn moeder had doen ontploffen. Ze kreeg langere benen, een strakke boezem en een zachtere huid, zonder daarom de genius loci te ontkronen, de diepe duisternis van de indringende blik van zuidelijke meisjes, als een hendel die een *ius primae noctis* zonder bloedvergieten kon laten gelden. Daarom ook waren de reuzinnen van de vorige generatie verleidelijk geweest, nog voor ze ook maar één schoonheidsvlekje hadden prijsgegeven. Maar daarna kwamen de vrouwen zoals mijn moeder, die alles wegvaagden, en je had hen moeten zien op een moment dat ik er nog niet was, dat betoverende moment aan het eind van de jaren vijftig – de stralende beweging van de wijzers van een klok die een stoffige bouwput scheidde van het eerste UPIM-opschrift.

En toch begon ik naarmate de maanden vergleden ook haar te wantrouwen.

Van *Kuifje* was ik overgeschakeld op de tienertijdschriften *Frigidaire* en *Mucchio Selvaggio*. Ik was erin geslaagd een Franse aflevering van *Metal Hurlant* te bemachtigen. En vervolgens romans. De avonturen van Jim Hawkins en Long John Silver hadden plaatsgemaakt voor de woede van Marlow die de Congostroom op voer. In de nieuwe verhalen waardoor ik me liet betoveren, waren niet alleen de personages dubbelzinnig of ondoorgrondelijk, maar was de hele wereld dat. En toen ik zag hoe moeilijk mijn ouders het hadden met het leven om hen heen, viel het me op dat hun ruzies niet zozeer het teken waren van een breuk tussen hun vermeende verschillen, maar hen gevaarlijk dichter bij elkaar brachten.

Het was voor mij voldoende hen 's avonds gade te slaan terwijl ze discussieerden over de Lancia Stratos van Palmieri: een aankoop die mijn moeder als 'vulgair' bestempelde om niet onder ogen te hoeven zien dat als een dergelijke auto binnen het bereik was van een vertegenwoordiger, wij minstens recht hadden op een Jaguar, terwijl mijn vader Palmieri verdedigde om niet ten prooi te vallen aan afgunst. Ik hoorde hoe ze hun stem verhieven, en het leek me absurd dat twee mensen zo veel binnenwegen konden inslaan om vanuit verschillende invalshoeken dezelfde verlangens uit te spreken. Net zoals ik een gevoel van opstandigheid ervoer toen we tijdens de kerstvakantie (de dag waarop een bom ontplofte op de sneltrein Napels-Milaan) naar *Staying Alive* gingen kijken, en de hele zaal opsprong en applaudisseerde nadat John Travolta eerste was geworden in een onwaarschijnlijke strijd om de hoogste danseer, gemodelleerd naar die van de geldwolven in Wall Street, naar voren kwam en uiterst balorig verklaarde: 'En nu... nu ga ik de wereld veroveren!' Ik had het gevoel dat er iets niet klopte, in zijn uitspraak en in de hele film – maar mijn vader was al opgesprongen, aangestoken door het algemene enthousiasme, en mijn moeder pakte zichtbaar aangedaan zijn hand.

Even overdreven leek me ook het enthousiasme van mijn moeder op het moment dat ze me, in een van haar gebruikelijke bekentenissen, toevertrouwde dat toen ze lang geleden, in de lente van 1969, na wat gelebber met een Apulische cowboy die zich aan Bob Dylan spiegelde, had vernomen dat er het jaar daarvoor aan de Sorbonne relletjes waren geweest tussen de studenten en de politie, ze al haar moed had verzameld en op een sombere junimiddag haar eigen bijdrage had geleverd aan het jongerenprotest. Ze was samen met haar boezemvriendin Mariolina Nocenti van huis weggelopen. Ze hadden de sneltrein naar Tarente genomen, waar Patty Pravo zou optreden op het grote plein midden in de stad.

Mijn moeder en mijn vader waren stom. De hele wereld was stom. En aangezien mijn eigen gedachtewereld een al te eenzame plek was om hen aan de schandpaal te nagelen, besloot ik me tot de vader van mijn moeder te richten. Ik zocht mijn grootvader op het platteland op om hem te vragen wat hij zich van 1969 herinnerde.

De oude man sprak me een paar keer aan met de naam van een kleinzoon die jaren eerder was omgekomen bij een verkeersongeval. Maar met de woorden 'voorjaar van 1969...'

boorde ik duidelijk een herinnering aan. 'Een bijzonder slecht wijnjaar,' zei hij. Hagelstenen van drie tot vijf centimeter. 'Weet je wat dat voor mensen zoals wij betekende?'

'Ja, maar mijn moeder? Toen ze ervandoor ging naar Tarente?' drong ik aan.

Ik zag het gezicht van mijn grootvader verstarren, zoals de buikspieren van iemand die op het punt staat een stomp in zijn maag te krijgen. Maar hij probeerde zich niet te verdedigen tegen een stomp. Hij verjoeg alleen maar de vliegen, want hij begon spottend te lachen. Hij trok de rimpels rond zijn ogen samen om te voorkomen dat zo'n onbetekenende herinnering de rotsvaste verwarring van zijn zevenentachtig jaren zou aantasten. Hij zei in dialect: 'Weet je, jouw grootmoeder en ik hebben niet eens de moeite genomen haar op haar donder te geven.' Kortom, hij gaf me te verstaan dat ze mijn moeder niet hadden gestraft of zelfs maar berispt, al was het maar omdat het allemaal zo irreëel was. Ze was niet van huis weggelopen om zich in alle rust te laten bezwangeren, maar om naar een concert te aan. *Een concert…* Het was niet de kracht van mei '68 die hem had tegengehouden om haar een pak rammel te geven, maar haar absurde vaagheid. Het was alsof mijn moeder zich had vertoond in de gedaante van een spook – en een spook kun je nu eenmaal geen pak rammel geven, een spook kun je geen week in zijn kamer opsluiten.

Ik keerde zielstevreden naar huis terug. In die gemoedstoestand zat ik in de bus die door de stad reed en keek ik naar de inmiddels neergelaten rolluiken van de winkels, en de lantaarns die de straten verlichtten, en het blauwe schijnsel van de televisietoestellen achter de ramen van de appartementsgebouwen. Mijn euforie had niet minder legitiem kunnen zijn.

Want toen volgde het einde van de dag, de avonden van 1984, en met die avond daalde een sluier over ons neer, een blauwige gloed die ons met elkaar verzoende en die ons recht deed…

… van januari tot december daalde over mijn moeder, over mijn vader, over bankdirecteuren, over groothandelaren die hun loodsen inmiddels ver achter zich hadden gelaten, daalde over hen allemaal die gloed neer, volgens technici een combinatie van de drie primaire kleuren, rood, groen en blauw, die op het scherm in alle mogelijke tinten met elkaar werden gecombineerd. Het heette toen nog niet commerciële televisie. Het was gewoon 'het Nieuwe Ding'.

En wat mij een rechtstreekse uitzending uit een parallelle dimensie leek, was in feite achtenveertig uur eerder opgenomen in Rome, dezelfde dag gemonteerd, en wel in de gebouwen van de Dear, een lange rij televisiestudio's en kamertjes en gangen die de twee vleugels met elkaar verbonden van een gebouw waar bussen, taxi's en personenwagens wekelijks nieuwe ladingen danseresjes en acteurs afleverden, en de aangevers en de droevig kijkende cockerspaniël die van een goede vriend van de oudste acteur was, die we ons zouden herinneren om zijn monologen aan het eind van iedere aflevering; en samen met hen de auteur en de regisseur van het programma, de enigen die niet geschminkt waren. Maar voorafgaand aan de schminkkamer, de kamertjes en de verkleedpartij – de danseresjes waren trouwens geen echte danseresjes, maar mooie meisjes met een wanhopige drang naar een anoniem bestaan, die zich verkleedden als fastfoodmeisjes, terwijl de acteurs, of tenminste de twee bekendste, de leider van middelbare leeftijd en de dertigjarige uit Biella, wiens gezicht een treffend contrast vormde met de gezichten van de variétéacteurs (Ezio Greggio, een eremonument voor de leegte), die twee acteurs droegen enorme kleurrijke jassen met scherpe kragen – dus voorafgaand aan de kamertjes en de schminkkamer, voordat de lichtjes op de camera's aanfloepten, gebeurde het dat die danseresjes onderling wat aan het keuvelen waren en dat de acteurs overleg pleegden met de auteur van het programma, en vervolgens de auteur met de regisseur, en daarna kwam een dienblad met plastic bekertjes waarop koffievlekken zaten, en nog meer geklets en overleg voordat ze de ether in gingen... En de echte nieuwigheid was gelegen in het feit dat, in tegenstelling tot vroegere televisieprogramma's, de vijfenveertig minuten van de eigenlijke uitzending niet het nette werk waren, twee of drie trapjes hoger dan die de voorafgaande repetities, scheidden van het eindresultaat, maar van een lager niveau, een op wetenschappelijke wijze onder de lat doorgaan van de minimale intelligentie, verfijning, scherpzinnigheid en diepgang die toch in elk individu dat bij die uitzending betrokken was aanwezig waren. Daarom liep dat programma zo goed, daarom was het een revolutie. *Drive In...* De eerste serieuze poging om in Italië te introduceren wat aan de overkant van de oceaan al een hele tijd bestond: flitsende scènewisselingen, sketches die tweemaal, driemaal zo snel verliepen als vroeger, en die vooral werden gebracht als waren het reclamespots. En de auteur, Antonio Ricci, iemand die in mei '68 achttien was geweest, en uiteraard had betoogd en gestencild en gedebatteerd op filmforums en zijn solidariteit had getoond door tijdens de première in de Scala met eieren te gooien... zijn programma in de jaren tachtig was niet het verraad van zijn vorige leven, maar integendeel zelfs de ultieme realisatie ervan – en net zoals men zich in de warme wind van de contestatie had gewikkeld, werden nu alle zeilen bijgezet om te profiteren van de ijzige wind die van die warme wind de opdrachtgever en de ware voedingsbodem was geweest.

En dus keek je naar acteurs die je niet aan het lachen brachten, maar lachte je toch. Hun grappen wierpen de bestaande orde van de humor omver, en met name de opvatting van wat een tegendeel was, die eeuwenlang overeind was gebleven, die opvatting over tegendelen, die was versterkt door de pest, door banvloeken en excommunicaties, en die nu op zijn kop werd gezet in het bonte crematorium van *Drive In*. Niet langer het gevoel van het tegendeel, maar van hetzelfde. En toch lachten we. 'Halloooo! – zei de dertigjarige uit Biella terwijl hij van de ene kant van het toneel naar de andere sprong – ik ben mister Tarocò, met accent op de *q*!' (en we lachten), of als het verkoperstypetje: 'Sla je slaatje! Doe een gek, eh, gok...' (en we lachten), ofwel, met een rubberen prothese op het voorhoofd en een pruik met wapperende haren: 'Ik ben Zichichirichi, een vaak *bevorderde* wetenschapper: ik krijg iedere ochtend de vorderingen van de rekeningen die ik niet heb betaald!' (en we lachten), ofwel, de man van middelbare leeftijd, in een van zijn monologen aan het einde van de afleveringen: 'Zoals ze zeggen in Gomorra: the show must goor on!' (en niet te geloven, maar wij lachten). Ik lachte, ingeklemd tussen het lugubere plastic van een eetkamer die de jaren zeventig nog niet helemaal achter zich had gelaten, mijn vader lachte, en met haar rug naar de keuken, een dampende pan in haar handen, lachte ook mijn moeder, en aan de overkant van de op zondagavond verlaten straten, bruggen en pleinen, in vele verre huizen, lachten groothandelaren en ambtenaren en studenten en werklozen... En in de dorpen rond Bari, die zo anders waren dan die in Lombardije, maar die allemaal dat wonderlijke witte kabeltje met aansluiting op een UHF-antenne gemeen hadden, lachten ook mensen zoals Annina. En de eerste mongoloïde dochter van Annina lachte, de tweede mongoloïde dochter van Annina lachte, de derde eveneens, de vierde idem... behalve de 'vijfde': zij was voor negentig procent gehandicapt en niet in staat tot om het even welke redenering of nuttige handeling, afgezien van wat haar handen deden met de stoffen van mijn vader. Zij staarde met glazige ogen naar de kleuren op het scherm en lachte niét, bij de volgende grap lachte ze niét, maar bij de daaropvolgende mop trok er een siddering van haar onderbuik door haar maag naar boven om haar met een ijzeren handschoen bij de keel te grijpen en de spieren rond haar mond in beweging te brengen, spieren die overgeleverd waren aan de deerniswekkende anarchie der geesteszieken en die nu voor het eerst enige discipline werd bijgebracht door wat wel het tegendeel moest zijn van iedere discipline: de lach. De laatste mongoloïde dochter van Annina schaterde het uit door een grap van Ezio Greggio, en dat was de dijkbreuk. Eén zo'n scène volstond om te begrijpen dat *Drive In* had gewonnen – 'wenen doe je met je hart, lachen met je verstand': die zin van Molière was niet langer waar. Ook het verstand was net zoals het hart veranderd in een volstrekt willoos orgaan. Daarom schaterde ook de laatste dochter van Annina het uit, daarom begonnen afgelegen dorpjes, begon die hele afgelegen streek, begon misschien wel een heel continent te hikken van de lach. De schaterlach die ons allemaal moest begraven was gearriveerd.

Het schooljaar eindigde met een 'uitstekend' voor mijn examens van het derde jaar middelbare school. Maar op dat moment waren mijn vader, mijn moeder en ik al in een heel andere strijd verwikkeld.

2

Een paar fijne, glinsterende lovertjes bleven tussen de krullen van de acrobaat zitten toen die tien meter boven de grond zijn nummer afsloot. Hij kwam van de touwladder naar beneden en nam met ernstige blik het applaus van de aanwezigen in ontvangst. Daarna kwamen de clowns, en na de clowns de leeuwentemmer, en dan opnieuw de clowns voor de slotsketch, die meer dan één jongen deed schuddebuiken van het lachen en de helft van de volwassen mannen ertoe dwong met een klap de sportpagina's van de plaatselijke krant dicht te slaan.

Ik verliet de tent en probeerde de geur van zaagsel vast te houden die ik tijdens de voorstelling had opgesnoven. Mijn moeder probeerde zo te lopen dat de steenslag haar mooie schoenen niet wit maakte. Mijn vader zei zoals gewoonlijk: 'Vooruit!' en ging steeds sneller lopen naarmate de andere toeschouwers hetzelfde deden.

We reden weg met de BMW, er ons niet van bewust dat die plek korte tijd later zou worden overspoeld door dampende ladingen mest om het eerste openbare park van Bari te worden, waardoor het Groot Circus van Boedapest niet naar de stad kon terugkeren. Ik zag de generatoren en de dierenwagens met hun mysterieuze raampjes verdwijnen. In de achteruitkijkspiegel was nu alleen nog de zwarte, rechte weg te zien – maar ik bleef aan die acrobaat denken: hij kon niet ouder zijn geweest dan zestien, maar leek alle geheimen van een kostbare eenzaamheid tussen de sterren al te kennen.

Mijn vader zette de autoradio aan. Uit de luidsprekers klonk opgewekte, luchtige muziek, die nog luchtiger werd door de stem van Jane Fonda. Mijn moeder zette het geluid wat zachter en vroeg hem of hij al had nagedacht over het Escrivá de Balaguer. Hij pufte. Terwijl de auto een viaduct op schoot, begonnen ze weer te ruziën over mijn toekomst. Ik tekende op het koude oppervlak van de achterruit een mannetje in tweestrijd dat tot leven leek te komen, totdat het werd omringd door de schittering van de dichtere stadsbebouwing. De auto ging langzamer rijden. We waren thuisgekomen. De circusjongen en ik: ik ontdekte de zeven verschillen. De radio zei: 'Michail Gorbatsjov houdt zijn eerste toespraak als partijleider, zo meteen na de nieuwe single van Righeira.'

Aan het einde van de onderbouw was de vraag waar ik mijn studie zou voortzetten. Ik was aan de basisschool begonnen in een tijd waarin – waarschijnlijk voor het laatst in Italië – het streven naar succes nog dapper werd verpakt in een zalf van doorzichtige hypocrisie. Maar inmiddels was er iets gebeurd. Er was een onzichtbare grens overschreden en een sfeer van ongeremde competitie neergedaald over de derde belastingschijf. Dat overtuigde ons ervan dat de keuze voor het ene of het andere gymnasium beslissende gevolgen kon hebben voor iemand die in 1985 de weg insloeg die naar het diploma moest leiden.

Twee dagen eerder had mijn moeder gewacht tot mijn vader van zijn werk terugkeerde en bleef ze heen en weer drentelen tussen de woonkamer en de keuken. Ze ging voor hem staan en zei, met halsspieren die zo gespannen waren dat ik het wel moest merken, dat de zoon van een nicht van haar was ingeschreven aan een gymnasium dat werd gefinancierd door het Opus Dei. 'O ja,' zei ze met een voorzichtigheid nodig om een slapende grote katachtige te vellen, 'wist je dat Cristina haar Giulio naar het Escrivá de Balaguer stuurt?'

Mijn vader had net zijn dertigste milligram haloperidol genomen om langer dan drie uur aan één stuk te kunnen slapen.

Hij merkte dus wel meteen dat achter de woorden van mijn moeder iets schuilging, maar zijn talent als raadseloplosser herformuleerde de zin in de zin, en overtuigde hem ervan dat zijn vrouw hem belachelijk probeerde te maken: de door Josemaria Escrivá gestichte prelatuur was iets waarvan mijn vader wel wist dat het belangrijk was, maar niet meer dan dat. 'Opus Dei...' bedacht hij op ernstige, onthutste toon. Twee minuten bleef hij de onbestaande belediging afwegen. Hij keek mijn moeder aan en zei: 'Hm. Toch maar niet.' De volgende dag gingen we naar het circus.

Drie dagen later viel mijn vader de keuken binnen om ons met schelle stem mee te delen dat Di Liso zijn zoon had ingeschreven voor de toelatingsproef van het Töpffer, een Zwitsers college op een paar kilometer van de grootste gletsjer van Europa. Hij straalde. Toen ik begreep dat het over de zoon van Di Liso ging, versteende ik onmiddellijk voor de televisie. Hij vroeg aan mijn moeder: 'Heb je het al gehoord?' en liet zich neerzakken tussen de kussens op de divan. Ze schudde het hoofd. Mijn vader sprong op. Hoe was het mogelijk, vroeg hij zich af, met de handen in het haar, hoe was het in de verste verte denkbaar dat een vrouw die zich zorgen maakte over de toekomst van haar eigen zoon niet wist wat het Töpffer was? Mijn moeder nam een servet van de tafel en propte het zenuwachtig van de ene in de andere hand. Mijn vader, die nu de wind in de zeilen had, somde de voorrechten op die de zoon van Di Liso te wachten stonden door naar die school te gaan. Paardrijden, schermen, dictie, etiquette... Dat waren slechts enkele van de buitenschoolse activiteiten die, samen met de meer gebruikelijke, de zoon van Di Liso de kans zouden geven uit de hoogte neer te kijken op zijn collega's in het openbaar onderwijs. 'Wanneer hij gediplomeerd naar Italië terugkeert,' voegde hij eraan toe, 'zal er tussen hem en zijn oude vrienden...' Met zijn handen bootste hij een kleine kloof na. Hij dronk een glas water en stak zijn arm opnieuw uit naar de wastafel, alsof hij de behoefte voelde om de kriebelende glimlach die hij niet helemaal als de zijne leek te herkennen af te koelen.

Terwijl mijn moeder naar hem stond te luisteren, bleef ze het katoenen servet tussen haar vingers uitrafelen totdat het erop geborduurde bootje onherkenbaar was geworden. Ze dacht dat het mijn vaders bedoeling was de superioriteit te bewijzen van zijn vrienden bankdirecteuren ten opzichte van haar familie, en schoot onverwachts naar voren, op haar man af, plooide haar lippen in een minachtende glimlach en zei kortaf: 'Paardrijden!' Ze waagde zich aan een theorie die ik nog nergens anders heb gehoord: paardrijden was volgens haar de beste manier om van een jongen een volslagen idioot te maken. 'Uit Beieren zijn de knapste koppen van Europa voortgekomen!' wierp mijn vader trots tegen. 'Hou-toch-eens-op!' Mijn moeder zette hem op zijn plaats door eindelijk het spookbeeld naar voren te halen dat door de spanning van de vorige dagen half onder het oppervlak verborgen was gebleven: 'Wat weet iemand die niet verder is gekomen dan het derde jaar van de middelbare school daar nou van...'

Op televisie was er een film waarin een buitenaards wezen dat eruitzag als Joan Crawford een witte muis bij de staart nam en die begon op te peuzelen. Ik hield mijn ogen op het scherm gericht, maar bleef me concentreren op de ruzie tussen mijn ouders. *Beieren is niet in Zwitserland!* bedacht ik kwaad. De discussie verloor ieder contact met de werkelijkheid – ze discussieerden over het Opus Dei zonder zelfs maar te weten wat het was, ze bazelden over Zwitserse scholen in de overtuiging dat onze geldvoorraad in staat was wensbeelden waarnaar ze in de jaren toen we nog tweedehandsjassen droegen hadden gekeken als door de opening van een caleidoscoop, tastbaar te maken, al hoedden mijn vader en mijn moeder zich voor de eventuele verdenking dat als geld in wezen een dialoog is tussen spiegels, iedere droom die daarbij komt kijken slechts dient om honderd nieuwe illusies te creëren. Misschien was het daarom dat ze niet hun eigen standpunten leken te verdedigen, noch het mijne, maar dat van een discours dat ons verstand te boven ging, een overdonderend alomtegenwoordig kameleontisch wezen dat zich om zijn eigen reptielenschubben te verbergen moest hechten op het voortdurende quid pro quo van de mens, dat rancunes en persoonlijk onbegrip uitbuitte zodat zijn eigen einddoel – iedereen die in zijn buurt kwam met huid en haar verslinden – werd verward met een grandioos bezoek uit de toekomst. En in die overgang van buiten naar binnen (van de opengesperde bek van het Grote Hedendaagse Reptiel naar de diepe zwakte van het vlees en de zenuwen en de irissen die in de jaren veertig aan het licht waren gekomen) werd iets cruciaals in de geest van mijn vader en mijn moeder verduisterd, en simuleerde dat de heldere, coherente en meedogenloze intelligentie – van *iets anders*.

'Win een reis naar de leeuwen, met de koning van de ballen!' luidde de reclamespot. Ik keerde mijn hoofd af van het televisietoestel en keek door het raam. Daar zag ik de pikdonkere motorcrossbaan en daarachter de gele lichtjes van de appartementsgebouwen, en een reclamebord met een feller, geler licht van 'Mago G'. En in de verte, op het dak van een nieuw gebouw, een andere, donkerblauwe lichtreclame, met een verwijzing naar een oceaan van zuivere sterren: 'Bankamericard. In de praktijk meer dan geld.' Iemand zette de televisie uit.

Ik sloot me op in mijn kamer. Ik dook onder de flanellen lakens terwijl mijn moeder en mijn vader de badkamer in en uit liepen nadat ze hun ruzie hadden ingeruild voor een stilzwijgend staakt-het-vuren. Ik nam mijn *RanXerox* van het nachtkastje en begon te lezen. Ik legde het stripverhaal opzij en deed de schemerlamp uit. Ik deed hem weer aan. Ik nam de strip en las verder waar ik was opgehouden: RanXerox vernielde een telefooncel. Daarna haastte hij zich, rot van de Vinavil, om de twaalfjarige Lubna te bevrijden uit de klauwen van een 'triseksuele' maniak. Ik keilde de koning van de alternatieve strips tegen de muur. Ik deed de schemerlamp uit. Ik bleef tussen de lakens liggen, in het donker, met opengesperde ogen.

Als de zoon van Di Liso kon worden aangehaald als voorbeeld voor het slagen van om het even welke onderneming – bleef ik denken zonder de slaap te kunnen vatten – dan was alle hoop verloren, aangezien ik de zoon van Di Liso precies in die periode beter had leren kennen. Ik had het ongeluk om te gaan met die beangstigend magere en lastige, neurotische jongen, met zijn fluwelen broek en zijn ragebol van vuilgeel haar en daaronder een reusachtig pastoorsmontuur dat zijn vader hem vast had opgedrongen in de misvatting dat het heel gedistingeerd stond. Terwijl het een volstrekt foute bril was – zo'n model dat twee weken nadat het op de markt is gebracht al bizar wordt gevonden, twee maanden later belachelijk is, en tien jaar later iedereen die er ooit een heeft gehad vervult met schaamte.

Daniele Di Liso: zo heette de zoon van de bankdirecteur, het levende bewijs van mijn problemen in 1985. *Daniele Di Liso Daniele Di Liso Daniele Di Liso...* bleef ik bij mezelf herhalen terwijl ik rusteloos lag te popelen en mijn ouders in hun kamer lagen te slapen. Hoe was het zover gekomen?

De week ervoor was mijn vader mij op een regenachtige middag na de catechismusles komen afhalen. De dennen van de parochie van Sant'Andrea baadden in de wazige luminescentie van het water. De stortregen liep op het terrein samen in talloze stroompjes die flessenkurken en sigarettenpeuken meevoerden naar het kleine afdak waaronder ik toevlucht had gevonden. De dichte grijze mantel waartoe mijn gezichtsveld werd gereduceerd, veranderde in een doorzichtige sluier met daarachter twee zonnen, die ten slotte werd opengereten door de neus van de Fiorino.

In de auto keek mijn vader zenuwachtig op zijn horloge. Daarna naar mij en daarna weer op zijn horloge. Hij profiteerde van een rood verkeerslicht om opzettelijk te laat en te hard te remmen, en sloeg zich met de hand op het voorhoofd: 'Di Liso! Verdorie! Ik ben Di Liso vergeten!' Hij gaf gas en maakte rechtsomkeert. Zonder te wachten tot ik weer recht op mijn stoel zat, legde hij me op gewichtige toon uit dat hij een afspraak had met Di Liso om buiten het bereik van indiscrete oren delicate investeringsstrategieën te bespreken. Op dat punt – in zijn eigen ogen verschoond door geveinsde onvoorziene omstandigheden – vond hij het praktischer me niet eerst naar huis te brengen maar mee te nemen naar het appartement van de bankdirecteur.

'Aangenaam, ik ben Daniele…'

En zo stond ik plots tegenover een jongen die werd geteisterd door een metabolisme dat drie- of viermaal zo snel moet zijn geweest als dat van een veertienjarige met een normale gezondheid. Meteen nadat we aan elkaar waren voorgesteld, stak hij zijn handen in zijn broekzak. Hij deed alsof hij me bestudeerde om te weten te komen of hij me wel of niet onsympathiek vond. Hij vroeg: 'Ken je softwareproducent Imagic?'

Na die nodeloze proef nodigde hij me uit om hem naar zijn kamer te volgen. Hij pakte het laatste nummer van het tijdschrift *Video Giochi* van een stapel kranten, begon erin te bladeren en nam plaats op een van de twee identieke bedden die achter elkaar voor het raam stonden – en de aanwezigheid van dat tweede bed was een drama, begreep ik naarmate we elkaar vaker begonnen te zien: Daniele was enig kind, net zoals ik, en dus spande hij zich in om in de ogen van de buitenwereld het verband tussen eenzaamheid en zelfredzaamheid om te keren, maar dit tweede bed, dat altijd onberispelijk was opgemaakt, was een hulpkreet gehouwen uit essenhout en bekleed met ganzendons. Hij vond de pagina die hem interesseerde en liet me die zien: *97.175 punten, Marco Zambroni, Bologna.* 'Dat is het te kloppen record,' verklaarde hij, terwijl hij zijn bril op zijn neus duwde.

Dracula was de nieuwe videogame die Imagic had 'ontwikkeld' voor Intellivision. 'Let op, Imagic, niet Mattel,' preciseerde hij. Mattel had de hardware ontworpen, zoals ik ongetwijfeld wist, maar de games van Mattel waren 'waardeloos', en aangezien Dracula de 'gaafste' videogame was van Imagic, dat 'coole' softwarebedrijf uit Solvang (in Californië), was Marco Zambroni de te kloppen man om een abonnement te verdienen op het tijdschrift. Hij sprak alsof het op de hoogte zijn van die facetten van het leven de enige garantie bood voor het emotionele voortbestaan van onze soort. 'Pak die maar,' zei hij, en hij wees een Polaroid aan die rondslingerde op de vensterbank. Hij verbond de Intellivision met het kleine televisietoestel dat tussen de deurtjes van de kleerkast zat geperst en vroeg me te kijken hoe hij speelde, en om vlug te leren, want na vijf of zes spelletjes 'is het jouw beurt'. En hij vroeg me vooral het fototoestel in de aanslag te houden, voor het geval hij de drempel van 98.000 punten zou overschrijden.

Mijn vader en Di Liso dronken cognac in de woonkamer. Ik keek toe hoe deze wildvreemde jongen zich op een besturing stortte alsof het een kwestie van leven of dood was.

De daaropvolgende weken nam mijn vader me steeds vaker mee naar Di Liso.

Toen we op een zaterdagavond door de stad reden, bevond hij zich in een gemoedstoestand die gevaarlijk dicht bij enthousiasme in de buurt kwam. Hij haalde riskant in en wisselde nodeloos van rijstrook in de buurt van voetgangerseilanden, tot grote schrik van de voorbijgangers. Terwijl hij reed, hield hij niet op de lof te zingen van Daniele ('O, dat is me een buitengewoon intelligente jongen...' – 'En, eh, hoe heet het ook alweer?' – 'Juist ja, de wiskunde-olympiade: verleden jaar was hij geloof ik *eerste* bij de regionale selectieproeven...') Deze lofzang – die ik volgde zonder hem de voldoening van de minste hoofdknik te schenken – weerklonk als op de golflengte van een vreemde automatische piloot. Toen hij opeens overschakelde naar Di Liso senior, leek hij het echt te menen: 'Pasquale, Pasquale...' vertrouwde hij de achteruitkijkspiegel goedmoedig toe, '... die klootzak zou zelfs in staat zijn een investeringsfonds te verkopen aan diegene die het op de markt heeft gebracht...' De vader van Daniele deed het met andere woorden zo goed daar in dat filiaal van hem dat hij binnenkort zeker promotie kreeg. 'Die kunnen ze hem niet weigeren!' opperde mijn vader wrokkig terwijl hij een parkeerplaats zocht. Het was de enige parenthese van luciditeit.

Toen we het appartement met de eeuwig glanzende vloertegels eenmaal binnen waren, dumpte hij mij in de kamer van Daniele en sloot zich dan samen met Di Liso gedurende twee lange uren op in de woonkamer. Na wat de zoveelste overtuigingspoging moet zijn geweest ('Luister, ik ben helemaal niet de eigenaar van de bank!' hoorde ik Di Liso meer dan eens roepen, waarna ze allebei in lachen uitbarstten...), stond mijn vader opeens vol inspiratie in de lange, lege gang. Op dat moment bevond ik me in de badkamer. We werden slechts van elkaar gescheiden door een tien centimeter dunne tussenmuur. Ik vermoedde dat hij naar het telefoontoestel ging en bleek het bij het juiste eind te hebben toen hij zei: 'Nou, we zijn hier...' op de toon die hij aansloeg voor routinegesprekken met mijn moeder. 'Ja, over een halfuur,' voegde hij eraan toe, 'lang genoeg om...' en daarna klonk uit zijn stem de slepende loomheid van een verleider. Ik duwde mijn rechteroor tegen de scheidswand. Ik hoorde hem zeggen dat het waar was, dat ik mijn boeken thuis vergeten was, maar 'verrek!', nu en dan mocht mij toch ook wat gegund worden, niet? Ik hoorde hem weglopen en ik kwam de badkamer uit in een staat van lichte verdoving.

Vijf minuten later veranderde Daniele in een vleermuis en daarna in de grote monochrome veelhoeken die volgens de ingenieurs van Imagic graaf Dracula moesten voorstellen. Het geluid van grote passen in de gang werd steeds sterker. Mijn vader en Di Liso kwamen de kamer binnen en onderbraken het spel. Ik dacht: *Oké, nu gaan we het krijgen...*

Beiden lachten. Ze leken te zijn teruggekeerd van een jachtpartij, alsof ze een massa fazanten hadden geschoten en ook al hadden ingevroren. Mijn vader bevestigde het vol trots: 'Oké dan, je moeder stemt ermee in, je mag hier blijven slapen.' Hij keek naar mij, maar richtte zich tot alle aanwezigen, zodat het ook voor Di Liso en Daniele onmiskenbaar was dat het míjn idee was om te blijven slapen. Om me uit de val te bevrijden had ik aan Daniele moeten uitleggen dat ik niets tegen hem had maar liever in mijn eigen bed sliep, aan mijn moeder dat ik voor een keertje mijn boeken verkoos boven een vermoeiend spel, en zou ik vooral een zwartleren bedje in een kantoor met uitzicht op het Prater nodig hebben gehad om mijn vader te laten inzien dat zijn gedragingen de vertaling waren van onuitspreekbare verlangens, een vertaling die hij maakte met een woordenboek waarin ieder lemma van het onderbewustzijn op rampzalige wijze op zijn kop werd gezet. Ik had genoeg aan een blik op de dansende kraaienpootjes rond zijn ogen om te begrijpen dat hij er nu écht wel van overtuigd was dat ik daar wilde blijven slapen. Iets in hem had zich sinds het begin van de middag zorgvuldig ingespannen om ongeloof te veranderen in zelfbedrog (wat waren die bokkensprongen met de auto anders geweest dan een pendel die voor zijn steeds zwaardere oogleden heen en weer schommelde?). En uitgerekend de kracht van een onschuld die hij terugvond door aan de verkeerde kant van de tunnel te graven, stond hem toe een groeiend aantal mensen te betrekken bij een verlangen dat ik nooit te kennen had gegeven: de bankdirecteur knikte voldaan, Daniele stond al klaar om mij een van zijn pyjama's te lenen... Ik probeerde me mentaal te isoleren van de rest van de groep. Ik verzamelde al mijn krachten om mijn waarheidsliefde de maat te laten nemen van de pijnlijke ontgoocheling die alle lachende gezichten in de kamer zou zijn binnen geslopen. Maar vervolgens hoorde ik mezelf zeggen: 'Tuurlijk, ik blijf hier...' mijn lippen vertrokken tot een opgewekte, kinderlijke, uiterst valse uiting van opluchting, alsof ik echt mijn vader wilde bedanken omdat hij mijn zaterdagavonddroom had gerealiseerd. Verslagen, gedemoraliseerd en door mijzelf verraden zag ik me hem naar de deur begeleiden. Hij zei mij gedag, toen Daniele en ten slotte de bankdirecteur, en verdween in de liftcabine.

We speelden nog met de Intellivision. Daarna gingen we naar bed. Daniele nam een dik boek van Stephen King van het nachtkastje en begon het door te bladeren. Ik vroeg of hij strips had en hij gaf me een *Donald Duck*-pocket. Ik vond *Doctor Paperus tegen de Saracenen* bijna vernederend simpel. Daniele deed het licht uit en alles verzonk in stilte. Ik bleef even de duisternis in deze onbekende kamer inschatten. Ik deed mijn ogen dicht en weer open. Ik draaide en keerde tussen de lakens en lag naast het slapende lichaam van mijn vader. Ik vroeg hem: 'Wat doe jij hier nog?' Mijn vader rekte zich uit en geeuwde: 'Zie je wel dat ik gelijk had?' En zo stonden we op en voelden onder onze voeten het dikke, natte gras, en daarna keken we hoe de zon opging achter de heuvel naar waar we altijd al waren verbannen. We begonnen hand in hand de helling af te lopen, waarop wat anemonen bloeiden, met boven ons het gesternte van een gloeiende, eindeloze bloedverwantschap, dat steeds heter en onverdraaglijk werd...

Om negen uur werd ik wakker. In het bed naast me lag een dun kuiltje, en door het gebeier van de klokken, dat tot kort daarvoor ook in de heksenketel van mijn droom weerklonk, hoorde ik de stem van Daniele die me riep voor het ontbijt.

De winter viel over de velden en deed er kool en venkel ver-schrompelen. Hij streelde de stad net voldoende om de over-jassen van onze moeders te laten veranderen in nertsmantels die paradeerden tussen de winkels in het centrum – en inmid-dels was de warmte al teruggekeerd, maar de winkeljuffrou-wen kregen zoals gewoonlijk kramp van het intikken van de kassabonnen. Op vele straten afstand van die handelstempels begroette Daniele mij met een stevige handdruk en bracht me samen met een fles sinaasappelsap naar zijn kamer. Daar wachtte ons een partijtje Risk of Operation.

Na de initiële ergernis voelde ik voor Daniele een vreemde gehechtheid, die het gevolg was van een uitdaging: als dat ap-partement al de plaats van mijn schuldige nederlaag was ge-weest, moest het nu het veld van eer worden waar ik revanche kon nemen op mijn vader. Maar ook Daniele, die toch bijna al zijn vrije tijd met mij doorbracht, leek op te gaan in een lange, bloedige krachtmeting waar ik nauwelijks iets mee te maken had. Terwijl hij mijn troepen geleidelijk inmaakte door zijn tanks te verhuizen van Mongolië naar het Kamtsjatka-schier-eiland, leek hij te worden verteerd door een onrust die niet werd ingegeven door het verlangen om mij te verslaan. Ik zag hem uit iedere overwinning tevoorschijn komen als was hij ontsnapt aan groot gevaar, met vergrote pupillen achter zijn brillenglazen, alsof de videogames en gezelschapsspelletjes, maar ook de 'uitstekend's' die hij op school verzamelde door zich over zijn wiskunde te buigen alsof iemand een pistool te-gen zijn slaap hield (zijn klasgenoten noemden hem 'het genie', bleef hij maar herhalen, terwijl hij probeerde de breuk in zijn stem onder controle te houden die de wrede ironie blootlegde die dat epitheton wel moest omgeven), het enige middel waren waarover hij beschikte om een dreiging het hoofd te bieden die zich op volstrekt andere terreinen bewoog.

Cristina Di Liso, de moeder van Daniele *was er niet…*

Op een bepaald moment had ik het probleem helder voor de

geest. Dat deed ik met de snelheid van een gehandicapte, of liever op het hoogtepunt van het soort afstomping dat maakt dat honden en katten een overlijden pas weken, soms zelfs maanden nadat de telefoon heeft gerinkeld en een van de bewoners is beginnen te schreeuwen terwijl hij zich met de hoorn op het voorhoofd slaat, in zich opnemen.

Meteen na het zondagse middagmaal zaten hij en ik alleen in de woonkamer. Op mijn bord lag een volmaakte zoete substantie. Ik stak mijn lepel in de gesmolten suiker en zei: 'Mijn moeder vergist zich *iedere keer weer* in de hoeveelheden. Haar pudding lijkt wel gesmolten stront. Complimenteer je...' Ik hield me meteen in. Alles wat er ooit tussen de muren van dat huis was gebeurd, overviel mij: ik voelde een onzichtbare slag en vervolgens iets wat zich krachtig terugtrok. 'Wat zei je?' vroeg ik Daniele na enkele ogenblikken van absolute paniek. 'Voorverpakt,' herhaalde hij met diepe stem, 'uit de supermarkt.'

De moeder van Daniele, die als verpleegster in een ziekenhuis werkte, had Di Liso al een paar maanden verlaten. Zestien jaar samenleven had het haar mogelijk gemaakt in minder dan een kwartier haar garderobe in een rafelige tennistas te proppen, alsook – binnen de week – de moed gegeven te verhuizen naar de zesde verdieping van een kaal, grijs appartementsgebouw in een van die grote slaapwijken die zelfs voor onze verbeelding moeilijk bereikbaar waren.

In tegenstelling tot wat bijna altijd gebeurde, was Daniele aan zijn vader toegewezen. Misschien omdat hij dat zelf graag wilde, of wegens iets onuitsprekelijks dat verband hield met het gedrag van zijn moeder. In ieder geval, mijn ouders hadden er nooit met een woord over gerept: ik ging bij Di Liso langs, bracht middagen, nachten en vroege zondagmiddagen door in hun huis, en niemand had ooit zelfs maar een lettergreep vuilgemaakt aan het ondertitelen van de muren waarop de afwezigheid van Danieles moeder geschreven stond.

45

Voor mijn vader was het geloof ik een kwestie van *suspension of disbelief*. Toegeven dat Di Liso op die manier was gedumpt, zou het winnaarsimago hebben doen verbleken dat mijn vader op hem bleef plakken, dat van een professional met wie het contact, dankzij de vlottere kredietverschaffing, de bijbehorende klim op de maatschappelijke ladder impliceerde. Het feit dat mevrouw Di Liso domicilie had gekozen in Japigia (waar de woningen door het geperste karton van hun dragende muren meestal doortrokken waren van de walmen van de rampzalige riolering), al was het maar om geen minuut meer te hoeven doorbrengen in het gezelschap van haar man, zei iets over een gevoel van eigenwaarde dat mijn vader diep in zijn hart misschien wel kon delen. Maar dat aan het licht brengen zou vervolgens misschien wel een klim in gevaar hebben gebracht die slechts door de afwezigheid van filosofische verontwaardiging een makkelijke afdaling kon lijken. Ook mijn moeder had het waar ik bij was nooit over de vrouw van Di Liso. De scheiding van Danieles ouders werd mij duidelijk uit zijn schaamte: niet door de situatie op zich, maar door hoe het stilzwijgen van mijn ouders die begon te vervormen.

Daarbij kwam nog mijn onvermogen om het onderwerp ter sprake te brengen. Het was alsof ik het wist en tegelijkertijd *niet wist*.

Op zaterdagmiddag belde ik Daniele. Ik was de hele dag thuisgebleven en op televisie ging het over de dooi tussen de Verenigde Staten en de Rode Beer, met zulk een monotoon gedram dat een partijtje Risk me de enige manier leek om eraan te ontsnappen. Hij antwoordde me op een verstikte diplomatieke toon: 'Het. Spijt. Me. Maar. Ik. Kan niet. Ik. Ga. Met. Mijn moeder. Naar. De film. Eh… Het hele weekend.' Die vertoning van *Out of Africa* kon duidelijk geen achtenveertig uur duren. Daniele maakte mij op subtiele wijze duidelijk dat hij het weekend bij zijn moeder zou doorbrengen, een verplaatsing naar de hoogovens van de stad waar hij er zelfs niet aan dacht een van zijn vrienden te inviteren, uit vrees dat die aanstoot zouden nemen aan de immense landingsbanen vol kraters waar die helft van de wereld opkwam en onderging. Maar aan mij, *nu aan mij,* vertelde hij, zij het rillend als een blad, toch eindelijk een deel van de waarheid: hij verwachtte dat ik het werk voltooide door het broze zeil open te scheuren van de filmzaal waarin die waarheid verscholen zat. Maar ik beperkte me tot de reactie: 'Oké, goed, dan spreken we elkaar maandag wel weer.'

Ik slaagde er niet in hem naar zijn moeder te vragen. Daniele voelde zich gegeneerd door mijn gêne en was op zijn beurt niet in staat erover te praten. We werden geblokkeerd door krachten waarvan we tot dat moment het bestaan zelfs niet hadden vermoed. De schande waarvan ik me zou moeten vrijkopen, was niets ten opzichte van de schaduwen die steeds dreigender over onze dagen vielen.

Er gingen nog meer weken voorbij. Toen we samen waren, zaten Daniele en ik als begraven in zijn kamer. Als we bijvoorbeeld naar de badkamer moesten (wat we pas deden als we de eerste krampen in onze blaas voelden), gebruikten we bewust alleen de tweede badkamer, want de grote badkamer, met hydromassage, bevond zich naast de keuken en tegenover de woonkamer – en de woonkamer en de keuken waren, in hun maniakale en kale netheid, het meest tastbare bewijs van het ontbreken van een volwassen vrouw om die te verlevendigen. Desondanks voelde ik me altijd een stap verwijderd van de zin die de spanning had kunnen wegnemen. Hij keek me aan en slikte. Ik stelde de oplossing van het probleem uit naar de volgende dag. En toen, op een van die dagen, besliste de Werkelijkheid ons uit te roken.

Samen, altijd samen... en van elkaar gescheiden door de kartonnen patiënt aan wie ik behoedzaam het begeerde bot probeerde te ontfutselen. Ons bordspel werd onderbroken door het geluid van de intercom. De ogen van Daniele waren een en al paniek. Zijn moeder was een kwartier vroeger dan het afgesproken tijdstip en deed zo de subtiele chronologische constructies instorten waarop Daniele vertrouwde. 'Tot tien over halfzes. Als... je wilt,' had hij haar verteld nadat hij zich ervan had vergewist dat ik om halfzes naar mijn training moest.

Als ze Daniele kwam afhalen, overschreed de voormalige mevrouw Di Liso nooit de grens van de deur. Ze verkoos de razende ruzies die nog steeds losbarstten tussen haar en de bankdirecteur te beperken tot het terrein van de telefoonrekening, en ze wachtte haar zoon gewoonlijk op in het lawaaierige verkeer beneden op straat.

Daniele hing de hoorn van de intercom op. Hij keerde terug naar de kamer en mompelde een uiterst zwak: 'Tijd om te gaan.' Hij begaf zich naar de deur en zonder een woord te zeggen liep hij samen met mij de trappen van het appartementsgebouw af, tree voor tree, alsof talmen het verloop van de tijd kon vertragen. Hij vroeg zich waarschijnlijk angstig af of ik de situatie doorzag, en werd vervolgens zeker getroffen door de vreselijke veronderstelling dat ik het *pas op dat precieze ogenblik* begreep. Zijn bleke gezicht liep ineens helemaal rood aan, het bloed trok samen rond zijn oren, hij werd roodgloeiend en rilde. Ik had mijn hand op zijn schouder willen leggen. Maar zodra we beneden de deur uit liepen, ging hij sneller lopen. Hij produceerde een 'dag' bij wijze van normaal afscheid, maar het kwam eruit op een toon die het midden hield tussen laconiek en grotesk. Vervolgens liep hij de straat op, waar zijn moeder hem opwachtte met een A112 die dubbelgeparkeerd stond, die vrouw naar wie ik hem al een hele tijd had moeten vragen, maar die ik, na al die gemiste kansen, misschien maar beter niet meer kon ontmoeten. Maar nu ik haar, ondanks onze manoeuvres, toch te zien kreeg – een magere gestalte, niet groter dan een meter zestig, met een badstoffen pagekopje, een scherpe neus met daaronder nog dunnere lippen, en een mouwloos donsjack dat samen met haar op het portier van een op diverse plaatsen gedeukt autootje leunde, en die blik... een blik die het doffe getuigenis was van wat overblijft van golven van trots die te pletter slaan op een voorraad tweedehandsartikelen. Op de grond liggen stof, verstelde kleren en trieste lampenkappen, als in een privéclub waarop beslag is gelegd. En op haar liep Daniele nu toe in een catatonische toestand, nageroepen door buschauffeurs en motorrijders die hem onverwachts voor zich zagen opduiken. Nog voordat die vrouw hem tegemoet kon komen, stak hij zijn hand op, met een starre, routinematige beweging, die zijn best deed om geen enkele blijk van spontane moederliefde tentoon te spreiden, in het besef dat hij zich nog in mijn blikveld bevond, en binnen het bereik van zijn vader, die het tafereel vanaf het balkon met over elkaar geslagen armen gadesloeg. Iedereen, de hele wereld keek nu naar hem, en drukte geeuwend zijn onverzoenlijke oordeel uit, terwijl hij, Daniele, probeerde overeind te blijven op een eiland van asfalt, uitlaatgassen, verscheurdheid en absolute eenzaamheid.

Die dag deed ik tijdens mijn fitnessoefeningen iets wat ik nooit eerder had gedaan. Ik bleef me angstig afvragen of ik niet gewoon een lafaard was als zovele anderen. Ik hoopte dat de lichamelijke inspanning me ervan zou weerhouden eraan te denken. Maar ieder rondje op het circuit met de bal voelde ik dat mijn band met Daniele rond de kern van de onopgeloste problemen steviger werd aangetrokken: hoe onoverkomelijker ze leken, hoe meer ik me erdoor aangetrokken voelde. En dan nog meer rekstokken en trapezes en beenbuigingen...

Na die middag, waarop ik kortstondig de ogen van zijn moeder had gekruist, bleven Daniele en ik met elkaar omgaan, zonder het voorval ooit ter sprake te brengen. Het was alsof er een lijk in huis lag en wij over een grote mahoniehouten doodskist waakten terwijl we deden alsof er niets aan de hand was. En Pasquale Di Liso maakte alles nog erger.

De bankdirecteur leek eigenlijk nauwelijks op het sardonische personage dat op kantoor aan de knoppen van geven en nemen draaide. In de huiselijke sfeer werd zijn professionele glimlach gereduceerd tot een slinkse, gorgelende grijns. Hij slaagde er niet in zich te verzoenen met het feit dat zijn vrouw de echtelijke sponde had verlaten, waardoor hij zich genoodzaakt zag in zijn eentje naar officiële gelegenheden te gaan. Hij haatte zijn ex-vrouw, hij voelde zich door haar beschadigd. Di Liso was een van die mensen die ervan overtuigd zijn dat ze altijd eerste keus zijn, dat ze zich dus kunnen permitteren om eenieder die het waagt de broze origamiconstructie van de wereld die ze om zich heen hebben gebouwd om zichzelf een belangrijk gevoel te schenken, het allerslechtste toe te wensen. Aangezien hij deze verstoring van zijn persoonlijkheid niet met zijn gelijken kon delen, daalde ook hij dan maar af naar het niveau van de kleuterschool.

Op een zaterdagavond, het was al vrij laat, kwam hij thuis na een etentje met zijn collega's. Hij kwam Danieles kamer binnen en had zijn bretels al afgedaan: 'Hé, kampioenen, hoe gaat het?' Hij knoopte zijn boord los, vroeg of er iemand had gebeld en Daniele zei uit zijn hoofd de lijst van telefoontjes op. Hij nam een krant uit een kleine hemerotheek die zijn zoon uit de nabijgelegen krantenwinkel geduldig uitbouwde en bladerde er nonchalant doorheen: 'Die Desmond Tutu is toch wel een ongelooflijke clown, hè, jongens, of vergis ik me?' zei hij plompverloren. Zijn ogen fonkelden. Daniele knikte berouwvol, en hoewel ik aanvoelde wat er aan de hand was, deed ik hetzelfde, want er hing nu een onnoemelijk geweld in de lucht, dat weliswaar onderhuids kon blijven, maar alleen op voorwaarde dat iedereen de ander gelijk gaf.

Voldaan over onze medewerking bleef Di Liso maar uitweiden over buitenlandse politiek, gevolgd door het relaas van zijn diner met zijn collega's, totdat hij zich strikt bepaalde tot het onderwerp 'nachtclub': 'O, daar hadden jullie bij moeten zijn...' Op een bepaald moment waren we beland in een tent met gedempt licht waar de canapés vol zaten met vrouwen gehuld in luipaardvacht. 'En dan moet je bedenken,' zei hij in een poging ons medeplichtig te maken, 'dat ik er meteen na het eten naartoe ben gegaan...' Het was niet duidelijk of hij het over Bari had of over het Chicago van een oude filmstudio. Maar hij profiteerde van onze onwetendheid om ons te vertellen hoe een Dom Pérignon die hij had betaald voor een in lamé gestoken roodharige aan tafel 14 ertoe had geleid dat ze meteen met zijn tweetjes een privékamer in waren gedoken, waar zijn verhaal ophield (hij wilde absoluut voor gentleman doorgaan). Tevreden met onze sprakeloosheid, besloot hij ook onze ijdelheid te strelen: 'Die jeugd... jongens toch, jullie kunnen er wat van!' zei hij terwijl hij naar de kaarten van Trivial Pursuit wees waarmee we aan het spelen waren geweest tot hij binnenkwam. 'Met alles wat jullie weten, kunnen jullie een ingenieur van de NASA nog het vuur na aan de schenen leggen.' Hij verzekerde ons dat Daniele weldra 'iedereen een poepje zou laten ruiken', daar tussen het eeuwige ijs van het Töpffer. 'Maar jij ook...' gunde hij me met een knipoog en een vermoeide rimpel in zijn glimlach.

Als Di Liso hem complimentjes gaf, wilde Daniele zijn lectuurbereik verder uitbreiden en atlassen en encyclopedieën verslinden, al was het maar om het beeld dat zijn vader van hem had opgeroepen, ook echt te verdienen. Maar het gevlei van Di Liso paste in de strategie van iemand die bereid is je grote toegevingen te doen met als enige bedoeling het zwaartepunt van het gesprek zo te verplaatsen dat het daar valt waar die toegeeflijke man het hebben wil.

De daaropvolgende week, toen hij terugkeerde van een van zijn bezoekjes aan de Cotton Club, vond die transformatie voor het eerst voor mijn ogen plaats: Di Liso-de-sympathieke-praatvaar maakte plaats voor de bloeddorstige Aguirre.

Hij kwam met slaande deur de kamer binnen. Hij wendde zich tot Daniele en schreeuwde: 'Stomme oen! Mogen we misschien weten waarom je de wasmachine niet hebt aangezet?' Door paniek overvallen sprong Daniele overeind: 'Ik ging het net doen!' De directeur keek onverzoenlijk op zijn horloge: 'Lul niet,' siste hij, 'het is kwart voor één...'

Het was allemaal zo vlug gegaan dat ik de woordenwisseling moest reconstrueren om te begrijpen wat er aan de hand was. Maar de volgende scène diende zich al aan.

Di Liso kwam op het inerte lichaam van zijn zoon af en schreeuwde hem in het gezicht dat hij zich weer niet aan de afspraken had gehouden: 'Wat hadden we afgesproken? Wat hadden we afgesproken, *jij en ik*?' Hij peperde hem meedogenloos zijn statuut van gast in: als hij niet bij moeder in het Land van Verval wilde gaan wonen, zei hij, dan moest hij zich nuttig maken in het huishouden – *zijn eigen gedaante laten versmelten met het spookbeeld van zijn moeder,* bedacht ik stijf van angst, en op basis van die macabere overlapping de kussenslopen vervangen, de oven reinigen, de kamers luchten... Allemaal dingen die Daniele altijd al tussen onze spelletjes door had gedaan, maar die ik nu pas in het juiste licht kon zien. De vermeende 'ondankbaarheid' van Daniele was voor zijn vader het bewijs dat zijn zoon een kind was dat van de complexe werking van de wereld slechts het zilver glanzende buitenlaagje kende, en dat die wereld hem dat gauw betaald zou zetten door hem op de reusachtige hoop mislukkelingen te laten belanden. 'Wat een zak, wat een zak!' herhaalde hij terwijl hij door de kamer ijsbeerde.

Ik stond verstijfd. Door het plotse karakter van zijn woede-uitbarsting had ik geen tijd gehad zelfs maar te bedenken hoe ik moest reageren. Dat zowel Daniele als zijn vader zo makkelijk in deze ruzie was gestapt, leek er trouwens op te wijzen dat ze die voorstelling al veel vaker hadden opgevoerd. Di Liso had bovendien zonder enige remming zijn hart gelucht: mijn aanwezigheid had hem hoegenaamd niet tegengehouden. Op de een of andere manier *voelde* hij hoezeer ik inmiddels gecompromitteerd was in mijn relatie met zijn zoon... Alsof hij de *klik* had gehoord die dat ene kwetsbare moment was gemaakt, die middag toen ik Daniele zonder een woord tegen hem te zeggen naar zijn moeder had laten lopen.

Ik bed dacht ik na over het feit dat Daniele, vlak voordat hij over de was 'ik ging het net doen' zei, leek te beseffen dat dat slappe excuus het enige was wat zijn vader nodig had om de vloer met hem te kunnen aanvegen. En toch had hij die woorden over zijn lippen laten komen. Ook hij lag al onder de lakens. Hij las zijn boek van Stephen King alsof er niets aan de hand was.

Toen ik op zondagochtend door mijn vader naar huis werd gebracht, besteedden we geen aandacht aan de stem van de nieuwslezer, die het op de radio had over Juventus, dat de finale speelde van de beker voor landskampioenen. Ik vroeg me af hoe het mogelijk was dat mijn vader niet doorhad wat voor iemand Di Liso was en in welk gekkenhuis hij me in alle gemoedsrust achterliet. We hielden in voor een groepje nieuwsgierigen rond het langgerekte profiel van een smaragdgroene Jaguar xj-s. O, hij besefte het maar al te goed.

En dan was er nog het derde lid van het erbarmelijke gezelschap...

Vanaf begin mei klonk iedere avond stipt om acht uur de intercom ten huize van Di Liso. 'Dat zal die idioot van een Mimmo zijn,' zei Daniele terwijl hij de gang in liep.

Twee minuten later verscheen voor ons een jongen met het

haar van een marterachtige. Zijn kapsel was te netjes en ouderwets, maar het feit dat het altijd te kort of te lang was, verraadde in ieder geval dat het thuis werd geknipt door een volwassene met ernstige concentratiestoornissen. Het was Mimmo
Pavone, een pafferige dertienjarige die de vlag der ongevaar-
lijkheid voerde en er bijgevolg van iedereen van langs kreeg.
Hij was naast mij zo ongeveer de enige leeftijdsgenoot met wie
Daniele contact had. Zijn ouders waren (voor de derde keer in
twee jaar) ondergebracht in een ontwenningskliniek. Mimmo
hing aan de bel nadat hij een hele middag had gedaan alsof hij
huiswerk maakte, in de kantoorboekhandel van zijn stokoude
oom en tante (een voorovergebogen, zwijgzame man die op de
vraag om 'een Snappy-pen' reageerde door zijn schouders op
te halen en de klant uit te nodigen zelf tussen de artikelen op de
planken te snuffelen, en een oude vrouw met aanleg voor trom-
bose, die zich in haar steunkousen uiterst langzaam voortbe-
woog en de daginkomsten minstens vijf keer telde alvorens de
kassa leeg te maken). Na uren op de val van het Romeinse Rijk
te hebben getuurd zonder ook maar een regel te lezen, belde
Mimmo bij huize Di Liso aan: hij hees onvoorwaardelijk de
vlag van een glimlach waarin we onszelf herkenden als het enige alternatief voor de grauwe bouwval die de kantoorboekhandel was, en dus als het beste wat hij van het leven kon verlangen.

Toen ik hem voor het eerst zag, werd hij door Daniele ontvangen met een combinatie van aandacht en preventieve uit-
branders zoals een huisdier soms ten deel valt: 'Wat sta je daar
te staan als een idioot? Kom je binnen of niet?' We glipten
voorbij het mijnenveld van de woonkamer en sloten ons op in
de kamer van Daniele, waar het partijtje Risk dat we aan het
spelen waren, werd beëindigd. De kaarten en pionnen werden
opnieuw verdeeld, nu ook aan de nieuwe gast. Alleen was
Mimmo een hopeloos geval. Hij zat verbijsterd met de dobbel-
stenen in de hand. Na een eerste standje door Daniele, die hij

niet wilde teleurstellen, stortte hij zich met zo'n kamikazeachtige gretigheid op een reeks manoeuvres dat zijn onthutsende onbekendheid met het doel van het spel dat we speelden wel aan de dag móest treden. En dus hoorde hij de door hem zo vereerde jongen zeggen: 'Je hebt er weer niks van begrepen, zoals gewoonlijk...' Na een uur onsamenhangend spelen mompelde Mimmo dat hij het ook niet kon helpen dat hij niet zo slim was als wij. Daniele bevestigde dat: 'Stel je voor!' Ik boog het hoofd om het niet ook te hoeven bevestigen. Toen ik het weer ophief, vreesde ik geconfronteerd te worden met een expressie van vernedering, maar ik zag nog steeds diezelfde smetteloze glimlach.

Daniele legde het nog een keertje uit, maar bracht hem opnieuw in moeilijkheden. Hoe vaker hij hem een idioot noemde, hoe meer hij ontspande. De bevestiging krijgen dat hij in die kamer iemand te gast had die zich spontaan aan hem onderwierp, een jongen die voor om het even welke beproeving van het leven eerder zou bezwijken dan hijzelf en ik: alleen dat gevoel leek hem in een stemming te kunnen brengen die iets benaderde wat gemoedsrust mocht heten.

Een enigszins ander effect oefende Mimmo uit op volwassenen. Di Liso verloor in zijn aanwezigheid zijn laatste remmingen.

Er waren alweer enkele dagen voorbijgegaan, met nog meer spectaculaire, hooglopende ruzies tussen Daniele en zijn vader, en nu zaten we op een zondagochtend alle vier in de woonkamer.

'O, prima, jongens...' zei Di Liso, terwijl hij sodawater in een glas sprenkelde waarin campari, gin en een overdaad aan Punt-e-mes de rol van een negroni in de versie van Fifth Avenue moesten spelen. Hij stak zijn hand in zijn jaszak en terwijl Daniele geconcentreerd toekeek, Mimmo schaapachtig meeleefde en ik in stomme verbazing mijn ogen opensperde, liet hij ons een kleine plastic verpakking zien met getande randen als van een postzegel. Hij zei dat hij 'uiteraard' wel wist wat we uitspookten met onze klasgenotes, en dat hij op onze leeftijd ook tijd had doorgebracht met de jacht op meisjes die de rozenkransgroep lieten voor wat hij was om zich op de kussens van een canapé aan zijn zijde te vlijen. 'Maar tegenwoordig...' voegde hij eraan toe, terwijl hij de condoomverpakking van de ene hand in de andere liet gaan, neukten de hunkerende engeltjes die wij volgens hem al in bed wisten te krijgen, rond als bezetenen, met een gemak dat twee- of driemaal groter was dan de retorische inspanningen die hij had moeten leveren om zelfs maar een schouderbandje naar beneden te krijgen (daarom waren zijn veroveringen ook twee- tot driemaal zoveel waard als de onze): de hand die onze onderbuik vastgreep, gloeide nog na van wrijfvlekken die geen twee uur oud waren, beweerde hij met grote stelligheid. Die 'halve hoeren' droegen smerige ziektes met zich mee en hadden nog altijd dezelfde instelling als hun moeders, en maakten zich met de oudste truc ter wereld meester van andermans bezittingen, zeker als de wederhelft langer dan een meter veertig en vermogend was (waarbij hij alleen mij en zijn eigen zoon aankeek).

Hij nam een slok van zijn negroni, maakte de verpakking open, rolde het rubbertje af in zijn rechterhand en schudde ermee alsof het een duivelse marionet was. 'Dit dingetje, dit rubbertje bevrijdt jullie van alle zorgen.' En hij doorbrak de stilte met een laatste goede raad in het kader van zijn lessen seksuele voorlichting: 'Ram die teef,' zei hij. 'Hou dit ding zo lang mogelijk om... en haal het er daarna op tijd af om in haar haar te kunnen spuiten!' Hij nam zijn glas van de kristallen salontafel.

Wat volgde, waren momenten van absolute verbijstering.

Ik denk dat onze verbijstering werd veroorzaakt door een haat die we nooit eerder hadden gevoeld, maar die in feite het darwiniaanse gevolg was van het badmeesterlibido wanneer de lichtjes rond de danstent worden gedoofd en het licht twintig jaar later weer aangaat in een kantoor waar een transistor-radiootje *Sapore di mare* speelt, er een bliksemschicht naar beneden schiet, en een heel land onvermijdelijk degenereert. Het was trouwens al voldoende de doelmatigheid te observeren waarmee wij nooit afdongen op de prijs als iemand ons om boodschappen stuurde, om te begrijpen dat door ons gebrek aan ondernemingszin we wat vrouwen betreft niet meer dan twee of drie lippenstiftafdrukjes hadden veroverd, maar waarvan we de afdruk met krijt op het scorebord van onze herinneringen reproduceerden.

Maar het was vooral de aanpak die Di Liso suggereerde (niet de handeling op zich, maar de minachting waarmee hij het erover had) die Mimmo, Daniele en ik niet konden verteren zonder een verborgen deel van onszelf te verraden.

Want wij drieën – zo bedacht ik in de stiltebubbel die langzaam maar zeker de woonkamer vulde – hadden een heel andere, eigen opvatting van seks, en die stond *lijnrecht* tegenover die van Di Liso. We voelden geen haat voor vrouwen. We voelden geen haat voor onze moeders en klasgenotes, of voor de meisjes die we zo graag wilden kussen. Dat bleek al uit eerdere middagen, toen Mimmo en ik op een bepaald moment, als op een onzichtbaar teken, een wapenstilstand uitriepen en de Risk-kaarten van tafel haalden. Daniele diepte een tijdschrift op uit een lade en duwde Helene Hansons borstenpracht onder onze neus, omgeven door haar weelderige haar en gouden dijen, een ernstige en zachte blik (als een Praagse op een zonnige zondag of als een Californische die zich op het strand zonder tegenstribbelen had laten nemen), en vooral drie dunne banden van zwarte stof, strak om haar lies en tepels, die haar rechterzijde helemaal onbedekt lieten, in het bijzonder haar perfect geschoren oksel, een zachte vleespartij die zichtbaar werd doordat ze haar arm naar achteren hield, in een lichtspel dat eerst de adembenemende golving van haar boezem benadrukte en vervolgens afdaalde naar haar zij, werd onderbroken door het stuk stof dat haar schaamheuvel bedekte en opnieuw schitterde op de rondingen van haar onderbuik, met andere woorden op het plekje waar het katoen van haar slipje zichtbaar had moeten worden, maar waar het meisje zich dankzij de handigheid van de fotografen van *Skorpio* schaamtelozer toonde dan haar opengesperde geslacht: 'Ik ben weerloos, dat is mijn moed, ik ben hier om jullie van mij te laten profiteren.' Een voor een knoopten we onze broek los en begonnen te masturberen op het omslag van *Skorpio*, een van de slimste zetten in het uitgeverslandschap van de jaren tachtig: een tijdschrift met werken van de wonderbaarlijke striptekenaarsschool van Buenos Aires, met als lokaas halfnaakte meisjes buitenop (en bijna helemaal naakt in de fotoreportage binnenin), onder wie Valeria Golino, Enrica Bonaccorti, Carol Alt, maar vooral Helene Hanson, onze heldin. Voor haar gingen onze handen ritmisch op en neer, zonder dat we elkaar ooit in de ogen keken en zonder dat onze formatie ooit veranderde: Mimmo, Daniele en ik, nooit Daniele en ik alleen. Er was een derde aanwezige nodig om geen overdreven intimiteit te creëren. We namen hem om te beginnen tussen onze vingers, met de boetvaardigheid van luchtmachtcadetten tijdens hun luchtdoop. Als Helene Hanson echt bestond (zoals ze was op dat omslag), zou ze misschien verbijsterd zijn geweest door onze blikken, die niets leken toe te geven aan het naakte verlangen – Daniele rukte uiterst bedaard; Mimmo wekte de indruk dat voor hem het omslag van *Skorpio* niet meer was dan het was: een mengsel van in een drukkerij samengeperste plantaardige vezels, waarvan hij de aanblik meer leek te associëren met toevallige kameraadschap dan met abstracte wellust, en dus een verbijsterend geval van holle lichaamsdelen die opzwollen door een eenvoudige behoefte aan vriendschap; en ik ging aan de slag, schichtig alle kanten op kijkend, bang dat we ons belachelijk maakten. Maar toen volgden onze bewegingen niet langer de partituur, verloren we de controle en stelden we gegeneerd vast dat we met zijn drieën met onze onderbroek op onze enkels stonden, want dat was nu pas echt het geval. Nu pas werden Mimmo en Daniele, net zoals ik, geterroriseerd door de mogelijkheid dat een van ons in zijn vervoering te dicht bij de ander zou komen, en zelfs het gevaar liep *die aan te raken.* Uiteindelijk verdampte ook dat gevaar en bleven we alleen met onze verbeelding. Ik liet mijn twee vrienden achter op de rondvliegende vonken van een mentale brandstapel waarop feestelijk oude kantoorboekhandels en verre moeders en wraakzuchtige vaders brandden, ik zag de laatste gloed van gedeelde opwinding en daarna was er voor mij alleen nog de zwoele blik in de ogen van de moordgriet Helene Hanson. En wat ons van elkaar scheidde, vertelde ik mezelf terwijl ik de bewegingen van mijn rond mijn pik aangespannen vuist versnelde, wat ons van elkaar scheidde, waren niet vierhonderd miezerige kilometers (het tijdschrift werd in Rome gedrukt), niet de irrelevantie van de tijd (dat nummer van *Skorpio* dateerde van 1981), maar slechts de heldere leegte waarin tijd en ruimte verdwijnen, de miljarden fotonen die al een eeuwigheid door de kosmos reisden en die alles met alles verbonden, indrukken meevoerden zoals fotografische platen die in staat zijn om ogenblikkelijk informatie over te brengen naar de andere bouwstenen van de schepping, de universele straling die mijn halfgesloten ogen nu probeerden te ontwaren in het voorjaarslicht dat in piramidevorm op de vloer van de kamer viel en een verblindende valdeur opende waarin de levende sporen van Helene Hanson werden gebundeld, en samen daarmee de groene weerkaatsing van de eucalyptussen die achter het raam te zien waren en de razende uitlaatgassen van de automobilisten op straat, en een paar hemels verderop (dezelfde hemel: een ononderbroken opeenvolging van kamers zonder deuren) waren er zwaluwen die in duikvlucht de ruimte doorkliefden boven de vlakten waar een onbeweeglijke patrouille van telefoonpalen in een explosie van jeugdig koren stond en in golven oprukte naar de eerste woonwijken, golven die vlak bij mij (in diezelfde verblindende valdeur) zichtbaar werden uit de komst van de onzichtbare stofwolk die zich had losgemaakt van de naakte ruggen van de meisjes die in Bari de vorige dag, diezelfde dag, *op dat eigenste ogenblik* schreeuwend klaarkwamen in de armen van hun minnaars, en toen – een ogenblik later of een nog korter ogenblik eerder dan Mimmo en Daniele – voelde ik mezelf trekken tussen mijn anus en de onderkant van mijn balzak, rukte ik hard, smeet ik mijn hoofd naar voren en steunde met beide handen op het openliggende tijdschrift om niet kreunend op de grond te vallen.

Mimmo hoestte. De bubbel van stilte spatte als een zeepbel uit elkaar.

'Wat zei je?' vroeg de bankdirecteur, die zijn glimlach zo forceerde dat hij knarsetandde.

'Ik zei dat ik dat van dat klaarkomen in haar haar nogal belachelijk vind,' hoorde ik mezelf een tweede keer zeggen. Mimmo sperde zijn ogen open. Daniele verstarde. Ikzelf was verrast door mijn eigen woorden.

'Tuurlijk, tuurlijk...' Di Liso stond op van de canapé en verzamelde de inmiddels leeggedronken glazen, 'want lulletjes als jullie weten natuurlijk maar al te goed hoe die dingen gaan...'

Pas toen hij ons begon te beledigen, begreep ik dat ik het enige onderdeel van mijn vriendschap met Daniele aan het verdedigen was dat ongeschonden was gebleven. Ik had gezegd wat ik moest zeggen, maar het was alsof niet ik het had gezegd, ik slaagde er zelfs niet in me voldaan te voelen.

Di Liso begon rond ons te cirkelen: 'Jij...' zei hij terwijl hij me met een knik aanduidde, 'jij kunt hier wel de wijsneus uithangen, maar je bent er wel zo een die het in zijn broek doet als het erop aankomt.' Hij ging voor Mimmo staan, die hem zoals gewoonlijk aankeek met een blik overlopend van dankbaarheid. 'Die daar...' zei Di Liso met zijn rug naar hem gekeerd, terwijl hij hem met zijn duim aanwees als moest hij hem tonen aan de bezoekers van een dierentuin, 'voor die daar is het al heel wat als hij zijn schoenveters kan strikken.' Hij grinnikte eenzaam. Hij liep weg bij Mimmo, en Mimmo zuchtte opgelucht. Nu stond hij voor Daniele. Hij staarde hem aan met een allesverterend vuur in zijn ogen, alsof hij was tegengesproken door zijn zoon, niet door mij: 'En dan jij,' zei hij, 'wat moet er van jou terechtkomen met die... die lesbische moeder van je!'

Lesbisch? Het woord dreunde dwars door mijn trommelvliezen. *Lesbisch!*

Daniele bleef als aan de grond genageld voor zijn vader staan. Hun blikken kruisten elkaar. Een paar ogenblikken waren ze in strijd verwikkeld. Daarna gingen ze samen op weg over een pad waar ze niet meer te volgen waren. Ik keek naar Mimmo. Hij zat doodgemoedereerd op de canapé, met de kalme afgestomptheid die we inmiddels van hem gewend waren: hij spreidde een soort vergevingsgezindheid tentoon waardoor hij weerkaatste op ons hoofd en bijna ijl werd – hij legde vredig de wapens neer, op een manier die ik een bewijs van lafheid zou hebben gevonden.

'Dat zeg je alleen maar omdat ze bij je weg is gegaan.'

En weer... weer waren de woorden me ontsnapt zonder dat ik dat echt wilde! Mimmo gniffelde. Di Liso wilde iets zeggen, maar in mijn ogen leek het alsof hij naar adem hapte.

'Hou nu toch eens op!' Daniele sprong op en keek me verwijtend aan. Zijn vader zette een stap achteruit en leverde hem aan mij over. Daniele stond alleen en bleef me razend aankijken. Het was duidelijk: hij nam het op voor hém. Op dat moment werd de knoop ontward. Mijn vriendschap met Daniele blies haar laatste adem uit, ging dood en werd begraven – en aangezien hij en Di Liso er zo goed in waren geslaagd dat appartement te veranderen in een omgekeerde kruisweg, waarbij zonen de schuld van hun vader op zich namen zodat hun beider lafheid voor iedereen aanvaardbaar werd, kon niets die vriendschap weer tot leven wekken. En ook nu weer, bedacht ik kwaad, was het me gelukt de feiten pas met een verpletterende vertraging onder ogen te zien: ik was veel te huiverig om het kwaad aan te pakken als dat zijn hoofd even om de hoek van de goede bedoelingen stak, en te vervuld van eigenliefde om zomaar alles door de vingers te zien als verraad zijn ware gezicht toonde.

Di Liso trok zich terug in zijn slaapkamer. Mimmo vouwde zijn handen op zijn buik. Daniele, die helemaal weer tot rust was gekomen, keek ons onderzoekend aan: 'Nog een potje Cluedo?'

Een uur later beende ik naar huis. Ik genoot van de zondagochtendzon terwijl ik lukraak de kruispunten van Via Re David overstak, en dan langs de met dadels en muizen beladen palmbomen waarmee de universiteitscampus was omzoomd... en zag een hele stad! Een hele stad die er altijd al was geweest terwijl ik er genoegen mee had genomen mezelf levend te begraven. *'Oké dan, je moeder stemt ermee in, je mag hier blijven slapen.' Dat moest hij nog eens proberen, hij moest nog eens proberen mij met zulke goedkope trucjes in de val te lokken!* dacht ik terwijl ik midden op straat met een warm gevoel van revanche de ogen sloot.

Maar zonder dat ik er iets voor hoefde te doen, ondernam mijn vader daarna geen enkele poging meer me ertoe te dwingen mijn weekends bij Di Liso door te brengen. *Razendsnel.* De dingen om ons heen veranderden razendsnel...

3

Eind juni 1985 werd de economie van ons landje getroffen door iets wat sterk leek op een ontspoord klimaat. In Milaan. In Napels. In de drukbevolkte stadjes aan de oevers van de Adriatische Zee.

Lakentjes voor borelingen, gestikte dekens, tafeltextiel... De telefoons in het bedrijf van mijn vader stonden roodgloeiend. Door de schuifdeur die voor de loods was geplaatst, verscheen een oude groothandelaar die gewend was mensen uren op hem te laten wachten in de wachtkamer van zijn kantoor. Hij was een door de wol geverfde handelaar, maar ook in zijn ogen gloeide nu goudkoorts. Uit de zakken van zijn regenjas haalde hij een pakket blaadjes die hij uit oude gratis agenda's had gescheurd, en tegen de magazijnbediende zei hij: 'Geef me eens een pen.' In allerijl krabbelde hij de blaadjes vol. De bediende zei op lijzige toon: 'Voor de prijzen moet u wachten tot de...' De groothandelaar onderbrak hem: 'Zeg tegen je baas dat als hij alle koopwaar voor eind september kan leveren, niemand hem lastigvalt over prijzen. Trouwens, dat weet hij zelf al!'

Het aantal bestellingen was indrukwekkend, het overtrof alle verwachtingen, want het trouwseizoen was al afgelopen. In de feestzalen hing nog een geur van verse lelies en van spaargeld dat in rook was opgegaan. Maar onder de as van dat geld brandde weer ander geld van verlangen om van bezitter te veranderen, en de hele stad draaide dat jaar ononderbroken door.

De dagen van mijn vader werden steeds langer. Hij werkte tot wel zestien uur aan één stuk. Als een dolle, op volle toeren, zonder ooit enige vermoeidheid te voelen, alsof hij door een magische wind werd gedreven. Hij huurde een nieuwe loods. Hij nam nog meer borduursters in dienst. Hij begon klanten te ontvangen in een bar, in de pauze tussen zijn bezoek aan de bank en dat aan zijn boekhouder.

Door zijn nauwgezetheid doken er nieuwe problemen op. Hij vergaderde veel vaker met zijn leveranciers en begon de lijst van wanbetalers dagelijks aan te passen. Als de vertraging in een betaling een grens overschreed die werd bepaald door zijn gemoedstoestand, daalde er een opake sluier neer over zijn blik. Dan telefoneerde hij Palmieri, zijn vertegenwoordiger: 'Girolamo, die lul van een Balestrucci heeft toch wel zijn eerste rekening betaald?' Palmieri probeerde hem op zijn eigen manier gerust te stellen: 'Met alles wat er tegenwoordig gebeurt, maak je je zorgen over twintig miljoen lire? Je zou in een halve week het dubbele kunnen verdienen als je wat verder naar het noorden trok. Bologna. Parma. Reggio Emilia. In die streken staat alles op ontploffen. Ze zijn het inmiddels zat met hun Ferrari de Rivièra op en af te rijden. 's Avonds gaan ze naar bed en proberen aan iets rustgevends te denken, maar ze dromen alleen maar van die sportwagen. Dus nu, nú willen ze rust – en een uitzet!'

Mijn vader gaf zich niet gewonnen en belde persoonlijk zijn schuldenaars op. Velen verdroegen zijn gedram niet langer en kwamen al niet meer aan de lijn. Op een avond riep mijn moeder hem tot de orde: 'Vind je niet dat je wat overdrijft?' Mijn vader strekte de vingers van zijn rechterhand. Op zijn gezicht verscheen een verontruste uitdrukking, alsof een simpel verwijt de inktnaalden kon vertragen waarmee de telex in het kantoor de ene na de andere bestelbon volschreven. 'Die heren...' riep hij uit. 'Als je die overlaat aan hun gedachten zouden ze nog op het idee komen een faillissementscurator om te kopen. Je moet binnendringen in hun sluimer. 's Ochtends, voordat ze zich herinneren wie ze zijn en waar ze zijn, moeten ze wakker worden met jóuw naam op de lippen!' Het leek wel alsof hij glom van trots op zijn eigen retoriek. Hij voelde het onstuurbare licht van het menselijk lot op zijn eigen hoofd neerdalen: hij liep naar mijn moeder en drukte haar tegen zich aan. 'Begrijp je het niet... *Begrijp je het dan niet?* Zo gaan de dingen nu eenmaal,' zei hij bijna dubbel geklapt onder de last van zijn emoties.

Kort voor de zomer vonden mijn ouders een nieuwe vorm van solidariteit, van liefde misschien zelfs. Mijn vader schoot om vijf uur 's ochtends de snelweg op en nam vlot de bochten van de Irpinia, klaar om nieuwe marktaandelen te veroveren in Siena, Firenze en Reggio Emilia. Tijdens een onderhandeling in een restaurant aan de Piazza del Campo dacht hij liefdevol aan haar, en aan hoe hij twintig jaar eerder de straten van de stad had afgelopen op zoek naar een orchidee. En dus kon hij de klant tegenover hem met een intense blik in zijn ogen op het hart drukken: 'Van dit artikel moet u honderdvijftig stuks bestellen. Geloof me, ze zijn verkocht voordat er zelfs maar een stofje op de laatste colli is neergedaald.' Mijn moeder bewoog zich vijfhonderd kilometer daarvandaan met veel vaster tred tussen meesterwerkjes van schrijnwerkkunst en Louis xvi-klokken – niet langer met de schuchterheid van de nieuwsgierige bezoeker, maar met de trotse frons van iemand die er geen verstand van heeft maar wel gewapend is met een chequeboekje waar antiquairs dolenthousiast van worden.

Ze werden het er ook over eens de verbouwing van ons nieuwe huis te onderbreken. We hadden maanden eerder al moeten verhuizen naar een villa die ze in de winter van 1983 hadden gekocht. Maar inmiddels hadden ze al de mogelijkheid om die ietwat gewone villa voor de beter gesitueerden om te laten toveren tot een heus herenhuis.

In die koortsachtige, triomfantelijke sfeer doofden de ruzies over mijn toekomst. De wereld waar mijn vader en mijn moeder een kijkje wilden nemen door mij naar een of ander Töpffer te sturen, leek zich nu onder hun voeten te materialiseren, alsof een hele verbeeldingswereld zich bereidwillig van zijn uitverkoren plek liet losschroeven om naar ons te komen. 'Indro Montanelli, bijvoorbeeld,' zei mijn moeder terwijl ze afruimde. 'Enrico Fermi, Indro Montanelli... allemaal producten van het staatsonderwijs,' bevestigde mijn vader terwijl hij na een lange haal het uiteinde van zijn Marlboro bekeek. Ze hadden het nu over het Cesare Baronio, het atheneum op twee kilometer van huis. Mijn ouders brachten de reeds ingevulde formulieren naar de vervallen schoolgebouwen en overhandigden ze trots aan een grijze secretaris wiens lethargie werd doorbroken door twee paar gloedvolle ogen die om zich heen keken met het fanatisme van quakers die net waren aangekomen in Pennsylvania. En niet Pittsburgh, niet Cambridge, maar Bari was hun beloofde land.

Daniele belde me nog op. Ik verzon een uitvlucht, hield voet bij stuk en wist hem zo af te wimpelen. Hij loste zijn greep bijna zonder verzet. Mijn vader bleef Di Liso wel zien, maar de machtsverhoudingen waren aan het veranderen. Mijn vader werd voor de banken een steeds aantrekkelijker partij, en het lag in de lijn der verwachtingen dat de directeur voor de befaamde sterretjes op zijn rokkostuum afhankelijk was van onze klandizie. 'Ze hebben hem nog geen promotie gegeven,' hoorde ik hem op een bijna zomerse middag zeggen, een paar uur voordat Di Liso bij ons zou komen dineren. 'En dan te bedenken dat de grootste idioot met twee of drie klanten als wij al regionaal directeur kan worden.'

Die avond verwachtten we niet alleen Di Liso. Vanaf de vroege middag hoorden we in de omringende straten het irritante lawaai van gas-toeters. Als we op het balkon gingen staan, zagen we om de vier of vijf auto's een zwart-witte vlag uit de open raampjes wapperen. Behalve de bankdirecteur kwamen ook Palmieri met zijn vrouw, een paar oude medewerkers en een grote klant uit Caserta die in Apulië op zakenreis was. Mijn moeder begon inktvis schoon te maken en de tafel te dekken, en sneed een stuk of tien sinaasappelschijfjes voor de martini, zodat alles klaar zou zijn zodra de finale van de Beker voor Landskampioenen begon. Mijn vader verdween en dook een halfuur later weer op met een doos Montecristo's.

Om acht uur zat iedereen al te kletsen met het aperitief stevig in de hand. Het onsterfelijke fresco van de comédie humaine werd tussen de schemerlampen in onze woonkamer brutaal herschilderd: een groep mannen wie het lot veel succes had toebedeeld, of die tenminste blij waren een avond lang in intieme kring in andermans succes te kunnen zwelgen. Ik observeerde hen terwijl ik de minuten telde die ons scheidden van de aftrap. Het was verbazingwekkend te zien hoe ze allemaal, zodra ze met de mening van de anderen werden geconfronteerd, hun mening afzwakten of juist stelliger verwoordden, waardoor de machtsverhoudingen duidelijk aan de dag traden. Di Liso, bijvoorbeeld, werd inmiddels beschouwd als een zieltogend dier. Het was zelfs geen comédie humaine… Het was alsof Balzac zijn meesterwerken een halve eeuw eerder had geschreven dan in werkelijkheid, en hij te maken had met een premature burgerij die van nature vervuld was van de wreedheid en het enthousiasme die konden worden opgesnoven in een Parijs tafereel, maar die nog niet toe was aan bepaalde subtiele nuances, waarvan we de kunst aan het leren waren in een vreemde inhaalcursus, van het type 'twee eeuwen in tien jaar'.

Palmieri kuchte: 'Heren, het is twintig voor acht. We willen de eerste goal van Platini toch niet missen?' 'Le roi, *le roi*,' corrigeerde de boekhouder. 'We hebben hem gekocht voor de prijs van een brood, en hij heeft er foie gras op gelegd,' besloot Palmieri met een imitatie van Gianni Agnelli die vaak alleen in een voetbalcontext mogelijk was. Mijn vader keek om zich heen, op zoek naar de afstandsbediening. Hij liep naar de televisie en zette deze met de hand aan. Ik zag hoe hij verstijfde. Palmieri schreeuwde: 'Beeld!'

Toen hij van het scherm achteruitdeinsde, was zijn gelaatsuitdrukking leeg. Diezelfde blik maakte zich meester van de anderen. Het was niet alleen een koude douche of de onderbreking van een feest. We waren in een andere dimensie beland... Alsof de buitenwereld en onze eigen omgeving werden verpletterd, op het gevaar af dat ze één zouden worden. Bruno Pizzul zei met vlakke stem: 'Naast me staat een functionaris van de UEFA en die zegt... die zegt dat er zesendertig doden zijn.'

De eerste horrorreality dateerde van vijf jaar eerder, toen twintig miljoen mensen rechtstreeks de doodstrijd volgden van een kind dat in een artesische put was gevallen. Maar die gebeurtenis in Vermicino was niets in vergelijking met wat nu gebeurde. Op televisie waren beelden te zien van lijken die waren vertrapt door een massa die in paniek op de vlucht was geslagen, over de dranghekken was gesprongen en tot tien meter lager in de leegte was beland. De hooligans hadden een afsluiting in vak z bestormd, dat had het begeven, waarna de slachting was begonnen. De camera's filmden opengesperde monden langs het veld, stapels levenloze lichamen, omvergeworpen hekken die met touw aan elkaar werden gebonden tot brancards waarop tracheotomieën en hartmassages werden geïmproviseerd. Enkele overlevenden hadden de perstribune bereikt en trokken de journalisten aan hun kleren. Ze lieten briefjes zien met telefoonnummers van familieleden die ze voor hen moesten opbellen. De lichamen van andere supporters werden naar de kleedkamers gebracht, waar artsen met infusen en defibrillatoren klaarstonden, en de spelers van Juve en Liverpool werden in de tunnel naar het veld geconfronteerd met al die bebloede lichamen en vroegen met stomverbaasde blik: '*What happened?*' De vertrouwde stem van Bruno Pizzul zei: 'Het dodenaantal is gestegen tot achtendertig, het aantal gewonden bedraagt meer dan driehonderd en... ja, een ogenblik...' Toen hij opnieuw begon te spreken, klonk een andere stem: '... een bericht dat mij behoorlijk verbaast, is dat de wedstrijd toch wordt gespeeld...' – de stem van een oude familievader die een stap in de toekomst zet en daaronder bezwijkt – '... ik herhaal...' – zei hij, terwijl hij probeerde zijn verontwaardiging te verpakken in plichtbesef – 'ik herhaal dat ik zal proberen zo onbewogen en neutraal mogelijk commentaar te geven...' En dus kwamen de ploegen het veld op, onder de Brusselse hemel. Scirea gaf een pass aan Boniek, en het probleem van vijftig miljoen Italianen was niet langer het verzinnen van nieuwe scheldwoorden voor de hooligans, de stad Liverpool en het hele Engelse volk, maar beslissen of ze nog wilden aanmoedigen of niet.

We wisten niet dat de Duitse televisie de uitzending had stopgezet. We wisten niet dat de Oostenrijkse publieke omroep had beslist de wedstrijd zonder geluid uit te zenden – op de schermen in Wenen en Salzburg dansten de beelden van de voetballers in het ijle, terwijl de tekst *'Was wir senden ist keine Sportveranstaltung'* steeds weer over het scherm liep. We volgden de wedstrijd zonder te weten wat we aan het bekijken waren. Het was de dood, en het was een spel, en het was in zekere zin een tv-show. Mijn moeder en de vrouw van Palmieri bleven bijna een kwartier met wijd opengesperde ogen zitten. Daarna ruimden ze af, alsof ze daarmee nog enige structuur aan de avond konden geven. Mijn vader opende zenuwachtig een fles whisky. Hij en zijn vrienden lieten de tijd verglijden terwijl ze het ene glas na het andere dronken. Ze keken verschrikt naar de wedstrijd, alsof een kopbal van Ian Rush tegen de achtergrond van de ambulances de perfecte allegorie was van hun onontwarbare gedachten. Totdat in het begin van de tweede helft de koning van het Europese voetbal vijftig meter verder Boniek zag staan en hem de diepte in stuurde. De Pool glipte tussen twee rode shirts door, versnelde en werd een halve meter voor het doelgebied van de tegenstander neergelegd, zodat de scheidsrechter een onbestaande strafschop moest fluiten, die door het bloed en de hallucinante sfeer meteen werd gelegitimeerd. En toen koning Platini zelf de penalty via de linkerpaal binnentrapte (Grobbelaar dook naar de verkeerde kant) en Bruno Pizzul met een nauwelijks hoorbare grafstem 'goal' zei, gebeurde het onvoorstelbare. Michel Platini begon te juichen zoals hij misschien nooit eerder in zijn leven had gedaan. De camera volgde hem terwijl hij naar de achterlijn liep en zijn blinkende ogen sloot, zijn gebalde vuist omhoogstak, met een dolgelukkige lach, die een slag in het gezicht van de doden was, van de levenden, van de overlevenden, en zelfs van de hooligans, maar niet van de som van dat alles: de eerste avond waarop dood en spektakel hand in hand de treden van een planetaire trap op liepen.

Mijn vader en Di Liso namen elkaar bij de arm, alsof ze vreesden ieder moment neer te kunnen vallen. De lach van Platini veroverde het midden van het scherm, en níet mijn vader zelf, níet Di Liso zelf en níet de vrienden van mijn vader die op de canapé zaten, maar hun röntgenafdruk begon te trillen, onder invloed van het geweld van dat tafereel. Uit hun mond klonk een onbegrijpelijk geluid, een soort getrompet waarvan niet duidelijk was wat het was: vreugde, revanche, ontsteltenis, liefde voor het obscene – en door de openstaande ramen begon hetzelfde getrompetter in golven naar onze oren op te stijgen: *Vroom... vrooom... vroooooom...*

Zij waren hooligans, het uitschot van Europa, kerels die onder de kreet *'blood, sweat and beer'* alle drankwinkels op hun pad kort en klein sloegen, supporters van de tegenstanders neerstaken en verbaasd naar hun met bloed besmeurde handen keken als ze door een politieagent met een wapenstok op het hoofd werden geslagen. Oké. Maar wij? Wat waren wij? Wat was die vreemde kreet die uit onze mond kwam, zo primitief en toch zo geraffineerd dubbelzinnig? *Vroom... vrooom... vroooooom...*

Ik nam me al een paar weken voor me niet meer te laten meesleuren in de bezigheden van volwassenen. Maar nu bood de opgebouwde spanning een uitweg die te aanlokkelijk was om niet in te slaan. En dus sloot ook ik me, zonder te weten wat ik aan het doen was, aan bij het getrompetter, het gegrom, het gebalk dat mijn vader deed verbroederen met zijn vrienden en met de duistere resonanties uit de aangrenzende gebouwen. Deze aardbeving van stemmen leek het kwaad te willen ontkennen, maar stelde het toch een lange akoestische brug ter beschikking, die van Bari waarschijnlijk tot in Turijn reikte, en dan weer naar beneden, naar de gezwollen pracht van Palermo. En in die schreeuw, die ontbloot was van elke ratio, maar gestalte gaf aan de krachtige, *vernietigende* neiging van de mens om zichzelf een slecht geweten te schoppen, voelde ik voor het eerst op een duidelijke, onontkoombare manier dat ik volwaardig deel uitmaakte van mijn land.

De dagen erna dacht ik lang na over wat was gebeurd. Ik observeerde de schijnheiligheid op het gezicht van de televisiejournalisten, die het nu op een zakelijke toon over die bizarre avond in Brussel hadden – resoluut in hun veroordeling, maar ook met grote nadruk op het sportieve succes. Ik zag op de muren van de stad steeds meer verwarde verwensingen aan het adres van Liverpool en van het Verenigd Koninkrijk verschijnen ('Hervorm de strafwet / Wie Engelsen doodt, wordt niet gevangengezet') waartoe diezelfde journalisten met hun vage allusies hadden aangezet ('We bedoelen natuurlijk niet dat de supporters van Juventus bij de volgende gelegenheid het recht in eigen handen mogen nemen...' was de zin die een bekende sportjournalist herhaaldelijk in de mond nam) en die de gewone man zich met bijna gulzig genoegen eigen maakte (ik hoorde Michele Lorusso, onze huisarts, letterlijk zeggen: 'Als justitie echt het juiste doen betekende, zouden we een atoombom op die klotestad moeten gooien'). Daarna verschenen als macabere aanvulling op de puzzel van onze ware identiteit 's nachts slogans op de muren als: 'Juventus, zwart en wit / Jullie horen in de kist', 'Tien, honderd, DUIZEND maal Brussel' enzovoort.

Ik sloot mijn ogen en probeerde de kreet te herhalen die ons voor de televisie had verenigd. Hoe lang had het geduurd om mijn cirkel van argwaan rond te maken? Nog geen jaar, sinds Stevenson niet langer mijn favoriete schrijver was... Goed. Nu wantrouwde ik een heel volk.

Ongeveer anderhalve maand later sprak mijn vader met minzame minachting over Di Liso. Tijdens de finale in Brussel hadden ze zo dicht bij elkaar gestaan, maar nu was zelfs de herinnering daaraan vervaagd. Hij bleef zich doodwerken. Mijn moeder kreeg op een dag de marmerwerker op bezoek. 'Mevrouw, wij zijn ook maar mensen. Over dat mozaïek van travertijn hebben we het in september wel.' De stad zat gevangen in een vochtige zomerhitte van veertig graden. Het verkeer in de straten stierf uit. Vanaf de dijk waren de eerste zeilboten te zien, die werden gevolgd en voorbijgestoken door de grote jachten van de echte rijken. Het was augustus. We vertrokken naar het zuiden voor een paar dagen vakantie.

Badend in de lauwe septembergloed trok ik naar het Cesare Baronio, trillend als een espenblad. Uit de gevel van de school, die ik door de gammele tralies van het hek zag, bleek onmiddellijk dat dit geen Eton- of Töpffer-alternatief kon zijn. Maar dat kon me niet schelen, want dit was de uitdaging waarmee het lot mij op de proef wilde stellen.

We hadden de zomer doorgebracht in een villaatje dat we hadden gehuurd in de hak van de Laars – twintig, vijfentwintig dagen, waarin ik probeerde uit de buurt van mijn ouders te blijven. 's Ochtends vroeg, als iedereen naar het strand ging, reed ik op mijn BMX naar Tricase, waar mijn enige probleem erin bestond de verbazing te overwinnen van de kioskhouder over de beste klant die hij ooit had gehad. Ik vluchtte met mijn buit naar de schaduw van een kleine natuurlijke grot op korte afstand van het strand. De anderen mochten bakken in de zon! Zij mochten van gedachten wisselen over de *Corriere dello Sport* en doen alsof ze aanstoot namen aan de eerste topless vrouwen! Ik bleef *Frigidaire* lezen, las de stripverhalen van uitgeverij Corno, trotseerde het goedkope papier van de zomeredities van klassiekers (*A Farewell to Arms* met zijn omslagtekst in ontbinding, *The Hitchhiker's Guide to the Galaxy* die in katernen uit elkaar viel) en in mijn heerlijke isolement voelde ik me niet alleen maar uniek. Ik las als een gek, wanhopig, en was in staat pagina 500 van een sf-roman te bereiken zonder me te herinneren hoe. Ik had een stamboom nodig, en ik had vooral een nieuw gezicht nodig waarmee ik de schoolmakkers onder ogen kon komen die ik vanaf dat najaar zou leren kennen, als er een nieuwe fase in mijn leven begon. Want ik was ook uniek... Ik was de enige vijftienjarige met meer dan zaagsel in zijn kop die zich zo om de tuin kon laten leiden als ik had laten gebeuren bij Daniele, de enige Cluedo-speler die jammerlijk faalde in het oplossen van het 'eenvoudige raadsel van mevrouw Di Liso', de enige lezer van geraffineerde stripverhalen die zich vatbaar toonde voor die dierlijke voorstelling van de dood die als een voetbalwedstrijd werd gepropageerd. Al mijn lectuur diende niet om indruk te kunnen maken met een citaat uit de verzamelde werken van Hemingway, maar om me het privilege te schenken van een reis naar het onbekende, om van mijn gelaat alle sporen te wissen die mijn verleden er had getrokken en die voor mij voldoende reden zouden zijn geweest ieder ander bij wie ik die sporen in het gelaat herkende zonder uitstel of mogelijkheid van beroep te veroordelen. *Een nieuwe persoonlijkheid…* zo nieuw dat die zelfs voor ondergetekende een mysterie werd.

Ik liep het roestige hek voorbij en ging op de speelplaats bij de samengepakte leerlingen staan, die elkaar schichtig en onderzoekend aankeken. Toen kwam een conciërge het verkeer regelen. Aan het eind van een lange gang liepen de vijfentwintig leerlingen van 1 b hun klas binnen, een groot lokaal waar het licht viel op vergeelde posters die de evolutie van het leven op aarde toonden: bacteriën dobberden een paar miljoen jaar in de oersoep, en alles wat geen hoop had ooit in een zeester te veranderen, kwam vol rancune het water uit. We verspreidden ons over de banken. Meteen daarna kwam een lerares met warrig haar naar binnen. Ze zei 'goedemorgen', ging achter de lessenaar zitten en begon de namen af te roepen met een blik in haar ogen die leek uit te drukken dat alles al van tevoren verloren was. *Wat doe ik hier?* – leek ze te denken – *Wat heb ik misdaan, dat ik naar deze ellendige plek verbannen ben?*

Zoals de meeste van haar collega's ervoer ze het hybride karakter van onze school als een straf. Bij het begin van ieder schooljaar zag het Cesare Baronio in zijn gebouwen een lawaaierig mengsel van sociale klassen defileren, en dat demoraliseerde de leraren. De enige troost voor hun tweederangssalaris had kunnen zijn dat zij de toekomstige leidende klasse vormden. En het was duidelijk dat wij dat niet konden worden. Maar ik had die dag oog noch oor voor de lessenaar. Ik keek voortdurend naar mijn klasgenoten…

Rechts van mij, twee banken verderop, zat een jongen met rood haar. Hoewel hij zat, kon je raden dat hij kleiner was dan gemiddeld. Hij bleef maar aan zijn wangen krabben en zijn puistjes openhalen, en zat op zijn stoel te wiebelen zonder zich te bekommeren om wat rondom hem gebeurde. Zijn gezicht was ten prooi aan een paar kwelgeesten, en zijn overgewicht verraadde ongezonde voedingsgewoonten. Dat ik me instinctief tot hem aangetrokken voelde toen ik hem voor het eerst aankeek, kwam doordat zijn zwaarlijvigheid geen overgave, maar een onheilspellende provocatie uitstraalde. Ik bekeek hem aandachtiger.

Hij deed denken aan een adolescent die al jaren was blijven zitten op een zondagsmaal, die eindeloze zondagse middagmalen van Zuid-Italië, die tafels waarop hele ladingen lasagne worden gegooid, pruttelende niertjes en gevulde konijnen uit de infernale loopgraven van een gaskeuken, een macabere culinaire triomf die niemand spaart, vooral de kleinsten niet: 'Waarom heb je je lasagne niet opgegeten? Jezus treurt... Maria huilt... In Biafra sterven kindjes van de honger...' De jongen die maar op zijn stoel bleef wiebelen, leek honderden van zulke beproevingen te hebben doorstaan. Obees maar zegevierend, want hij gaf de indruk van iemand die alleen maar voor geweld is geweken om het te kunnen vergelden: *Goed dan...* – zo had zijn redenering kunnen luiden – *jullie willen dat ik me blijf volstoppen, dus zal ik dat doen. Breng me lasagne. Breng me levertjes en amandelgebak. Ik zal het opeten en blijven opeten, maar ik zal niet op het juiste moment ophouden. Ik zal provisiekasten plunderen en iets worden waarvoor zelfs jullie schrik moeten hebben: Biafra zal alleen nog een woestenij van beenderen onder de zon zijn...*

Tussen het eerste en het tweede uur keek ik hem in de ogen, nadat hij een tweede keer had gereageerd op de afroep van zijn naam: 'Rubino, Giuseppe.' Een onmiskenbaar teken van eigenwijsheid, dat las ik in zijn blik.

Achter in de klas, vijf of zes rijen verderop, zat de andere jongen die meteen mijn aandacht trok. Hij stak zijn hand al op, een fractie van een seconde voordat de lerares kon zeggen: 'Lombardi, Vincenzo.' Maar die hand, dat gebaar... die waren veelzeggend.

Je kunt op verschillende manieren reageren als je naam wordt afgeroepen. En op je vijftiende – dat had ik inmiddels wel begrepen – ben je al oud genoeg om een hart te hebben dat is gerepareerd met de bypasses van lafheid en kruiperigheid, of met die van een moed die aan je eigen beperkingen is ontrukt. En dus staken sommigen die eerste schooldag hun hand op als een eenvoudige soldaat voor zijn generaal, en anderen die dat deden om hun eigen anonimiteit te onderbouwen, die 'aanwezig' zeiden met een timide, bevangen stem (*Ik ben er niet, ik wil naar mijn moeder, ik wil terug naar huis...*). Vincenzo Lombardi stak zijn hand op om duidelijk te maken: *Ik. Ben. Hier.*

Hij had zacht golvend blond haar, een gezicht met een heldere teint en vooruitstekende lippen en dito voorhoofdsbeen, op een gecombineerde manier die deze dubbele wanverhouding verzachtte in plaats van nog erger te maken. Hij was rijzig en mager, zonder enig spoor van de pafferigheid van een melkmuil. Hij was bovendien gekleed als een dandy: hij droeg een Shetland-pullover met op de borst een soort heraldische griffioen geborduurd, een witte katoenen broek en mocassins zonder sokken, zodat de grote, volwassen aderen op zijn voeten zichtbaar waren. Zodra hij opstond, kon je onmogelijk naast de opvallende zwarte doek kijken die hij om zijn arm had gebonden. Wat was dat voor een grap? Tenzij hij natuurlijk echt rouwde... Als bijkomende provocatie – gesteld dat die zwarte doek er een was – lagen op zijn bank duidelijk zichtbaar twee pakjes Marlboro. Maar zijn gezicht... dat was de echte provocatie: de grimas van kille minachting waarmee hij 'aanwezig' zei en ons aller ondergang leek te wensen. Misschien verklaarde dit – het niet willen toegeven dat hij had gereageerd op een vrouw wier enige charisma bestond in het kunnen uitleggen van de theorie van de verzamelingen – waarom Vincenzo een uiterst aandachtige gelaatsuitdrukking vertoonde tijdens het afroepen van de namen ('Ladisa, Michela', 'Lepore, Giulio'...), zodat hij zijn hand kon opsteken voordat de lerares wiskunde zijn naam uitsprak – en hij dus in feite zichzelf had afgeroepen.

De uren gingen voorbij. De leraren verloren hun tijd met plichtplegingen of vertrokken meteen met de Nijl, zijn slib en de farao's, terwijl wij nog druk doende waren met die persoonlijkheidstests. Tussen het tweede en het derde uur had zowel Giuseppe als Vincenzo de strijd met zijn tafelgenoot al gewonnen.

Giuseppe had ruimte veroverd en spreidde een totaal ontbreken van gemeenschapszin tentoon. Het oppervlak van spaanplaat was onomkeerbaar voor viervijfde gevuld met zijn pennen, zijn geurende gommetjes, zijn walkman... En zijn bankgenoot, Emilio Giannelli, niet eens een onbenul, had zijn ruimte met de minuut kleiner zien worden. Hij had geprobeerd de arrogantie met waardige ernst in te dammen. Maar Giuseppes brutaliteit was overtuigender en standvastiger dan de verwijtende blikken waarmee Giannelli zijn afkeuring probeerde te laten blijken. En er was ook de kwestie van de consumptiegoederen: voor iedere gom van Giannelli had Giuseppe er minstens vijf... De rugzak van Giuseppe bleef maar gerei uitbraken en leek nooit leeg te raken; alsof er een compleet pretpark in zat. Toen de leraar aardrijkskunde en geschiedenis de klas binnenkwam, was de Rubico allang overgestoken: Giannelli was de ongelukkige aan wie in negentiende-eeuwse romans een kamertje in zijn eigen huis wordt verhuurd, zodat hij niet alleen van de huur kan genieten, maar ook van de geleidelijke ondergang van de huurder.

Vincenzo Lombardi leek gothic in het bloed te hebben. De vernedering van zijn buurman verliep op een heel andere manier. Hij had bovendien geluk, want hij was naast Puglisi beland, die inmiddels twee tandartspraktijken heeft en fantastische zaken doet. Maar destijds was Puglisi ontstellend schuchter en een van die jongens die er eindeloos lang over doen om op gang te komen en daar een onzegbare tragiek in vinden. Ze doen er lang over om op gang te komen in het leven (ze geven hun eerste echte kus doorgaans pas op hun twintigste) en om redenen die niemand kan vatten, doen ze er ook lang over om op gang te komen in hun studie. Het lijkt wel alsof hun gevoelens, als je hun intelligentie wegneemt, perfect over positieve en negatieve ladingen worden verdeeld, waardoor de impasse als vanzelf hun lijdensweg wordt en het gevaar ontstaat – zoals ook bij Puglisi, telkens als hij werd overhoord, toen iedere vraag hem met stomheid sloeg – dat ze het in hun broek doen als zelfs de moeder van alle gemene vragen ('Je weet toch nog hoe je heet?') in stilte wordt doorgeslikt, de vraag die een van de vele leraren zich op een bepaald moment liet ontvallen, niet uit kwaadaardigheid, maar omdat de onmacht van sommige jongens zo sterk is dat hij de perfecte steunbeer wordt voor de broze onmacht van volwassenen.

Voor veel van die verregende kuikentjes was het genoeg om de school te verlaten om de tanden te vinden waarmee ze in het leven beginnen te bijten. Zo verloren als ze waren tijdens hun vormingsjaren, zo daadkrachtig gaan ze nu te werk. Maar die dag was Puglisi nog maar pas de school binnengelopen, en Vincenzo zette hem met enkele zetten op zijn plaats. Zijn strategie was in feite tegengesteld aan die van Giuseppe. Vincenzo betrad het territorium van zijn buur niet. Hij gunde hem zelfs geen blik. Zijn opvatting dat hij het enige schepsel was dat het waardig was niet te bezwijken voor schaamte over de schepping, leidde er in vergelijking met de broosheid van Puglisi toe dat precies in het midden van de tafel die ze deelden een muur verrees. Op een bepaald moment was die onzichtbare grens, die Puglisi nooit had durven te overschrijden, een feit: hij keek doelloos om zich heen, en toen viel zijn blik op de zwarte doek en versteende hij. Vincenzo zei op zijn beurt geen woord. Zijn treiterige stilzwijgen leek dat van een prins wiens rijk twee dagen voor zijn kroning is verwoest – maar een prins die zijn overgeërfde rechten zo duidelijk in zijn hoofd gebeiteld heeft staan dat hij er geen ruilhandel mee kan drijven, waardoor het niets alles waard is en de hele wereld het territorium wordt waarop hij zijn heerlijke rechten laat gelden. Puglisi hield zijn adem in. Op een bepaald moment keek hij verschrikt naar zijn handen, alsof die hem konden verraden door Vincenzo's territorium binnen te dringen. Maar zijn handen bleven op hun plaats. Zelfs als Vincenzo hem nu de hele tafel had afgestaan, dan nog zou dat gebaar niets hebben veranderd, want de machtsverhoudingen lagen voor eens en voor altijd vast.

En toen gebeurde datgene wat niemand had kunnen verhinderen. Giuseppe en Vincenzo begonnen naar elkaar te kijken.

Het gebeurde tijdens de voorlaatste leswisseling. Giuseppe richtte zijn blik op Vincenzo. Hij keek naar hem en lachte. Hij keek naar het teken van rouw aan zijn arm en lachte. Hij keek naar die pose als kieskeurige aristocraat en probeerde die met de wanorde van zijn gezicht te ontkrachten. Vincenzo werd zich bewust van Giuseppes aandacht en keek kwaad terug. Er begon een soort telepathische strijd. Giuseppe bleef grijnzen en trok een spottend gezicht dat onuitwisbaarder was dan een spierverlamming: *Er bestaat niet één ernst, niet één tragedie, niet één koppigheid in pullover en mocassins die ik niet kan verslinden...* leek zijn gezicht te zeggen. Vincenzo keek hem strak aan, een en al verontwaardiging. Maar Giuseppe liet zich niet intimideren, en de ijsberg die Vincenzo's wereld schraagde, gaf geen krimp.

Na het vijfde uur luidde de bel. Een tiental deuren werd tegelijkertijd opengeduwd en een honderdtal jongeren stroomde de gangen in en stormde steeds sneller over het linoleum van de schoolvloer. Toen we buiten kwamen, hadden de lawaaierige horden van de andere klassen de trappen naar de speelplaats al gevuld, en stroomden ze al van de speelplaats de stoffige weg op, die langs een kleine boomgaard liep die gevangenzat in de stralende vitrine van de stervende zomer.

Giuseppe Rubino lachte op de achtergrond, terwijl andere jongens hem op de trap voorbijliepen en achter zich lieten. Uiteindelijk werd het doek dat werd gevormd door die leerlingen – die zo onbetekenend waren dat ze een plaatsje in de gaten van mijn geheugen verdienen – definitief opgehaald, zodat Giuseppe achterover kon vallen, de treden van de trap af, met bebloede neus.

Vincenzo besteedde er enkele kostbare seconden aan de knokkels van zijn rechterhand te masseren, zodat dit beeld iedereen die vanuit de diepte naar hem opkeek zou bijblijven. Hij sprong naar beneden en stortte zich op Giuseppe, die hem ruggelings op de grond lag op te wachten, als een minnaar die in de eerste onverhoedse slag die hij heeft ondergaan de zin van zijn leven vindt. De duik was al te plastisch om niet voorspelbaar te zijn. Giuseppes been schoot naar voren. Vincenzo reageerde op de trap in zijn maag door zijn ogen dicht te knijpen en zijn wangen te bollen. Hij vouwde zich dubbel, maar zonder te overdrijven. Enkele leerlingen gingen er in een soort bloemencirkel omheen staan. Anderen gingen ervandoor, aangetrokken door de magneet van de eerste gedekte tafels. De twee bleven elkaar afrossen. Ze weerden de klappen van hun tegenstander af, probeerden overeind te komen, vielen weer op de grond...

'Omdat je zo aandringt: die ene heet Giuseppe Rubino en die andere Vincenzo Lombardi!'

Op dat moment, bij het horen van die tweede naam, werd de vermoeidheid, misschien zelfs de verveling waarmee mijn vader zijn afkeuring liet blijken, plots zichtbaar afgeblokt. Gevechten op de speelplaats waren voor hem voorspelbaar. Op de technische school waren er jongens die je met het banaalste voorwendsel aanvielen, en je meteen te lijf gingen. Mijn moeder had hem een vernietigende blik toegeworpen toen ik met drie uur vertraging van school was teruggekeerd, met aarde besmeurd, mijn broek gescheurd en mijn hals vol krabben. Het was 1985, niet de tijd van de burgeroorlog. Ze hadden mij niet afgeranseld op een technische school, samen met de kinderen van de voddenrapers, maar op een gymnasium, en volgens mijn moeder hadden studenten van zo'n school als ze uit school kwamen het over Petrarca's *Canzoniere*. Ze vlogen elkaar niet als zwerfkatten in de haren, dat in geen geval. Dus ik moest alles opbiechten.

Ik had bekend dat ik 'gedwongen' was geweest twee klasgenoten uit elkaar te halen die elkaar aan het afrossen waren om 'een stom misverstand'. Ik had er niet bij gezegd dat hun strijd op het moment van mijn tussenkomst niets wilds meer had. Ze hadden die omgevormd tot een hoofs treffen, met tal van regels en ritmische pauzes. De een viel aan en de ander ontweek de slag. Het was een strijd, een dans, een psychologische opgraving. De typische viriele hofmakerij van jongens die elkaar wel mogen. Mijn inmenging had dat broze evenwicht verstoord. Even was het weer een warrige strijd geworden, maar nu met zijn drieën, waarbij heel even slagen, schoppen en trappen ongeordend over en weer vlogen. Ik had mijn vader niets verteld over het enthousiasme waardoor ik was aangegrepen toen – terwijl ze op een paar centimeter van elkaar in het zand zaten – Giuseppe mij had bekeken als de indringer die ik was, maar vervolgens de onvervaardheid, de hopeloze drang van mijn initiatief moet hebben gewaardeerd, omdat hij er het pure verlangen in had herkend 'om erbij te horen', wat dat ook mocht betekenen. Zo had hij mij met zijn goedkeuring mijn toegangskaartje voor de club gegeven. Ik had mijn vader verteld dat ik die 'heethoofden', om ze tot bedaren te brengen, had meegenomen om samen een hapje te eten bij Poldo's, waar we onze taken over de fotosynthese hadden verdeeld. Ik had dus verzwegen dat mijn maag leeg was, aangezien Giuseppe ons in feite had meegenomen naar een bar-tabakswinkel in de wijk Poggiofranco, waar hij ons had getrakteerd op bier en zoutjes, en hij op de koop toe Vincenzo een slof Marlboro cadeau had gedaan (Vincenzo had een 'bedankt' uitgesproken dat even zacht en vloeiend was als zijn blonde haar), en mij een Zippo met het symbool van Jack Daniel's in reliëf op het metalen oppervlak. Verrassender nog dan zijn vrijgevigheid was zijn accordeonportefeuille geweest, waarin ik vijf lappen van honderdduizend lire had zien zitten.

Na de eerste slok bier begon Giuseppe op te scheppen. Hij had ons uitgenodigd om met de gocarts te gaan racen op een circuit in de buurt van Fasano ('Je moet weten, mijn vader heeft een *formidabele* collectie gocarts!' had hij gezegd). Hij had verteld over de winkels waar importplaten te koop waren. Hij had hoog opgegeven van de plekken in de stad waar 'iets belangrijks gebeurde' (de Camelot, waar rockgroepen optraden; de Neon Club, een newwavekelder; en de Eclipse, de enige plaats in de stad waar je kon dansen op house…) En vervolgens had hij gevraagd: 'Hebben jullie de Ozric Tentacles nog nooit live gezien?'

Vincenzo sloeg zijn blik neer en keek ons toen opnieuw aan. Hij verklaarde zachtjes dat de laatste keer dat hij iets had gezien wat vaag op muziek leek en dat hem geen plaatsvervangende schaamte had bezorgd, de *Vierde* van Bruckner was geweest, toen hij met de jongeren van de Lions Club naar het Teatro Petruzzelli was geweest. Zelfs dat biechtte ik mijn vader niet op, hoewel ik vermoedde dat het woord 'Lions' hem vast niet zou mishagen. Maar ik kon hem moeilijk duidelijk maken wat ik had ervaren zodra Vincenzo zijn mond had opengedaan: hij leek gewoon uit beleefdheid te hebben geantwoord, maar was er – op een natuurlijke manier, zonder te willen polemiseren – in geslaagd die hele schitterende wereld die tot dan toe was opgeroepen in één klap tot tweede klasse te degraderen. Hij had Bruckner niet aangehaald om ons te laten voelen hoe oncultureel wij in vergelijking met hem waren (een contrast dat voor hem vanzelfsprekend moet zijn geweest), maar om een kloof aan te geven. Bijgevolg was ook die vreemde, opvallende rouwdoek om zijn arm iets geworden waarover we geen vragen hadden durven te stellen.

Hij had ons de ring uit gesleept om een overwinning op punten te halen... En dat was echt te gecompliceerd om uit te leggen aan mijn vader. Ik zei tegen hem dat we na die hamburger een paar partijtjes hadden gebiljart. Dat was geen leugen. Ter compensatie van zijn slof Marlboro's en misschien ook wel mijn Zippo had Vincenzo ons naar een biljartzaaltje gebracht. Hij demonstreerde er zijn kunnen en bevestigde bij iedere stoot dat niet Giuseppe en ik zijn tegenstrevers waren, maar de kinetische energie in eigen persoon, de abstracte geometrie van de groene tafel.

Na het biljart slenterden we door de straten van die buurt. Tussen de haastige voetgangers en de als gekken toeterende auto's was op een bepaald moment een bestelwagen verschenen met op de zijkant in groene letters het opschrift EUROGARDEN. De wagen zwenkte naar rechts en bleef met één wiel op de stoep staan. In de bak zaten drie stevige, behoorlijk opgewekte kerels, aan hun stoffige kleren te zien arbeiders of metselaars. Een van hen had een zwarte, door cariës aangetaste tand, waarop zijn hele gebit leek te steunen. 'Giuse'!' Stap in, dan brengen we je naar huis,' had hij geroepen. Giuseppe was in de bak gesprongen, geholpen door de vier of vijf handen die onmiddellijk naar hem werden uitgestoken. Hij had ons gedag gezegd terwijl de bestelwagen al werd opgeslokt in het verkeer.

Op dat moment had mijn vader gevraagd: 'Allemaal goed, jij bent dus onze internationale bemiddelaar. Maar mag ik nu weten wie die twee jongens zijn?' Na wat gehakketak had ik het hem gezegd. Ik had een plotse verrassing in zijn blik gezien. Verrassing en oprechte tevredenheid. 'Toch niet de zoon van Mario Lombardi?' had hij gevraagd. 'Weet ik niet...' had ik met bonzend hart geantwoord.

Nadat Giuseppe verdwenen was, waren Vincenzo en ik in zuidelijke richting gelopen. We hadden de tuintjes van de Largo Carducci achter ons gelaten en waren tussen de nieuwe appartementsgebouwen aan de Via Lucarelli over de met pijnbomen en paardenkastanjes omzoomde parkeerplaatsen gelopen, waar het lawaai van het verkeer overging in het gefluit van vogels, en mannen van middelbare leeftijd van de vroege middag profiteerden om een natte spons over hun carrosserie te halen. Ik was alleen overgebleven met Vincenzo en dat bracht een vreemd gevoel van spanning bij me teweeg. Met Giuseppe erbij hoefden we onszelf niet al te veel bloot te geven en konden we toch onszelf blijven. Maar nu werd Vicenzo's zwijgzame figuur met de minuut angstaanjagender. Het leek wel of hij naast een moordenaar liep en zich gedwongen voelde zijn eigen normaliteit te bewijzen. We sloegen een straat in zonder naam. De monotone woonblokken stonden steeds verder van elkaar en boden tussenin een vrij uitzicht op de ringweg die naar de dorpjes aan de kust leidde. Op dat moment zag ik uit mijn ooghoek iets achter ons, iets wat verdubbeld leek te worden nu ik besefte dat ik het tijdens onze wandeling al meer dan eens had opgemerkt. Ik zei tegen Vincenzo: 'Volgens mij loopt die vent al de hele tijd achter ons aan.'

Vincenzo draaide zich om. Een meter of twintig achter ons stond een stationwagen met uitgeschakelde motor. Een man leunde achterover tegen het portier en keek ons aan met zijn armen over elkaar geslagen. Hij droeg een rafelige coltrui en een spijkerbroek. Hij had een bleek, knokig gezicht, een schedel met dun zwart haar en twee harde, doffe ogen. Hij bewoog nauwelijks merkbaar zijn hoofd ter begroeting. Vincenzo stak bij wijze van antwoord zijn hand op. Daarna richtte hij zich tot mij: 'Dat is de Grijns, de chauffeur van mijn familie, mijn vader betaalt hem om mij in het oog te houden.' Om zijn mond tekende zich even een glimlach af. De middagzon scheen recht op zijn gezicht. Hij keek me indringend aan en leek zich af te vragen of het wel een goed idee was nog meer te vertellen. Hij draaide zijn hoofd naar de chauffeur, die ons uitdrukkingsloos aanstaarde. Ook ik keek hem nu aan en moest zijn holle, doffe ogen trotseren.

'Ik heb een probleem met mijn vader,' zei Vincenzo, op zijn hoede voor iedere zweem van vertrouwelijkheid. 'Ik weet niet of jij al zoiets hebt meegemaakt...' voegde hij eraan toe, een vermoeden van ergernis onder controle houdend, alsof hij bedoelde dat ik, ook al slaagde ik erin de blik van zijn chauffeur te trotseren, nog nooit zo'n probleem had gehad.

Zijn vader heette dus Mario? Mario Lombardi? Ik wist het niet. En dat was trouwens ook niet belangrijk, bedacht ik terwijl mijn vader zich na zijn preek al naar zijn kantoor wilde haasten. Feit was dat Vincenzo's laconieke houding mij minutieuzer voorbereid leek dan om het even welk uitgewerkt discours. *Hij haat hem...* bleef ik denken totdat de middag overging in een normale nazomeravond en ik in het donker in bed lag. En de daaropvolgende weken werd 'Vincenzo Lombardi' het meest gedraaide nummer in de gangen van onze school.

4

'Ik kan hem niet verplichten te zeggen wat hij niet denkt en ik kan hem niet dwingen om je toe te lachen. En ik wil hem niet naar een kostschool sturen, dat moet je maar aanvaarden. Dan wordt het alleen maar erger. Als je jongeren weghaalt bij de mensen die ze menen te haten, voelen ze zich door die personen alleen maar verraden. En dan kan dat vermeende haatgevoel veranderen in iets wat echt rampzalig wordt. Hij is geboren in dit huis, en in dit huis is alles wat hij nodig heeft om zijn gedachten geleidelijk tot rust te laten komen. Ik heb hem al naar een andere school gestuurd. Ik heb Diego gevraagd een oogje in het zeil te houden. Hij is mijn zoon. Het is gewoon een kwestie van tijd, uiteindelijk zal hij ook die belachelijke zwarte doek wel een keer afdoen. Omdat hij mij niet werkelijk haat, lukt het hem ook niet mij te haten, en dat zal hem er uiteindelijk wel toe brengen zich over te geven.'

Dat waren de woorden die Vincenzo's vader een paar dagen na het begin van het schooljaar in het bijzijn van zijn tweede vrouw níet uitsprak, het discours dat de collectieve verbeelding van de leerlingen van het Cesare Baronio koortsachtig rond de jongen weefde die vanaf eind september voor ons een legendarische figuur werd.

Vincenzo Lombardi... We vernamen dat zijn moeder twee jaar eerder was omgekomen bij een auto-ongeluk en dat zijn vader een van de belangrijkste notabelen van de stad was. Hij was het hoofd van het 'kantoor Lombardi', een tempel van juridische spitsvondigheid, en dat al sinds de tijd dat mannen met een hoge hoed in de cafés aan de zeedijk over het vierde kabinet-Giolitti discussieerden. We geloofden graag dat meester Lombardi een concentratie van reactionaire intelligentie was, een man die zijn eigen zoon als de perfecte erfgenaam beschouwde, juist omdat hij die een eigen wil ontzegde, en die hem dat betaald zette door hem als 'de vijand' te beschouwen. Ter bevestiging van de mogelijkheid dat hij dat echt was – de vijand – was de aanwezigheid van Diego, bijgenaamd 'de Grijns', naar zijn ongure tronie, de chauffeur van de familie en de man van de stationwagen met wie ik van nabij had mogen kennismaken, was er om de mogelijkheid dat hij écht de vijand was kracht bij te zetten. Ik had het van de betrokkene zelf vernomen... maar op een bepaald moment wist *iedereen* dat de Grijns Vincenzo op bevel van meester Lombardi op de voet volgde, waar hij ook ging.

Dat was genoeg om het kruit van onze verbeelding tot ontploffing te brengen. Maar dat was niet alles. Vincenzo mocht dan nu pas vanuit een onbekend sterrenstelsel in onze wijk zijn geland, maar het jaar ervoor was er 'het grote probleem op het Di Cagno Abbrescia' geweest, zoals Miriam het aanvankelijk formulcerde. Toen we de geruchten over Vincenzo al hadden samengevoegd tot een op zich al heel boeiende puzzel, kwam dat meisje van afdeling C tijdens de pauze bij een groepje leerlingen met de klap op de vuurpijl: 'Jullie weten niet wat er vorig jaar is gebeurd en wat de echte reden is waarom híj hier nu bij óns zit...' zei ze, en de ontelbare sproeten in haar gezicht sidderden van opwinding.

Het Di Cagno Abbrescia was het gymnasium waar specialisten, rechters, raadsleden en eigenaars van pastafabrieken die al decennia de commerciële trots van onze provincie waren, hun kinderen in alle gemoedsrust naartoe stuurden. Vincenzo was '*uiteraard* eentje van díe school'. Maar... Miriam kende niet alle details. Vincenzo had kennelijk 'de dochter van een hoge pief in verlegenheid gebracht' en was om die reden, na een reeks episodes waarover het meisje in al haar gewichtigheid nog onduidelijker was, gedwongen het Di Cagno Abbrescia te verlaten en zijn jaar bij ons over te doen.

De zwarte gaten die Miriam had opengelaten, werden algauw ingevuld door het flinke legertje Sherlock Holmesen dat zich over de zaak boog. Vincenzo had de dochter van een rechter van het Hof van Beroep bezwangerd. Of nee, de dochter van een senator die alleen in het weekend naar huis kwam, en dat nauwelijks bijtijds om in een oogwenk twintig jaar ouder te worden, verlamd door dat verschrikkelijke nieuws. Hij had haar bezwangerd en haar vervolgens gedwongen abortus te plegen. Hij had haar bezwangerd en niet meer naar haar omgekeken. Hij had haar niet tot abortus gedwongen en haar niet bezwangerd, maar had haar onderworpen aan een reeks psychische martelingen, totdat de zenuwen van het meisje het hadden begeven en ze haar ouders om hulp had gevraagd... De geruchten over zijn ziekelijk in nevelen gehulde verleden waren weliswaar heel verward, maar over de essentie was iedereen het eens. Vincenzo was niet 'in problemen geraakt', maar had op geduldige, wreedaardige, *wetenschappelijke* wijze een meisje gemanipuleerd dat alleen kon worden verweten zich zo te hebben laten verblinden door de liefde dat ze in zijn handen het dunne blaasroer werd waarmee hij de advocaat in de rug kon schieten.

En met dat blaasroer had hij zijn doel getroffen... Want daarna (en dit was een andere roddel die bij unanimiteit de waarde kreeg van een officieel document) waren de ouders van het 'gecompromitteerde' meisje bij zijn vader gaan protesteren. Ze hadden hem vast bedreigd, of in ieder geval afgeperst. Of Vincenzo's vader was eenvoudigweg tot de conclusie gekomen dat de beste manier om zijn zoon zijn spierballen te tonen en tegelijk de schade te herstellen die zijn vlees en bloed een familie had berokkend die zelfs hém in verlegenheid kon brengen, erin bestond zich van het corpus delicti te ontdoen. Hij had Vincenzo dus naar een onbekende school aan de andere kant van de stad gestuurd, in een buurt waar volwassenen zich bij het horen van de woorden 'kantoor Lombardi' moesten inhouden om niet instinctmatig hun hoed af te nemen. Omdat hij daarmee nog niet tevreden was, liet hij hem door de Grijns op de hielen zitten. 'Beseffen jullie wel wat hij van die jongen heeft moeten slikken?' vroeg Mara (IIIF), terwijl ze met een verontwaardigd gevoel van onmacht de vuisten balde.

Want toegegeven, een meisje 'in verlegenheid brengen' dat met zijn eigen probleem niets te maken had, was niet echt voorbeeldig gedrag te noemen. En toch (ook dat aspect was ons duidelijk) zou Vincenzo het conflict niet op dat niveau hebben getild als hij niet moest afrekenen met de vrouw die alom 'de tweede vrouw van de advocaat' werd genoemd, en die slechts de gevoeligste studenten – diegenen voor wie het hele leven in het teken van imitatie stond – enthousiast 'die slet van een Sabrina' waagden te noemen. Sabrina was niet echt een 'dame', als dat woord voorbehouden was aan volwassenen, want naar het scheen was ze nauwelijks zesentwintig. Een mooi kind dus, 'ietsje ouder dan wij', dat iedere zaterdagavond in het gezelschap van echte dames door de straten van het centrum defileerde alvorens te verdwijnen tussen de lichtjes van een Valentino-boetiek. Maar ze was ook geen 'dame' in ruimere zin. Een bekoorlijk maar bodemloos vat vol ambitie, dat was ze, een regelrechte avonturierster, te oordelen naar de gewiekste manier waarop ze, nadat ze zonder een cent op zak van een negorij in de Murge naar Bari was getrokken om er rechten te studeren, erin was geslaagd met zichzelf als dodelijk aas een van de grootste vissen van de stad aan de haak te slaan. Nog geen jaar na de dood van Vicenzo's moeder was hij al met haar getrouwd. Sirene zonder scrupules, Calypso van de Apulische hoogvlakte. Vanzelfsprekend voerde Vincenzo ook oorlog tegen haar…

Wat een schitterend begin van het schooljaar! Een per ongeluk overleden moeder in plaats van een vermoorde vader, een oogverblindende haute-couturefan in de rol van usurpatrice, een onpeilbare zestienjarige die twee jaar lang met een rouwband om zijn de arm bleef lopen... Meer had je niet nodig om de mythe van Hamlet weer tot leven te brengen in de school en de klas waarin ik het geluk had mijn eerste atheneumjaar door te brengen.

Maar Vincenzo? Niet de protagonist van ons verhaal, van de gefluisterde, frankensteiniaanse compilatie van veronderstellingen die samen dat personage gingen vormen, maar de mens van vlees en bloed, hoe reageerde hij erop dat hij de meest besproken leerling van het Cesare Baronio was? Hij reageerde niet. Hij sprong nooit op de ruwe wagen van de hagiografie die we voor hem in orde hadden gemaakt. Hij bevestigde geen van onze hypothesen. Als hij bij toeval op een paar medeleerlingen stuitte die stonden te smoezen over clandestiene abortussen of bloederige conflicten tussen vader en zoon, liep hij hun voorbij en deed alsof hij niets had gehoord. Hij ging achter in de klas zitten in afwachting van zijn tweede opeenvolgende 9 voor geschiedenis.

Hij zat een paar meter van mij vandaan. De leraar had Giannelli gevraagd naar eigen goeddunken leven en loopbaan van Gaius Julius Caesar voor zijn rekening te nemen. Dat 'naar eigen goeddunken' was geen spontane gulheid van de leraar, maar een door ergernis gedicteerde verplichting, aangezien Ladisa, die als eerste aan de beurt was geweest, Caesar al had verward met Octavianus Augustus. Maar Emilio Giannelli was een goede student. Hij handelde Caesars jeugd in een paar minuten af. Besprak de oorlog in Spanje. Verdiepte zich probleemloos in de lange krachtmeting met Pompeius. Na de verovering van Gallië gooide hij echter zijn eigen ruiten in: '... en verkreeg zo het ambt van dictator voor een periode van... een periode... ogenblikje, meneer...' Typisch Giannelli. Niemand had hem naar dat ambt gevraagd, maar hij wilde overdrijven, en groef voor zichzelf de put die hem niet meer dan een 7 zou opleveren. 'Goed, dat weet je dus niet,' zei de leraar. 'Even kijken of er een vrijwilliger is die ons kan helpen...' Hij keek om zich heen en zag nul handen de lucht in gaan. Even later zei hij: 'Rubino, vertel eens, hoe lang oefende hij dat vermaledijde ambt uit?' Giuseppe antwoordde prompt: 'Vier eeuwen!' en volgde geamuseerd de hand van de ondervrager, die in zijn puntenboek onmiskenbaar de sensuele vorm van een volle 3 noteerde. De leraar keek ons opnieuw aan. Ik herhaalde bij mezelf: *tien jaar, tien jaar, tien of vijftien jaar bekleedde hij dat kloteambt...* totdat ik merkte dat hij mij oversloeg en zijn aandacht op de laatste banken richtte. Giannoccaro wilde hij niet. Minetti was pas nog overhoord... Puglisi... Puglisi, nee, die zeker niet. Puglisi zou als versteend in zijn bank zitten, met de blik van een onvrijwillige martelaar, en de leraar wilde nu ook weer niet zijn héle ochtend laten verpesten. 'Lombardi? Heb jij zin om ons een handje te helpen?' Vincenzo stond op en begon over Caesar te praten. Op zijn eigen manier. Hij vertelde over de daden van de grote dictator en deed dat met zo veel detail dat hij zojuist leek te zijn teruggekeerd van een senaatszitting bij de oude Romeinen. De Lupercalia-episode... De geheime ontmoeting van Brutus en Cassius... Het kalf dat Caesar aan de goden liet offeren een paar dagen voor de Iden van maart, toen niemand het hart van het offerdier vond... De leraar onderbrak hem, en was al vergeten dat Vincenzo de oorspronkelijke vraag had ontweken: 'Goed, Lombardi, je hebt je zaakjes op orde, dat is duidelijk. Je hebt zelfs andere boeken gelezen. Die geschiedenis van dat beest zonder hart, bijvoorbeeld... We willen niet eens weten waar je dat hebt opgevist. We vergeven je dat je dat hier ter plekke hebt verzonnen.' Vincenzo keek stomverbaasd om zich heen. 'Hoe bedoelt u, waar ik dat heb opgevist?' vroeg hij terwijl hij zijn blik eindelijk op de lessenaar richtte. En hij dwong zichzelf te vervolgen: 'Recht uit de

Avon, als we dat zo mogen zeggen, meneer. Uit *Julius Caesar* van Shakespeare...' Op dat moment wankelde het pluralis maiestatis van de leraar een eerste keer voor onze ogen.

Misschien had hij het voordeel van de zittenblijver. Misschien had hij die zomer heel Shakespeare gelezen, zoals ik alles over de Silver Surfer. Maar als hij zo'n kaart in zijn mouw had zitten, waarom had hij er dan niets mee gedaan, terwijl iedere andere leerling die maar de helft wist van wat hij aan parate kennis had de hand zou hebben opgestoken om zich vrijwillig te laten overhoren? Was dit een toppunt van bescheidenheid of wilde hij juist opvallen? Want wie was hij eigenlijk, die jongen met dat engelengezicht, die jongen die nadat hij met tegenzin een man van zestig belachelijk had gemaakt naar zijn plaats terugkeerde en deed alsof hij totaal niet in de gaten had dat de maniakale aandacht van al zijn klasgenoten op hem was gericht? Hij bracht ons in verwarring, dat stond vast... Want soms, als we hem aankeken, geloofden we bijna dat hij helemaal niet de zoon van advocaat Lombardi was, dat het 'grote probleem op het Di Cagno Abbrescia' iemand anders was overkomen, en zelfs dat zijn moeder nog in leven was.

En toch was de rouwband om zijn arm echt. Zwart, absurd misschien, maar echt.

'Besef je wel met wie hij de volgende jaren zal doorbrengen?'

Een eerste bevestiging dat de geruchten over Vincenzo geen verzinsels waren, kreeg ik buiten de school. 'Besef je het wel?' hoorde ik mijn vader op een avond eind september in de keuken tegen mijn moeder herhalen. 'Sommige vriendschappen bepalen de rest van je leven. Als ik bijvoorbeeld als kind in contact was gekomen met de zoon van een ambassadeur, zou het nu half zo lang duren een ontmoeting te regelen met de manager van een groothandelaar.' Hij had navraag gedaan en kon op twee oren slapen: als zelfs iemand als Mario Lombardi zijn zoon op het Cesare Baronio had ingeschreven, moest dat wel de plek zijn waar de telgen van de plaatselijke notabelen zich op het leven voorbereidden. 'Tien jaar,' herhaalde hij in verband met die groothandelaar, 'tien jaar visitekaartjes en etentjes, allemaal door míj betaald!'

Het vervolg van hun gesprek verstond ik niet, maar de kern ervan was duidelijk. Mijn vader was bezeten van het concept van goede contacten, en advocaat Lombardi had in zijn ogen vast hetzelfde belang als lord Wellington aan het hof van Talleyrand. Ze zeiden het niet tegen elkaar, en uiteraard kwamen ze het mij niet vertellen, maar je kon er donder op zeggen dat het mijn ouders diep vanbinnen was gelukt het laakbare handgemeen dat ze mij hadden verweten om te vormen tot een gelukstreffer. Het leek erop dat ik geen betere tegenstander had kunnen uitkiezen om mee op de vuist te gaan.

Ja, maar die ándere dan? De enige die had bewezen er geen enkel probleem mee te hebben Vincenzo met open vizier tegemoet te treden? Nou… Giuseppe was ook de enige die hoegenaamd geen belangstelling had voor ons mythologiseringswerk. Ik vroeg me af hoe het kon dat een jongen van vijftien die met een half miljoen lire in zijn portemonnee rondliep geen belangstelling kon hebben voor het legendarische personage dat hij tot razernij had weten te brengen. Was hij jaloers op Vincenzo? Kon hij hem gestolen worden? Of hadden die twee, zo bedacht ik ten slotte, een stilzwijgend staakt-het-vuren gesloten, zoals ze ook geen woorden nodig hadden gehad om elkaar te lijf te gaan. Moest ík dan jaloers zijn op hén? Hoe het antwoord ook luidde, het gevolg was dat Giuseppe (na de betrokkene zelf) diegene werd met wie je het moeilijkst over Vincenzo kon praten.

Maar we hadden geen woorden nodig om onze nieuwsgierigheid te voeden.

Begin oktober kwam Vincenzo vijf dagen op rij pas het vierde lesuur de klas binnen. Dat hij te laat kwam rechtvaardigde hij noch tegenover ons noch tegenover de leraren. Zijn gedrag dwong ons tot verschillende hypothesen over hoe hij zijn ochtenden doorbracht. Moest hij eerst zijn chauffeur afschudden? Dwaalde hij verzonken in onpeilbare gedachten door de stad? Wandelde hij naar de begraafplaats om er op het graf van zijn moeder wraak te zweren?

Maar toen Giannelli en ik een paar dagen later in een bus vol ambtenaren en andere studenten stonden, zagen we hem. Hij stond achter in de bus, gebogen tussen de buizen. En hij had een meisje vast dat we al eens achter het hek van een gymnasium niet ver van het Cesare Baronio gezien meenden te hebben. De vaagheid waarmee die veertienjarige in geruit rokje omgeven was, sloeg acuut om in een gevoel van afgunst en respect en ontzag door de manier waarop hij haar nu stond af te lebberen, terwijl hij zijn hand trefzeker onder haar felgekleurd katoenen T-shirt stak. Daarop stond geschreven: LAND BY THE GRACE OF GOD. Giannelli ging naar hem toe. Met één blik deed Vincenzo hem verstijven. Giannelli kwam zonder een woord te zeggen bij me terug.

Het was duidelijk dat Vincenzo zelfs niet zou hebben getolereerd dat we naar hem knipoogden voordat we uitstapten, het was *vanzelfsprekend* dat wij uitstapten en dat zij tweeën de hele stad door zouden rijden, tegen elkaar gedrukt tegen de stoffige, zonovergoten vensters van de bus die hen uiteindelijk veel en veel te laat bij hun respectieve scholen zou afleveren. Zij voelde zich te opgelaten en te schuldig om nog naar binnen te durven. Vincenzo verscheen daarentegen voor het vierde lesuur, gewapend met een briefje met een vervalste handtekening waarmee hij de woedende leraren tartte, beschermd door het magische aureool waarmee wij hem hadden omgeven.

Dat gebeurde pas aan het eind van de dag. Intussen vertelde de leraar ons hoe Constantijn op de Pons Milvius de troepen van

Maxentius versloeg: 'De keizer zag in zijn droom een bran-
dend kruis, en boven op dat christelijk symbool stond geschreven: *in hoc signo vinces…*' Maar wij werden koorleden die, als
ontelbare neuronen verbonden in één enkele geest, dachten
aan de exploten van Vincenzo. Vincenzo en het meisje.

'*Bus 115 rijdt verder in zuidelijke richting…*' zei het koor
met hoge stem. Waarschijnlijk zijn ze uitgestapt in Japigia,
hebben ze de indrukwekkend hoog oprijzende appartementsgebouwen gezien en zijn ze vervolgens de provinciale weg naar
de kust ingeslagen. Na een paar kilometer asfalt verschenen de
eerste buitenverblijven, te midden van de geraniums, of al tientallen jaren verlaten en badend in de geur van riolen en roze-
marijn. Op dat moment heeft hij gezegd: 'Hierlangs…' en zijn
ze voorbij een bakstenen boog gelopen waarachter de resten
van een oude koelkast zijn overwoekerd door onkruid. En in
het halfduister van die bouwvallige villa is hij haar nu aan het
uitkleden. Hij stroopt haar T-shirt omhoog terwijl de wind
door de patrijspoort van een helemaal verroeste wasmachine
de geur van de diepste zee naar binnen waait. En dan legt hij
haar neer en drukt zijn atletische figuur tegen de melkwitte
pracht van het meisje. (Bij het denken aan het meisje werden
we helemaal één met haar weerstand, haar schrik, en ten slotte
haar schaamteloosheid en de heftige overgave van een veertienjarige.) Maar als we aan Vincenzo dachten, vonden we
niets. En toen hij in de klas opdook zonder de indruk te wekken dat hij over iets wilde opscheppen, leek het wel alsof we
niet goed op zijn gezicht konden scherp stellen. Maar van vele
kilometers afstand zagen we wel heel goed de panty van het
meisje: de nylons op het karkas van de koelkast, als een slan-
genvel achtergelaten in de ochtendlijke stuwing.

Onze verbeelding was te broos om de verborgen waarheid
over Vincenzo op te spitten. De dagen erna kwamen we wel alles over het meisje te weten. We vernamen uit een, nee, uit *vele*
bronnen dat ze Giulia heette. En ja, we hadden het goed: ze zat

in het eerste jaar van een nonnengymnasium een paar straten voorbij onze school. Ze was de dochter van een kapper die in de stad enige bekendheid genoot, een vlotte man die altijd gebruind was. Hij was zo handig om zijn gemanierdheid te zuiveren van de typisch Zuid-Italiaanse hoogdravendheid. Niet met een 'mevrouw, gaat u zitten…' maar met 'schoonheid!' verwelkomde hij zijn in goud en leggings gestoken klanten, rijke moeders met een feilloos gevoel voor een nieuwe aanpak die hun een jong en trendy gevoel gaf. Giulia was opgegroeid tussen spuitbussen en gezichtsmaskers. Ze werd in de schoonheidssalon begroet door de klanten, die haar vertelden hoe mooi ze was in haar tuinbroek, hoe verleidelijk ze was in haar eerste minirokjes met rode en zwarte franjes. En om het verhaal compleet te maken, gaf haar vader ostentatief een klap op haar zitvlak – uit respect voor de dames, niet voor zijn dochter. Maar die subtiliteit was aan Giulia niet besteed. Ze paradeerde blij en tevreden door de oceaanblauwe weerschijn van de zonnebank en voelde zich de uitverkoren infante van een nieuwe wereldorde.

'Ze is zo opgegroeid,' zei het koor, 'en vervolgens heeft ze Vincenzo op haar pad gevonden…' Ze had zich door hem laten meeslepen naar voor ons volstrekt onbekende delen van de stad, ze had hem gevolgd met de gedachte aan de perfecte voortzetting van de geur van balsem die haar vaders handen omgaf en Morten Harket in zijn hemdje op de cover van de plaat van het jaar. Stom genoeg, want binnen een week zat Giulia helemaal in de val.

Op een winderige donderdag, 's middags om drie uur, zagen we haar staan, op de plek waar ze iedere dag afspraken, voor de nonnenschool, onder het beeld van de heilige Joris, moederziel alleen, in een hemdje en katoenen rok boven een paar cowboylaarzen die niemand ooit had gezien, en met een spijkerjasje in haar handen. We wisten niet of hij niet was komen opdagen, of hij haar had gedumpt, maar het meisje leek vertwijfeld te hopen dat ze Vincenzo met haar aanwezigheid daar – waar ze anderhalf uur lang kaarsrecht haar tranen inhield – kon dwingen zijn opwachting te maken.

Na nog een halfuur werd duidelijk dat hij haar had laten zitten. Ze bleef maar naar haar laarzen staren, die er inmiddels ongelooflijk stom uitzagen, en kneep in de mouwen van het spijkerjasje. Er stak een koude wind op. Nog even en ze zou noodgedwongen terugkeren naar de schoonheidssalon, dachten we. Als ze met uitgelopen mascara door het plastic gordijn binnenliep, zou voor het eerst de gedachte bij haar opkomen dat al die parfums, die crèmes, die verzilverde haardrogers en zelfs het tweede openstaande overhemdknoopje van haar vader niets anders waren dan onderdelen van een onverzoenlijke overlevingsmachine. Ze ging ervandoor. Sommigen van ons kwamen toen in de verleiding haar achterna te gaan, zoals een meute honden een stervend dier kan omringen om het te verscheuren. We zouden tegen haar zeggen: 'Hij komt niet meer, laten we een ommetje maken…' en tot onze verbijstering vaststellen dat wanneer iemands verdedigingsmuren zijn neergehaald, het de eerste impuls is daarvan te profiteren.

Dat was dus Vincenzo's stempel: een meisje dat verlaten voor de speelplaats van een nonnenschool stond, en wij die tegelijk onze onzekerheid prezen en vervloekten omdat die ons ervan weerhield ons op haar te storten.

Ver van de opwinding van het schoolkoor waarin ook ik mijn partij meezong, merkte ik dat de werkelijkheid veel onvoorspelbaarder was dan wij ons konden voorstellen. Ik werd tot dat inzicht gedwongen op een onnatuurlijk warme zaterdagmiddag medio oktober, toen Giuseppe Vincenzo en mij uitnodigde in zijn Hollywoodvilla.

De overvloed aan geld van onze roodharige vriend werd

slechts geëvenaard door de nonchalance waarmee hij het uit-gaf. We zagen hem afwisselend met een paarse Vespa, een Aprilia Red Rose en een Zündapp 125 rijden, waarvoor hij trouwens niet eens een rijbewijs had. Toen de eerste najaarsregen viel, choqueerde hij de leraren door met een Lamborghini naar school te komen. We hoorden de motor al van heinde en ver ronken, waarna voor onze verbaasde blikken een vuurrode Countach 5000S verscheen met aan het stuur een corpulente man in een onderhemdje, die niets gemeen leek te hebben met de peperdure lijnen van de wagen. We keken Giuseppe verbouwereerd aan toen hij uit de coupé stapte, ons zijn gebruikelijke glimlach schonk en vroeg: 'Nou, wat valt er te zien?'

Hij had niet alleen een onbeperkt budget. Hij liet ook ons ervan meeprofiteren. De eerste maanden al kregen verscheidene leerlingen van hem een Rubiks-kubus, een schaalmodel van Bburago of een 45 toerenplaat die hij kocht en zonder erbij na te denken weggaf. Om nog maar te zwijgen van de bioscoopkaartjes die hij voor ons afrekende. En vooral het pretpark: terwijl andere jongens hun laatste muntjes in de machines gooiden, wisselde Giuseppe voor iedereen een biljet van honderdduizend lire. 'Telde je al de hele week kleingeld, kwam hij plotseling aanzetten, tja... eerst had je goede hoop niveau 4 van Donkey Kong te halen,' vertelde Fulvio (11D) me toen ik hem bijna twintig jaar later sprak, 'maar daarna werd het een ware obsessie: na tientallen, misschien wel hónderden spelletjes Donkey Kong keerde ik naar huis terug en kon ik het beeld van die aap niet meer uit mijn gedachten bannen...'

Onze ouders keurden de levensstijl van Giuseppe af. Ze waarschuwden ons voor al te veel contact met hem en hielden eindeloze tirades over een soort opvoeding dat ze – zonder ooit enige moeite te hebben gedaan om vader en moeder Rubino te leren kennen – meteen als 'catastrofaal' bestempelden. Maar wij trokken ons daar niets van aan: zijn ouders overlaadden Giuseppe met geld, en hij gaf het uit. Wat viel er nog meer te verklaren?

En toch schitterde er terwijl hij al dat geld liet ritselen ook in hem iets wat onze ouders nooit hadden kunnen vatten. Iets gewelddadigs en (jawel, dat was de juiste term) *louterends*. Enerzijds wekte hij de indruk zijn laatste lire te willen opofferen om een show aan de gang te houden waaraan wij allemaal moesten deelnemen. Anderzijds dat hij, als hij over genoeg geld had beschikt om de hele wereld te kopen, hij dat alleen al zou hebben gedaan om zich van dat alles te kunnen bevrijden: van het geld, van de wereld en ook van zichzelf. Zijn verlangen naar tabula rasa had vaag iets weg van de stijl van Vincenzo. Misschien hadden ze elkaar daarom ook gevonden, die eerste schooldag. En dat was waarschijnlijk ook de reden waarom Giuseppe die zaterdagmiddag alleen Vincenzo en mij uitnodigde voor een middagje vertier in zijn villa buiten de stad. 'Jongens, dat móeten jullie zien!' zei hij al vanaf het begin van de week.

We namen de bus aan het begin van de Via Napoli. We lieten het stadscentrum achter ons en reden door een akkerlandschap. Voorbij een spoorwegviaduct kondigde een opvallende hoeveelheid hagen en begoniaperken een villawijk aan die op zijn minst opzichtig mocht worden genoemd. De villa's telden twee of drie verdiepingen en waren omringd door gazons bezaaid met fietsen en sierplanten die grensden aan het azuurblauwe oppervlak van privézwembaden. Naarmate we vorderden over de breedste laan van het stadsdeel, werd de variatie in bouwstijlen, afmetingen en architecturale grillen zo groot dat het wel leek alsof de hele villawijk in volstrekte illegaliteit uit de grond was gestampt.

Het huis van Giuseppes ouders stak niet af bij die algehele overdaad. In de grote glaswand op de benedenverdieping werden de gipsen discuswerpers weerspiegeld die als een soort seriële hellenistische nachtmerrie op het gazon stonden, en die door wilde rozen werden voortgedreven tot aan de fonkelende duikplank aan de rand van het onvermijdelijke zwembad.

Zodra we een voet op het paadje zetten, kwam met wanhopige vitaliteit een gespikkelde bruine vlek op ons af getrippeld. Onder een minuscuul nertsmanteltje ging het keffertje Pippa schuil. Hij begroette de nieuwe gasten enthousiast en begon tussen de hagen te rennen. Hij achtervolgde vlinders, beet in de broek van de tuinmannen, en trok cirkels rond de metselaars en elektriciens die druk bezig waren, alsof de tuin en de villa en zijzelf een werf waren waar permanent aan hun geluk werd gewerkt.

Giuseppes moeder ontving ons met grapefruitsap op de veranda. Mevrouw Rosa was een kleine, stevige vrouw in spijkerbroek, aan de enkels bezaaid met stras en een krap, felroze jasje dat haar met goud beladen boezem accentueerde. 'Dag, jongens,' zei ze kort en tegelijk hartelijk. 'Doe alsof je thuis bent. Vergeet school: het is zaterdag, het is bloedheet en we hebben het zwembad nog niet leeg...' Ze maakte haar zin niet af. Een jongen met een tuinschaar in de hand was de veranda op gelopen. 'Wat is er?' vroeg ze zonder nog naar ons om te kijken. Het tuinhulpje vertelde berouwvol dat een onbekende parasiet de ficus van binnenuit had verteerd. Rosa keek alsof het Niets in hoogsteigen persoon het op haar had voorzien en reageerde onmiddellijk. Ze keurde ook de jongen geen blik meer waardig, ritste de salamandervormige telefoon van de muur, tikte een nummer in en schreeuwde triomfantelijk: 'Pasqua! Doe bij die essen nog drie mooie grote palmbomen!' Uit de hoorn klonk een krakende mannenstem. Hij vroeg of het dadelpalmen, oliepalmen of kokospalmen moesten zijn. Een futiel detail, als je in een strijd op leven en dood met het Niets gewikkeld bent... 'Groot moeten ze zijn, die palmen. Héél groot!' antwoordde ze. Op dat moment verscheen er een enorm Boeddhabeeld, gedragen door twee mannen die grommend vroegen waar ze het moesten neerzetten. De vrouw maakte een onbepaald gebaar, waarmee ze bedoelde dat het niet uitmaakte waar. Giuseppe zei: 'Gaan jullie mee naar boven? Daar liggen de zwembroeken.'

Nadat we een uur in het zwembad hadden gespetterd, hees Giuseppe zijn bleke, weke lijf uit het bad. 'Genoeg zo?' vroeg hij. 'Dan laat ik jullie nu de echte attractie van het huis zien.' We trokken onze kleren weer aan. Hij liep de woonkamer vol porseleinen beeldjes en namaakluipaardhuiden in en kwam bij ons terug met een zwart doosje in de hand. We liepen achter hem aan naar de oprit, waar het plaveisel verbreedde tot een rechthoekige ruimte met op de grond vier dubbele sporen. Wolken begonnen zich samen te pakken aan de hemel. Het was zes uur en de wind die dreigend opstak, koelde onze kleren af. Giuseppe zei: 'Kijk, kijk goed!' Met ingehouden opwinding drukte hij op de knoppen van de afstandsbediening. De grond onder onze voeten begon meteen te beven. We hoorden het geluid van metaal dat zich uit zijn hengsels losmaakt. Toen verrees het platform: een reusachtige goederenlift die eruitzag als het skelet van een onafgewerkt gebouw: vier zware stalen pijlers die van elkaar werden gescheiden door drie met aluminium beklede platforms die trillend ten hemel rezen. We kregen het lage profiel van een Lamborghini Countach te zien, het zilveren chroom van een Mercedes en ten slotte de Fiat Uno die de familie Rubino als gebruiksautootje voor iedereen had gekocht. Deze mechanische garage reikte nu hoger dan het hoogste terras van de villa. Er was geen enkele logische reden om een smak geld tegen zo'n monsterlijke constructie aan te smijten, maar Giuseppe gaf met wilde voldoening een demonstratie van het ding. De wind voerde afgevallen bladeren mee en blies plastic stoelen omver... Plots schoot een bliksemschicht door de hemel, een flits van bleek, zwavelkleurig licht dat Giuseppes enthousiasme zo deed toenemen dat het een duistere, onontcijferbare kern raakte. Er vielen een paar regendruppels. De wind joeg de wolken ver weg.

Giuseppes vader leerden we een paar uur later kennen.
Om acht uur kruiste een reeks lichtbundels elkaar in de tuin.

Drie pruttelende bestelwagens werden een paar meter van het hek geparkeerd. Op het paadje verscheen een groep mannen die met elkaar liepen te praten. Ze klopten met hun handen hun overall af en lieten kleine stofwolkjes achter zich.

Eerst kwam Cosimo, zijn oudste broer: een mooie jongen met krullen en de schouders van een rugbyspeler. Daarna kwam zijn vader. Domenico Rubino begroette Giuseppe met een tikje, dronk wat water uit de pomp in de tuin en stelde zich met een stevige handdruk aan Vincenzo en mij voor. We hadden hem al eerder gezien, op regenachtige dagen aan het stuur van de Lamborghini. Hij was een dikbuikige man die met beide benen op de grond stond. Hij had een mooie witte snor en door zijn oren liep een wirwar van rode adertjes. Zijn hemd met het logo van EUROGARDEN (hetzelfde als op de zijkant van de bestelwagens) liet schouders bloot waarop een woud van haartjes als geëlektriseerd rechtop stond. Hij stelde ons voor te blijven eten en liep naar de villa.

Dat was hem dus, van de rug af bekeken, de man op wie de leraren van het Cesare Baronio en onze ouders zo veel kritiek hadden. Als hij een oude, hautaine industrieel was geweest met in zijn garage een hele collectie Lamborghini's, had er geen haan naar gekraaid. Maar hij stamde net als Giuseppes moeder uit het lagere stadsproletariaat van het begin van de jaren vijftig. Ze waren als boerenkinderen werkloos in de stad beland. Als kind had hij als hulpje in bars en garages gewerkt. Hij had ervaring opgedaan op met olie besmeurde vloeren in een tijd toen het nog heel normaal was een loopjongen een draai om zijn oren te geven of hem zonder opgaaf van reden te kennen te geven dat voortaan iemand anders de uitlaten monteerde. Hij was lasser en marmerbewerker geweest en had een broodjeszaak geopend die iemand na een ruzie in brand had gestoken. En nu bezat hij deze reusachtige villa, deze gipsen discuswerpers, deze bloeiende hagen, dit zwembad...

Domenico Rubino had op een dag een firma voor irrigatiesystemen en elektrische installaties opgericht. De zaken liepen wonderwel en zijn omzet was exponentieel toegenomen. Eurogarden was ook de daaropvolgende jaren blijven bloeien: hele legers grijzende heren met getinte brillen bleven maar kopen, bouwen en verbouwen. Naar aloude traditie was Giuseppes vader vervolgens zwagers, neven en broers van neefjes in dienst blijven nemen... Ze kwamen bij de firma alsof ze uit een ver land waren gekomen. En als er bij Eurogarden geen plaats was, konden ze zonder problemen aan de slag in de villa. Eentje werkte bij hen als tuinman, een ander als kokkin, en weer een ander schilderde muren, sjouwde met meubilair of repareerde de elektrische installatie, die voortdurend de geest gaf. Ze kwamen uit bars, garages en van sloperijen, uit dezelfde schaduwzones als waaruit ook Domenico Rubino zelf was opgedoken. En nu vormden ze samen één grote familie.

We zaten te eten aan vijf grote, tegen elkaar geschoven tafels, overdekt met een groot wit zeil. De barbecue produceerde ononderbroken rook en vonken. De vrouwen, die hun bevelen kregen van de energieke Rosa, liepen af en aan met schalen vol eten. Giuseppes vader zat aan het hoofd van de tafel, in een zachte badjas. Hij sprak met zijn medewerkers, waarbij hij iedere vorm van hiërarchie trachtte uit te bannen, alsof hij hen er tussen de dienbladen vol gebraad en de flessen amarone van wilde overtuigen dat ze allemaal samen rijk waren geworden. Maar kort voor middernacht, toen alleen nog de dessertbakjes op tafel stonden en enkele disgenoten alleen onder de maansikkel zaten te roken, verging Giuseppes vader het lachen.

We hoorden het geluid van een motor op laag toerental. Vervolgens verschenen aan de straatkant twee grote witte cirkels. Voordat het licht zelfs maar een stuk van de tuin kon beschijnen, werden de koplampen gedoofd, alsof uiterste discretie geboden was. De auto reed langzaam door achter een muurtje, waardoor de takken van een wilg tegen de voorruit streken, en hield toen pas halt. Een portier ging open en weer dicht. Op het gezicht van Giuseppes vader verscheen een frons. Hij fluisterde iets tegen de man die al sinds het begin van het diner naast hem zat. Die bevestigde met luidere stem: 'Nee, hij heeft ons niets verteld.' Hij nam zijn pakje MS van tafel en wilde een sigaret opsteken, maar liet die uiteindelijk naast een grote vergulde aansteker liggen. Hij stond zenuwachtig op en liep de chauffeur van de stationwagen tegemoet. Die stond nu voor het hek van de villa. Hij liet hem binnen en schudde hem de hand. Pas op dat moment (toen het hek openging, de man uit een lange schaduw stapte en naast Giuseppes vader ging staan) herkende ik die spijkerbroek en coltrui, dat lange, knokige gezicht en vooral die ogen, met de verstomde, uitgedoofde kracht van twee opgedroogde waterbekkens. Ik draaide me onmiddellijk om naar Vincenzo, want als dat niet de Grijns was, de zogenaamde chauffeur van de familie met wie ik hem de dag van onze eerste ontmoeting had zien vertrekken, dan was ik helemaal gek geworden.

Vincenzo wreef in zijn nek en meed mijn blik. Zijn ogen zochten Giuseppe en vonden hem, een paar meter verderop. Hij zat in de tuin achter de hond aan en leek totaal niet geïnteresseerd in wat er allemaal gebeurde. De twee mannen passeerden ons zonder een woord tegen elkaar te zeggen, de een na de ander totdat ze door de deuropening in de villa verdwenen. Toen zag ik onder Vincenzo's eeuwige masker van onverstoorbaarheid een vermoeden van een glimlach verschijnen. En op datzelfde moment wist ik zeker dat het allemaal waar was, zonder goed te weten waarom (net zoals we op een dag op het gezicht van een dierbare de bevestiging lezen van iets wat verschrikkelijk is en onuitgesproken moet blijven). Zijn moeder was inderdaad omgekomen in een verkeersongeluk, het jaar ervoor was er iets ergs gebeurd in het beroemdste gymnasium van de stad en advocaat Lombardi was de vijand. En om die te vernietigen zou hij om het even wat hebben gedaan.

Ik begreep alles en ik begreep niets. Maar ik voelde op een even zekere als onbestemde manier aan dat er een diepe band bestond tussen mij en die twee jongens.

Toen ik naar huis was teruggekeerd, spookten die zekerheden nog meer door mijn hoofd. Ik lag onder de lakens te woelen en kon de slaap niet vatten. Ik dacht aan Giuseppe, ik dacht aan Vincenzo, ik krabde mijn hoofd en lag roerloos, met wijd open ogen in bed. Ik zette de televisie aan.

'Er zát een beer in het bos...' zei de commentaarstem. 'De twee leiders verbleven samen in Maison Fleur d'Eau...' vervolgde de journalist, die nu wel te zien was, met op de achtergrond het Meer van Genève. Blijkbaar was in de Zwitserse stad zojuist een diplomatieke top afgelopen met de president van de Verenigde Staten en de secretaris-generaal van de Russische communistische partij. De leiders van de twee grootmachten hadden de regels van het protocol terzijde geschoven en zaten vriendelijk keuvelend bij een brandende haard in een mooie villa met natuurstenen muren. Hun echtgenotes hadden gelegenheid gehad elkaar tijdens langdurige theekransjes te leren kennen en elkaar uitgenodigd de zomervakantie in Illinois of in een datsja aan de oevers van de Zwarte Zee door te brengen. De twee mannen daarentegen hadden elkaar bestookt met vlotte citaten uit Prediker, waar geschreven staat dat er een tijd is om te verwoesten en een tijd om weer op te bouwen. Ze hadden Einstein erbij gehaald, die had gezegd dat de Vierde Wereldoorlog met stokken en stenen zou worden uitgevochten. De Amerikaanse president had er zonder een zweem van ironie aan toegevoegd dat als de aarde werd aangevallen door buitenaardse wezens, zij tweeën niet langer deze topontmoetingen overal ter wereld hoefden te organiseren, omdat de mensheid zich dan ogenblikkelijk zou verenigen om het gemeenschappelijke gevaar het hoofd te bieden. Kortom, de

Koude Oorlog leek een term die weldra zijn dreigende betekenis zou verliezen, en het beroemde verkiezingsspotje waarin nog maar twee jaar eerder met het gevaar van een kernoorlog werd gedreigd, kon definitief het archief in. 'Als de Muur valt,' zei de correspondent met hoopvolle blik, 'valt in de eerste plaats de muur om onze mentale gevangenis…'

Zonder Vincenzo een ogenblik uit mijn gedachten te verliezen, bleef ik me afvragen waarom de Grijns Giuseppes vader kende en hoe het toch kwam dat Vincenzo de chauffeur aan ons voorbij had laten lopen, op een paar meter afstand, zonder hem zelfs maar te groeten. Aan de andere kant, bedacht ik, hoefde je maar even weg te zappen om de trailers van de populairste films en de bekendste videoclips te zien. En alles wat er aan interessants op het scherm te zien was, zou die journalist maar half gelijk hebben gegeven. Daaruit bleek namelijk dat iets in de mens wachtte tot de sloten en ketenen verbroken konden worden, maar dat betekende niet automatisch dat vervolgens het positieve in de mens zou worden bevrijd. Er zouden nog altijd levende doden door de supermarkten lopen, meisjes door de duivel bezeten zijn en jonge astronauten verschrikkelijke buitenaardse wezens in hun buik met zich meedragen…

Maar aanhoudender nog dan dat alles, dacht ik bij mezelf, zou een nummer zijn dat al een paar jaar, zowat overal, herhaaldelijk werd uitgezonden. Als je de radio aanzette, herkende je die typische, van de discoklassiekers uit de jaren zeventig gestolen baslijn. En als je wat zapte, kon je op televisie met een beetje geluk de complete versie zien van een videoclip die bijna een kwartier duurde. Meer bepaald het stuk waarin twee tieners in schooluniform hand in hand onder de volle maan lopen. Ze wisselen een verlovingsring uit, omringd door de koesterende weelde van een westerse wereldstad. Op een bepaald moment krijgt hij echter stuiptrekkingen. Hij slaat zijn handen voor zijn gezicht en klapt dubbel, alsof hij moet overgeven. Als hij weer overeind komt, is Michael Jackson veranderd in een angstaanjagende weerwolf en schreeuwt het meisje het uit van de schrik. *Thriller,* meer dan honderd miljoen verkochte exemplaren...

Misschien zat er geen beer meer verscholen achter de grenzen van de ons bekende wereld, maar schuilde er een wolf in de stad. Onder de jassen die we droegen, achter de lach waarmee we elke nieuwe dag tegemoet traden. *We kennen hem, hij behoort ons toe, hij is bijna overal,* dacht ik nog terwijl het ochtendlicht zachtjes de kamer binnenstroomde, *hij wacht alleen op de volle maan om tegen te janken...*

5

'Nee, ik wist er toen helemaal niets vanaf, terwijl het voor Vincenzo een gelukstreffer was. Ik wist er niets van, en dat was ook wel duidelijk, dacht ik. Maar ook mijn moeder wist er niets van, wat betekent dat ze had besloten niet verder te kijken dan haar neus lang was. Herinner je je al die porseleinen poppen nog? Wat moet ik ervan zeggen, ze geloofde liever in het wonder van de broden en de vissen.'

Dat zei Giuseppe, of wat van hem over was, in het voorjaar van 2008, meer dan twintig jaar na onze eerste ontmoeting, en acht of negen maanden na mijn beslissing om terug te keren naar ons gemeenschappelijke verleden.

Hij was niet verrast me terug te zien. Ik stond voor het hek van de villa zonder te weten wat ik moest doen. Ik was al meer dan een week in Bari en moest binnen een dag alweer weg. Ik had het grootste deel van mijn tijd verdaan met besluiteloos rondrijden door straten en buurten die ik in geen tijden meer had gezien. En terwijl ik zo rondreed had ik, op zoek naar de juiste woorden om zonder het slot te forceren van de schatkist vol herinneringen van iemand die ik niet meer had gezien sinds het met hem op de slechtst denkbare manier bergafwaarts was gegaan, in gedachten honderden zinnen bedacht en weer verworpen.

Maar nog voor ik de zoveelste ongemakkelijke openingszin op het puntje van mijn tong kon leggen, deed Giuseppe met een glimlach open. 'Ik wed dat als je me op straat was tegengekomen, je me niet zou hebben herkend,' zei hij. Dat was inderdaad de eerlijkste manier om het ijs te breken: de zin die – omzichtig maar uiterst doeltreffend – een samenvatting was van mijn tekortkoming (namelijk dat ik hem de afgelopen twintig jaar nooit had opgezocht) en zijn bereidheid daaroverheen te stappen.

Hij keek er niet van op dat ik was teruggekeerd naar de straat die ooit een kathedraal was, nietsontziend opgericht op het altaar der verkwisting, maar die nu, verteerd door verwaarlozing en de tand des tijds, eenzame droefenis uitstraalde. Volgens hem had het niet veel zin met oude vrienden het verleden op te rakelen, maar hij moet hebben aangevoeld dat hij met iemand als ik het ongrijpbare mysterie van het bestaan aan het wankelen kon brengen door de draad van het verleden behoedzaam weer op te pakken. Hoewel ik in zijn ogen dus een summum van gemaaktheid kon lijken, was ik opgelucht dat hij me zelfs maar een middag van die twintig jaar een kijk op de landkaart van zijn gedachten wilde geven. Op de vleugels van die gemoedstoestand begon ik te praten. En toen ik het na nog meer aarzeling eindelijk voor elkaar kreeg hem naar Vincenzo te vragen (de man die per slot van rekening niets had gedaan om hem te redden), waren we allebei onder de indruk van de manier waarop het weerklinken van die naam nog altijd volstond om de danseresjes op het carillon van onze fantasie tot leven te wekken.

Een gelukstreffer... Maar Vincenzo had zijn geluk wel zelf verdiend. Toen hij de Grijns de villa van de familie Rubino zag binnenlopen, was dat voldoende om de puzzelstukjes die hij het laatste jaar had verzameld bij elkaar te leggen en te begrijpen welke band de chauffeur van zijn vader had met de vader van Giuseppe. Ergens in zijn hoofd klonk 'bingo!' en ik had hem die glimlach zien onderdrukken.

Nu wisten we dat Vincenzo over de familie Rubino datgene wist wat mevrouw Rosa Rubino bewust probeerde te vergeten. Maar er was zoveel dat we niet wisten. Giuseppe wist het niet en wilde het ook niet weten omdat het volgens hem toch nergens toe zou leiden. Voor mij was het een zaak van leven of dood geworden. Bijvoorbeeld dat 'grote probleem op het Di Cagno Abbrescia'. Giuseppe haalde er zijn schouders over op en ook de andere mensen die ik had ontmoet, wisten er niets over te vertellen.

Voor die en andere schaduwzones maakte ik daarom gebruik van instrumenten die ik koppig weigerde gelijk te stellen met mijn verbeelding. Ik dacht terug aan Vincenzo in de biljartzaal. Op het moment dat hij aanlegde voor zijn eerste stoot, voerde ik hem weg van het groene laken. Ik bracht zijn concentratie in verband met de duistere hooghartigheid die hem er die eerste schooldag toe had verleid vroegtijdig zijn hand op te steken. Ik spoelde die warboel van trots en waakzame rancune zes maanden terug en zat in de aanslag op de vijfde verdieping van een appartementsgebouw dat ik altijd alleen maar van buitenaf had gezien. Ik drukte mijn oor tegen de deur en wachtte tot ik een volwassen man hoorde zeggen: 'Je moet het niet zien als straf, maar als het logische gevolg van je daden.' En zo zag ik Vincenzo in discussie met zijn vader in de woonkamer van hun appartement, in het hart van een tafereel dat ik nooit had bijgewoond.

Een lentedag in 1985. Een penthouse in een van de mooiste gebouwen in het centrum. Vincenzo en zijn vader zitten aan dezelfde tafel. De advocaat heeft hem zojuist verteld dat hij het Di Cagno Abbrescia moet verlaten. Tot op de dag van vandaag weet ik niet waarin dat 'grote probleem' bestaat dat ze aan het bespreken zijn – en ik zal het waarschijnlijk nooit weten. Maar laten we de schandaalkrant van de leerlingen van het Cesare Baronio als uitgangspunt nemen, laten we ervan uitgaan dat Vincenzo opzettelijk de medeleerlinge heeft bezwangerd die dat het minst verdiende en haar vervolgens heeft gedumpt. Het meisje heeft zich in een mantel van schaamte gewikkeld en krimpt ineen onder de blik van een monument van de Zuid-Italiaanse christendemocratie. De vader deinst eerst met opengesperde ogen terug: 'Het is niet waar, wat je zegt kan niet waar zijn!' Vervolgens maakte de bleekheid van de vader met het gebroken hart plaats voor het fluweel van het pragmatisme van een senator die probleemloos drie termijnen achtereen in het parlement heeft volbracht: 'We moeten met de vader van die ploert praten...'

Laten we aannemen dat het 'grote probleem' zoiets was. Laat het nog een ongelukje zijn geweest, want niet de precieze dynamiek van die episode is van belang, wel de directe gevolgen ervan, namelijk het feit dat toen zijn vader had gezegd 'je moet het niet zien als een straf', Vincenzo zich eindelijk realiseerde: *dat was dus de manier om hem te treffen.*

Dus geen lange gezichten, geen verwijten, geen plannen om van huis weg te lopen – allemaal onnozelheden waarmee Vincenzo tot het einde van de lagere middelbare school zijn tijd had verdaan, toen hij in feite nog een kind was. En zich zeker niet afreageren op de tweede vrouw van zijn vader.

Sabrina... Het meisje leek hem wel interessant – totdat de advocaat haar aan hem voorstelde. Twee lange, rechte benen en een felle vastberadenheid waardoor haar perfect gepolijste gezicht ervoor werd behoed geclassificeerd te worden als dat van een mooie maar flodderige griet. Toen Sabrina hun penthouse was binnengekomen om officieel te worden voorgesteld, had ze om zich heen gekeken met de onrust en de trots van arme meisjes die kans zien om zich in één klap te bevrijden van hun hele verleden. Ze was er al eerder geweest, op van die heldere, loze ochtenden dat het huispersoneel vrij had en Vincenzo naar school was. De advocaat had haar voor de verandering niet meegenomen naar een hotelkamer en zich evenmin laten meetronen naar wat zij met lichte ironie 'mijn hol' noemde: een halfdonker kamertje aan het eind van een gang in een appartement dat Sabrina deelde met twee studentes letteren, waar altijd een geur van koud geworden minestrone hing, en dat de advocaat wel beviel door het onschuldige gevoel van gratuite seks dat het krakende veldbed tijdens het vrijen opriep. Maar nu en dan zei Vincenzo's vader: 'Twee uur, daarna moet ik meteen naar de rechtbank. We gaan naar mijn huis.' Misschien deed hij dat om praktische redenen, misschien ook wel met de kwaadaardige bedoeling haar de geur van de rijkdom te laten opsnuiven alvorens haar weer aan haar huisgenotes toe te vertrouwen. Maar die ochtenden draaide alles om haar lichaam. Het enige waar het om ging, was neuken. En dat was een dimensie waarin Sabrina zich al sinds haar zestiende perfect thuis voelde. Maar nu kwam ze het penthouse binnen in het meedogenloze licht van een officiële kennismaking.

Vincenzo had haar door de deur naar binnen zien komen en haar vervolgens behoedzaam om zich heen zien kijken. Ze was met afgemeten passen op hem afgekomen. En hij moest toegeven dat die bijna afgestudeerde studente een doeltreffende hardheid bezat, iets waardoor ze met beide benen op het witte marmer van de woonkamer stond. Maar zodra het meisje had gezegd: 'Zo, dus jij bent Vincenzo. Ik ben zó blij eindelijk kennis met je te maken...', in een poging om hem te begrijpen, met een glimlach die al te ostentatief weerloos was om niet de indruk te wekken van een omsingelingspoging, ervoer Vincenzo die gewaarwording die je weleens kunt voelen voor een langverwachte vijand die je op het moment van het beslissende treffen ontgoochelt door in plaats van het gewapend conflict een diplomatiek akkoord voor te stellen.

Hij had zich bij haar aanwezigheid neergelegd. Hij moest wel. Sabrina was bij hen ingetrokken. Ze had een huwelijk afgedwongen. Nu reed ze rond in een cabriolet, droeg ze Yves Saint Laurent en deed ze mee aan de saaie zondagse kaartspelletjes zoals alleen mevrouw Lombardi dat kon. En toch vond ze het nodig zich ook door hem te laten aanvaarden. Niet omdat die stugge jongen haar hart sneller deed kloppen, en zelfs niet om de advocaat te behagen, maar om het laatste stukje ontbrekende legitimering te veroveren. Ze sloofde zich uit om voor Vincenzo een soort tweede moeder te worden. Door te proberen zijn vertrouwen te winnen, door hem te helpen bij zijn huiswerk, waar hij nooit om had gevraagd en wat bijna altijd nutteloos bleek, en vooral door (evenzeer tevergeefs) te proberen zich te ontpoppen tot een bemiddelaarster die de relatie zou kunnen ontdooien tussen een vader en een zoon die nauwelijks met elkaar spraken.

Vincenzo reageerde op die initiatieven met een onverschilligheid die Sabrina op een bepaald moment onverdraaglijk had gevonden (ik geloof dat het om sarcasme en spot ging: ik denk niet dat Sabrina die houding helemaal begreep als de jongen tegen haar sprak, ze *vermoedde* iets, wat nog erger was). Ze had er haar beklag over gedaan bij de advocaat, maar die had niets beters kunnen verzinnen dan Vincenzo apart te nemen om hem de les te lezen. Maar dat was de gewoonste zaak van de wereld, het was wat alle vaders tegen hun zoon zeiden, het soort preken waarin vaders geen moment aarzelen. Vanaf een in wolken gehulde bergtop strooien ze wijsheden uit over iemand die duizenden meters lager ligt te spartelen, zonder hem ooit te bereiken.

Maar nu had hij hem bereikt.

Toen zijn vader zei: 'Ga even zitten, als je wilt, we moeten praten...' verdween dat rollenpatroon als bij toverslag. Vincenzo luisterde met een stalen gezicht naar het nieuws dat hij zijn eerste gymnasiumjaar moest overdoen op een anonieme school. Meester Lombardi moest zich daarentegen inspannen om in de onverstoorbare blik van die vijftienjarige zijn eigen vlees en bloed te herkennen. Even was hij geen jongen, maar een volwassene. En zelfs niet zomaar een volwassene, maar een tegenstrever. Vincenzo voelde dat aan. Hij zuchtte opge-lucht. Hij legde zijn hand op de rouwband om zijn arm en dacht: *Aanvankelijk was het misschien belachelijk... Het zou voorgoed belachelijk zijn geweest als ik er niet in was geslaagd mijn vader op deze manier naar mij te laten kijken. Maar aan-gezien hij me nu als een gevaar beschouwt, is de rouwband om mijn arm geen moment belachelijk geweest.*

Met gebruikmaking van die techniek was ik er zonder de hulp van Giuseppe of van iemand anders in geslaagd een stukje van de puzzel van Vincenzo's leven te bemachtigen dat ik anders niet zou hebben gevonden.

Ik probeerde dus verder terug te gaan, op zoek naar de big bang: het moment waarop iets in hem voorgoed gekanteld was, en de man die hij als een vader had kunnen liefhebben en respecteren de vijand was geworden die hij wilde vernietigen. Ik zonderde Vincenzo's gezicht af en voerde het nog een jaar verder terug. Ik probeerde me hem voor te stellen op het mo-ment waarop iemand (zijn vader? de vader van zijn moeder?) hem in zijn armen nam en hem op de hoogte bracht van de dood van zijn moeder.

Maar op dat punt besefte ik altijd dat ik verder sprong dan mijn stok lang was. Die episode lag te ver van mij af. Of was gewoon te intens, momentaan en complex om met mijn asso-ciatiespel volledig te kunnen begrijpen. Ik legde me erbij neer en spoelde zonder dat belangrijke stuk van de puzzel vooruit. Zes maanden... de maanden die het 'grote probleem' scheid-den van de glimlach die op het gezicht van Vincenzo verscheen toen zijn chauffeur achter het hek van de villa van de familie Rubino verscheen. Wat was er in die periode gebeurd?

O, dat wist ik wel. In tegenstelling tot het 'grote probleem op het Di Cagno Abbrescia' (waarvan ik de details niet kende, maar waarover ik wel het nodige meende te weten) en in tegenstelling tot wat ik 'zijn big bang' noemde (waarvan ik helemaal niets af wist), kende ik van deze periode ieder detail.

Terug naar het voorjaar van 1985. Vincenzo heeft zes maanden vakantie voor de boeg. Hij hoeft niet meer naar het gymnasium en het volgende schooljaar begint pas in september. Hoe vult hij die tijd? *De vlucht vooruit...* denkt hij voortdurend. Maar hij is nu niet alleen vrijer, maar ook geïsoleerder dan daarvoor. Voor zich ziet hij een appartement met panoramisch uitzicht vol wit marmer en aardewerken serviezen die in de eeuw van hun bestaan zijn aangevuld met niet-bijpassende stukken. En in het appartement zijn er afgezien van de twee dienstmeisjes alleen zijn vader en Sabrina. 's Avonds staat de advocaat van tafel op en trekt zich in de woonkamer terug om de dossiers van een zaak door te nemen. Hij doet de televisie aan, zet het geluid zachter en werkt met zijn rug naar het scherm, gebogen over zijn papieren terwijl honderden blauwe lichtflitsen de kamer vullen. Sabrina komt naar hem toe en zegt: 'Ik ga naar bed.' De advocaat neemt haar bij de hand en fluistert haar toe: 'Wacht...' *Alles wat hij aanraakt, sterft,* bedenkt Vincenzo.

En buiten het appartement? Buiten is er de cursus Engels van het British Institute die hij van zijn vader moet volgen om toch nog wat te leren. En verder de klassieke concerten in het Teatro Petruzzelli waar Vincenzo naartoe gaat met de jongeren van de Lions Club. In vergelijking met de lp's van de Berliner zijn het middelmatige uitvoeringen, maar toch brengen ze hem nauwer in contact met het genie van een Bach of een Bruckner – zoals iemand die in een diepe put is gevallen zich een weg door het onkruid kan banen door die luttele straaltjes licht, in talloze schakeringen, die mensen ontgaan die diezelfde momenten in het volle daglicht beleven. Maar afgezien van die bescheiden vertroostingen is er rondom hem slechts de woestijn.

Bijna zonder het te beseffen begint Vincenzo de familie-chauffeur dan ook aandachtiger te observeren dan ooit tevoren. Diego Petaroscia, bijgenaamd de Grijns, is een rijzige, slechtgeklede man wiens hoogste ambitie erin lijkt te bestaan zich als een schim van de wachtkamer van het advocatenkantoor naar het stuur van de stationwagen te bewegen. Hij heeft niet altijd voor de advocaat gewerkt. Hij is uit het niets opgedoken op een moment dat Vincenzo zich niet kan herinneren. Zo goed lijkt de man te kunnen opgaan in de levenloze voorwerpen waarmee hij te maken heeft. De stationwagen schakelt vanzelf als de Grijns aan het stuur zit. Als hij de griffier van de rechtbank een dossier geeft, ziet die hem in de gangen van het gerechtsgebouw verdwijnen en moet hij vervolgens het gevoel overwinnen dat hij die papieren altijd al in zijn bezit had.

Maar de Grijns is inmiddels Vincenzo's schaduw geworden. 'Doe me een plezier, probeer ten minste te weten te komen met wie hij omgaat,' heeft de advocaat tegen hem gezegd. Bijgevolg ziet Vincenzo steeds vaker een grijze gedaante tussen het stadsmeubilair. Verlaat hij het British Institute? De Grijns loopt in zijn gerafelde coltrui aan de overkant van de straat. Wil hij na een concert in het Petruzzelli in zijn eentje een lange wandeling maken? Een paar straten buiten de woonwijken aan de stadsrand (die ik al 'het centrum' noemde om ze te onderscheiden van de beruchte buitenwijken) duikt de scherpe snuit van de stationwagen op. Hij rijdt langzaam, negeert rode lichten en blijft onverstoorbaar op het midden van het kruispunt staan. Door het raampje verschijnen twee geprononceerde jukbeenderen: 'Ik cheef je een lift na' huis…' zegt de Grijns met de doffe vanzelfsprekendheid waarmee mensen over het weer praten.

Terwijl hij dan naast hem in de auto zit, observeert Vincenzo hem aandachtig. Hij herkent in de chauffeur karaktertrekken die niets gemeen hebben met die van zijn vader of met het advocatenkantoor, en al evenmin met het schitterend geciseleerde containerbegrip 'civil society'.

Om te beginnen de manier waarop hij praat. De Grijns spreekt dialect. Als hij toch Italiaans spreekt, voegt hij gewoon aan sommige afgekapte woorden een klinker toe. En als om dat verraad te compenseren, spreekt hij iedere *g* als *ch* en iedere *d* als *t* uit: 'Waar sei u tat ik heen moes' chaan?' vraagt hij de advocaat als hij niet zeker weet waar hij naartoe moet. Zijn dialect heeft niets te maken met de dialectinjecties die de advocaat en zijn collega's zich permitteren om een verhaal sappiger te maken, een gewoonte waartoe zelfs professoren zich verlagen om de spontaniteit van het gewone volk te vertolken. Het dialect van de Grijns heeft de duistere gedaante van dode talen en respecteert de logica van zwarte gaten. Wanneer hij het over een 'tachfaarding' heeft (de advocaat heeft hem gevraagd documenten naar de rechtbank te sturen), lijkt het alsof de meer dan zevenhonderd artikelen van het Wetboek van Strafrecht kunnen worden gereduceerd tot enkele woorden in spijkerschrift op een blok basalt. Als hij met een vlugge accentwissel zijn mond het woord 'ampurcher' laat produceren (het is tien uur 's avonds en de advocaat, die nog zit te werken, heeft hem gevraagd even naar een broodjeszaak in de buurt te gaan), wordt niet het dialect van de Grijns meegesleurd door de logica van het fastfood, maar het hele Noord-Amerikaanse lexicon, dat per vergissing in de waarnemingshorizon van deze dode taal is beland en erdoor is opgeslorpt, verteerd en in zijn stenen tafelen gebeiteld.

Maar vooral de manier waarop de chauffeur zich in het bijzijn van de advocaat gedraagt, brengt Vincenzo van zijn stuk. Voor Mario Lombardi kruipen de stagiairs van het kantoor door het stof, terwijl de berekening en de hypocrisie van zijn cliënten worden gecompenseerd door de fluwelen declaraties van de advocaat. Maar de Grijns... Als Vincenzo's vader hem een opdracht geeft, voert hij die niet uit alsof die hem is toebedeeld door iemand anders, maar door *iets anders*. Alvorens de sleutels van de stationwagen in zijn zak te laten glijden en zich

om te draaien, glimlacht hij niet, uit hij geen nodeloze bevestiging, maar verschijnt op zijn gezicht de onbewogen vaststelling dat in een relatie waarin de een beveelt en de ander uit-
voert, niemand ooit echt een vrije keus heeft.

Hoe is het mogelijk dat zo iemand voor zijn vader werkt?
Twee weken later staat hij er al niet meer bij stil, aangezien de
chauffeur zo'n welkom contrast vormt voor Vincenzo dat hij
zich volledig op de Grijns concentreert. Wanneer is de Grijns
vrij? Waar komt hij vandaan? Waar woont hij? Wat doet hij in
zijn vrije tijd? Die vragen spoken door zijn hoofd als hij hem
vijf minuten weet te schaduwen. Hij ziet hem de stationwagen
in stappen, maar verliest hem al bij het tweede kruispunt uit
het oog.
   Een week later kan hij al zijn eerste conclusie trekken: de
Grijns schaduwt hem niet heel vaak. Als hij aanvankelijk nog
dacht dat hij hem op ieder moment kon tegenkomen, kwam
dat door zijn kameleontische aard. Ook als Vincenzo alleen
maar winkels en lantaarnpalen zag, had hij steeds de indruk
dat zich ergens in dat roerloze panorama ook de chauffeur bevond. De Grijns blijkt trouwens niet meer dan drie of vier uur
per dag voor de advocaat te werken. Hij rijdt van het kantoor
naar de rechtbank, vergezelt de baas bij een deskundige en
staat hem dubbel geparkeerd op te wachten. Op een bepaald
moment groet hij iedereen en gaat ervandoor. Maar waarnaar-
toe?
   Langzaam maar zeker komt Vincenzo erachter welke routes
de chauffeur neemt. Iedere dag kan hij de stationwagen drie-
of vierhonderd meter verder volgen dan de dag ervoor. Na een
paar weken weet hij dat de chauffeur, zodra zijn werk voor de
advocaat erop zit, een keuze heeft uit minstens twee routes.
Als hij de stad beter kende, als hij niet zijn hele kindertijd in
een cocon van herenwoningen en filantropische organisaties
had geleefd, zou hij kunnen weten dat de Grijns de kustweg

naar San Giorgio volgde of in de richting van Japigia reed. Maar het enige wat hij denkt, is: *hierlangs of daarlangs*. Terwijl hij zo door het warme meizonnetje loopt, komt hij dus tot de ontdekking dat zijn wereldje maar een fractie is van het uitgestrekte stadslandschap van het Bari van de jaren tachtig. Wie had dat ooit gedacht? Je hoeft maar een paar kilometer naar het oosten te gaan en er is geen boetiek meer te zien. Herenwoningen vol stucwerk maken er plaats voor een indrukwekkende interbellumarchitectuur die op haar beurt overgaat in belabberde trottoirs en asfalt waarop groene en gele grassprieten groeien. Wat een halfuur eerder nog berijdbaar asfalt was, is nu een kokende, woeste zwarte laag die zich onder de bakkende zon boven aan de hemel in alle richtingen uitzet. *Hé, dit desolate landschap lijkt op hem*, dacht Vincenzo.

De behoefte om de stationwagen te achtervolgen is weg en hij laat zich nu meeslepen door rondslingerende bankjes, neergebliksemde lantaarns, opgebroken straten en bergen vuilnis. Hij beweegt zich behoedzaam tussen prikkeldraadversperringen die een platinalaag van madeliefjes moeten beschermen. Hij passeert bergen bakstenen die op straat zijn achtergebleven en eenzame bouwsels waarvan de deur met twee houten balken is geblokkeerd. Hij vraagt zich niet langer af: *waar ben ik beland?* Want het om zo te zeggen horizontale verlies van je oriëntatie is minder duizelingwekkend dan het steeds zachtere en geconcentreerde afdalen in de verticale diepte.

Op een van die middagen bevindt hij zich vijf of zes kilometer van huis, maar hij heeft de indruk zich over een vlakte op Mars te bewegen, een gebied te doorkruisen waar hij al eens is geweest op een moment dat hij in feite nog nergens kon zijn. Wanneer hij een rotsachtig pad is ingeslagen dat zich naar binnen wurmt, hoort hij achter zich een groot insect zoemen. De bromfiets komt pruttelend op zijn hoogte. Ze zijn met zijn drieën en ongeveer van zijn leeftijd. De achterste twee klampen zich met hun nagels vast aan het kleine zwarte zadel. Ze rijden rondjes om hem heen, lachen en roepen dingen die hij niet begrijpt. Het lijkt wel of ze geschrokken zijn – zoals arme mensen schrikken als ze met een schok uit hun lethargie worden gehaald – van deze jongen in zijn dure merkkleren die ver van huis is verdwaald op een plek waar hij niets te zoeken heeft. Ze storten zich op hem en werken hem tegen de grond. Ze rukken zijn horloge van zijn pols, grissen zijn portefeuille uit zijn jaszak, springen weer in het zadel en scheuren weg. Vincenzo springt in de stofwolk woedend overeind. Hij woont in een penthouse en spreekt twee vreemde talen, hoe durven ze hem zoiets aan te doen? Hij recht zijn rug en alle nutteloze wrok glijdt van hem af. De mooie middagmaan schittert met haar bleke kraters tussen de distels en de korenaren. Dan voelt hij *het*. Dankzij dat onmogelijke landschap, misschien ook wel dankzij die o zo snelle en per slot van rekening ook wel o zo eerlijke en totale vernedering, wordt hij overvallen door een overrompelende grootsheid. Ineens is het alsof zijn moeder overal kan zijn. Een warme zondvloed die uit de aarde is verdampt en uiteindelijk ook van de hemel verdwenen en zowel aan de hemel als op aarde een uitgedroogde afdruk nalaat. Een beetje eenzaamheid en een vernedering zijn genoeg om die te laten versmelten tot één levendige herinnering. Hij loopt verder. Achter de dorre graslanden ziet hij in de verte de eerste volksbuurten: grote, stille torens die zich aftekenen tegen de hemel van de zonsondergang. Aan het eind van het pad mist hij een afdaling. Hij struikelt, rolt tussen de stenen, staat weer op *en daar is hij…*

De stationwagen staat geparkeerd aan het eind van een grote open plek. Naast de auto staat een blok van oranje tufsteen dat een huis moet voorstellen, maar eruitziet als een kleine ziggoerat die uit het midden van de aarde is opgerezen. Aan een raam hangt een peertje. Onder aan het bouwsel ligt een grote aluminium bak waarop in viltstift talloze keren duidelijk te lezen staat: *fascit' ca s' mor'*. Maar die taal kent hij niet. Hij zit verborgen achter een muurtje wanneer een paar minuten later iemand door de deur naar buiten komt. Een manwijf gestoken in een hemdje en een korte broek, met een breed gezicht, een boksersneus en zwart haar dat met een plastic haarspeld is opgestoken. De vrouw strekt haar armen in de lucht. Ze rekt zich uit in het laatste zonlicht en toont de wereld haar okselhaar. Ze geeuwt en gaat terug naar binnen. Hij heeft nog nooit een hoer gezien, maar hij weet dat dit een hoer is. Het archetypische beeld dat zelfs bij iemand als hij diep verankerd zit, is niet tot leven gewekt door de blauwe plekken rond haar twee dikke, met striemen overdekte dijen, maar de absolute, royale en toch zo ingehouden eenvoud van een lichaam dat zich buiten diensttijd aan de wereld toont zonder ergens aanspraak op te maken. Het is absurd, maar hij denkt nog altijd aan het mysterie van zijn moeder.

Nog geen uur later is de avond gevallen. Rondom heerst een bijna totale duisternis die het hem onmogelijk maakt te zien wat er vlakbij gebeurt, met uitzondering van de lichtjes die in de verte – maar een veel te verre verte – beginnen te schijnen en duiden op de aanwezigheid van pizzeria's en van kraampjes met gedroogde vruchten. Dan gebeurt er iets wat hij aanvankelijk niet begrijpt. In de stationwagen wordt het leeslampje aangeknipt. De Grijns zit op de bestuurdersplaats. Hij buigt zich voorover, kijkt onder het tapijtje, gaat weer rechtop zitten en kijkt recht voor zich uit. Een auto, een bromfiets, nog een auto. Ze beginnen te komen. Vincenzo hoort lawaai achter zich. Hij ziet lampen de hoogte in schijnen. Daarna dalen ze af. De lichtjes verspreiden zich en kruisen elkaar, in een nachtelijke wals van lampjes van vijftig watt. Op een bepaald moment lijkt het alsof de halve stad daar heeft afgesproken: bestelwagentjes, sedans, terreinwagens, bromfietsen, zware motoren met glimmende uitlaatpijpen. Een man met brillantine in het haar komt uit een Panda, steekt zijn hoofd door het raampje van de stationwagen, keert terug naar de Panda en brengt zijn handpalm naar zijn ogen. Als Vincenzo de stad beter kende, als hij een van de jongeren was die de Baraonda of de bar Thailand bis bezochten, dan was 'de Grijns' voor hem de naam van dat stuk platteland dat in straatnaamboekjes ontbrak. Dan had hij over een plek gehoord die half verborgen zit tussen de Via De Lilla en de Strada Sant'Anna, waar een pakje heroïne minder kost dan twintigduizend lire. Maar hij denkt alleen maar: *Chauffeur overdag, dealer in zijn vrije tijd...*

Om elf uur is de drukte voorbij. De Grijns doet nog even een plasje onder de sterrenhemel en staat op het punt om naar zijn auto terug te keren. Dan staat hij plots voor hem. Vincenzo zegt: 'Geef me nú maar een lift naar huis.'

Dat was dus de jongen die nog geen drie maanden later op het Cesare Baronio belandde en brandstof gaf aan onze nieuwsgierigheid. Hij was iemand die wíst – en om te weten had hij gestreden, en had hij op zijn manier door de tijd gereisd. En of zijn haat voor zijn vader nu in zijn bloed zat of tussen de wolken hing, hij had een paar balken opgegraven die stevig genoeg waren om zijn wraakverlangens te schragen.

Ik kan me niet voorstellen welke taal hij gebruikte om de Grijns te laten opbiechten hoe de zaak precies in elkaar zat. Toch wíst hij op een bepaald moment dat de chauffeur voor het kantoor werkte omdat een grote klant hem daar persoonlijk had aanbevolen. Een met belangen in de hele provincie, van pizzeria's tot solaria, klerenwinkels, speelzalen... En de taak van de Grijns was, kantoor Lombardi nog daargelaten, zeker niet om in de velden tussen de kustweg en Japigia heroïne te dealen (als ze hadden ontdekt dat hij bijverdiende met de restjes van zijn hoofdactiviteit, zou het hem slecht bekomen zijn; toen hij de jongen voor zich zag opduiken, begreep hij dan ook dat hij weinig keus had), maar om eens per maand de ronde van alle handelszaken te doen. Hij was met andere woorden belastingontvanger voor de zogenaamde geheime vennoten, want op alle activiteiten die deze grote klant beheerde en die Vincenzo's vader binnen de grenzen van de legaliteit probeerde te houden, stond – door hun zwarte origine – minstens tien jaar gevangenisstraf. De Grijns was het laatste radertje. Hij was opgegroeid in de grootste ellende, daar door een Onzichtbare Hand uit opgediept (was er een verband met de gebroeders Terlizzi over wie de plaatselijke kranten schreven?) en vervolgens toevertrouwd aan iemand die hem op zijn beurt in dienst had laten nemen door het kantoor van zijn eigen advocaat. En nu werd hij door een kleine lord gechanteerd met het enige echte initiatief dat hij in zijn hele leven zelf ooit had genomen. Dus toen Vincenzo hem een paar maanden later in de villa van de familie Rubino zag binnenkomen, begreep hij onmiddellijk dat de ouders van Giuseppe nog niet eens baas waren over de pleebril waarop ze iedere ochtend gingen zitten.

Giuseppe wist het niet. De moeder van Giuseppe wilde het niet weten. Maar Vincenzo wel. *Nog een puzzelstukje, nog een stukje dat op zijn plaats valt...* moet hij hebben gedacht. Maar een stukje waarvan precies? Hij had een schaduwzone in het leven van zijn vader ontdekt. Dat was voorlopig wat telde.

En ik, ik wist hoegenaamd niets over al die dingen.

Waarom Vincenzo besloot tijdelijk van het toneel te verdwijnen.

Waarom Giuseppe ons meesleepte naar alle grote en kleine feesten die overal in de stad werden georganiseerd.

En aangezien ook in andere families vroeg of laat alles aan het licht komt, evenmin waarom mijn vader zijn eerste zenuwinzinking kreeg.

6

Wanneer ik mijn vader op zijn werkrondes vergezelde, gebeurde het meer dan eens dat hij met een zure glimlach zei: 'Zie je die daar?'

Het waren vijftigers die anders gekleed waren dan hij – zwarte leren jasjes, oude Ray-Bans met ranke veren. In hun manier van doen herkende ik dezelfde toneelschool als die waar mijn vader had geleerd hoe je midden in de herfst in één keer vijftig katoenen blousejes kon verpatsen. 'Blijf uit zijn buurt,' zei hij voordat de ander ons had opgemerkt. 'Als hij ons komt groeten, doe me een lol, geef hem geen hand.'

Het waren diegenen die hem vroeger 'enorm hadden belazerd': oude vennoten die er met de inkomsten van het laatste semester vandoor waren gegaan toen hun gemeenschappelijke onderneming kopje-onder dreigde te gaan. Mijn vader had samen met hen de jaren zeventig doorgebracht, in beige pakken met wijde pijpen. Ze waren nog jong en driest en dorstten naar triomfen, ze deelden zaken, vrouwen, de bar van wegrestaurants en geïmproviseerde weekendjes in Monte Carlo, waar ze aankwamen in een gehuurde smoking en zonder maar een uur te hebben geslapen.

Later was hun vennootschap uit elkaar gevallen, en was mijn vader alleen achtergebleven met de schulden. 'Als hij mij een dolkstoot in de rug heeft gegeven, betekent dat dat hij ook jou heeft belazerd, nog voor je geboren was.' In zijn stem klonk niet alleen een wrok door die gedoofd had kunnen worden door de vaststelling dat hij fortuin had gemaakt, terwijl die mannen nog omgeven waren door een aura van hachelijke voorlopigheid, maar ik hoorde er ook de bevestiging in dat een triomf zonder gevolgen of zonder blijvende littekens in deze regionen gelijkstond met een vloek. De man die nu uit het kantoor van de vertegenwoordiger naar buiten kwam, was een vijand die op zijn voorhoofd het teken van een hemelse macht droeg. Hij was de onbewuste boodschapper van iets groters, dat mijn vader aan het eind van de jaren zeventig vele slapeloze nachten had bezorgd. Met opengesperde ogen lag hij toen te denken: *Elke minuut stijgt mijn schuld met duizend lire. Dat is zestigduizend per uur, een half miljoen per nacht. Ik slaap, schulden slapen niet. Als ik in slaap val, blijven zij wakker.* Zijn slapeloosheid en groeiende ergernis maakten zijn succes in het volgende decennium des te levendiger, bloediger en uiteindelijk ook begrijpelijker.

Terwijl ik mijn hand had moeten terugtrekken en hem vijandig had moeten aankijken, liep de man met de Ray-Ban ons voorbij. Hij nam ons voor zich in met een glimlach vol overgave, met de ongeschonden opgewektheid waarmee sommige volwassenen zichzelf weten te vergeven, aangezien ze alle anderen al hebben vergeven: 'Kom, rustig nou maar, het is allemaal zo lang geleden...'

Maar mijn vader wist wat vechten was. Dat was zijn evangelie. En dus begon hij in de winter van 1985 gek te worden.

Eerst interpreteerde hij de balansen van Palmieri verkeerd. Een paar weken voor Kerstmis sloot hij zich op in zijn bureau, sneed met de brievenopener de lichtblauwe envelop open die de man hem vier keer per jaar toestuurde. Hij las de cijfers en begon te jammeren: 'Wat een klootzak!' Hij beende woedend naar de deur en vloog tussen de stomverbaasde secretaresses door naar de trappen die hem van de administratie naar de begane grond brachten. Hij sprong in de Fiorino en begon te rijden, terwijl hij berekende hoeveel zijn secretaresses, strijksters, magazijnbedienden en boekhouders hem samen kostten, om na te gaan wie hij op wachtgeld kon zetten zonder zo'n enorme modderfiguur te slaan dat hij zijn huis niet meer uit kon. Hij gaf plankgas en snelde naar Trani, volgens de ijverige plaatselijke hoteliersvereniging de plaats met het mooiste romaanse erfgoed, maar voor mijn vader op dat moment uitsluitend en *onvermijdelijk* de plaats waar Girolamo Palmieri woonde, zijn waardeloze vertegenwoordiger voor half Italië, die in plaats van met de staart tussen de benen en tien kalmeringspillen naar hem toe te komen, een papiertje had laten bezorgen waaruit bleek dat de kwartaalomzet drieëndertig procent was gedaald.

'Hoe is het mogelijk?' herhaalde hij met een hoog stemmetje terwijl hij matrasfabriekjes voorbijreed, terwijl de droogkamers van de ene na de andere pastaproducent in bochten uit zicht verdwenen, de reclameborden van Peroni en Coca-Cola elkaar bleven opvolgen en de cisternen en hoogovens van de industriezone overgingen in het landschap van de kuststrook. *Ik kan de villa weer verkopen...* bedacht hij, terwijl hij de ene sigaret met de andere opstak, *de marmerbewerker afzeggen, de parketteur afzeggen. Ik kan de schoonmaakster wegsturen, al moest ik zelf de vloeren schoonmaken!*

Palmieri ontving hem met open armen in zijn kantoor. Mijn vader probeerde hem niet aan te kijken, om de verleiding te weerstaan hem in de haren te vliegen. Hij gaf hem het verfrommelde blad: 'Nu moet jij me eens uitleggen wat dit te betekenen heeft.' De glimlach verdween van Palmieri's gezicht en hij begon te lezen. Hij bewoog zijn hoofd naar achteren en legde zijn hand op zijn voorhoofd. Hij vond zijn goede humeur terug: 'Je werkt te veel, mijn beste. Ik heb het je de afgelopen drie maanden al minstens tien keer gezegd.'

Hij opende het deurtje van een kast waarin een tiental gekleurde mappen op een rijtje stond. Uit een doorzichtig plastic mapje haalde hij een stapeltje papier. 'En nu ben je mij tien uit-

nodigingen aan je nieuwe zwembad verschuldigd,' zei hij grijnzend. 'Jij achter de barbecue. Met een bloemenschortje om je...'
Mijn vader viel neer op een stoel. Sinds die winter, besefte hij eindelijk, kreeg hij niet langer één document maar *zeven* rekeningen, een voor elk van de zones waar Palmieri hem vertegenwoordigde. De nota die hem tot razernij had gebracht, betrof alleen Bari en provincie. Voorts waren er ook nog Salento, het gebied rond Napels, Latium, Sicilië, de nieuwe afzetmarkten in Emilia-Romagna en Toscane. 'Reken maar even na...' zei Palmieri terwijl hij met voldoening zijn overhemd rechtstreek.

Hij had wel kunnen raden welke oorzaken aan de basis lagen van een daling met drieëndertig procent: klanten die niet betaalden, of bedrog door Palmieri zelf. Een stijging met tien procent zou redelijk zijn geweest. Bij een stijging met veertig procent zou hij met een magnumfles Veuve Cliquot naar huis zijn teruggekeerd. Tweehonderdvijftig procent meer dan het vorige jaar... Dat was geen goed nieuws. Dat was zelfs geen uitstekend nieuws. Dat oversteeg alle mogelijke realistische verwachtingen, als er tenminste nog een enigszins te vatten verband bestond tussen inspanning, inventiviteit, opoffering en het resultaat ervan.

Hij had Palmieri met een lege blik in zijn ogen omhelsd. Hij was weer in de Fiorino gestapt en reed nu met dertig per uur langs de kust. Hij dacht: *Ik ben rijk, nu ben ik werkelijk schathemeltjerijk...* zonder te kunnen bevatten hoe de weerslag van goed nieuws zo hevig kon zijn. Hij was met stomheid geslagen. En zijn verbijstering kwam niet doordat de grootste triomfen vaak op onverwachte momenten kwamen (dat wist mijn vader maar al te goed). Het was eerder omgekeerde liefde die nu aan de touwtjes van zijn bedrijf trok... Alles werd aangeraakt door een liefde die even ongrijpbaar maar ánders was dan de liefde die met moeite de wereld bezwangerde, zodat die niet zonder pijn vruchten zou voortbrengen. Verward reed hij naar Bari en probeerde zich te verzetten tegen het vreemde gevoel dat de hele regio wilde feesten, zoals tijdens het onophoudelijke gebeier op paaszondag. De vlakten gleden voorbij en achter de vlakten verscheen de bewoonde wereld met zijn huizen en kerken en de eerste uithangborden van hotels voor minnaars op doorreis. Maar de kerktorens waren roerloos. Eindeloze reeksen kerktorens in alle mogelijk vormen en gedaanten, allemaal met onbewogen klepels. *Maar waar komt die muziek dan vandaan?*

Op 18 december kreeg hij de genadeslag. Zijn kantoor hing vol slingers en kleurrijke ballen, en bij de secretaresses hingen kerstmannetjes aan de ramen. Mijn vader vroeg Flora om informatie over de vertraging bij de leveranciers. Ze was de oudste medewerkster, de commerciële bediende die al vele jaren zijn luimen verdroeg met de gestrengheid van een Teutoonse voedster. 'Je zult het niet geloven,' zei ze terwijl ze voldaan de rook uitblies van de sigaret die ze tussen haar vingers met onberispelijk gelakte nagels hield, 'maar dit jaar zijn de stoffen aangekomen wanneer ze móesten aankomen. De strijksters zijn al aan de slag, en volgende week gaan ze naar de borduursters.'

Mijn vader was niet echt overtuigd. Hij ging naar de begane grond, waar de inpakkers druk doende waren de koopwaar voor transport in gereedheid te brengen. Hij bekeek hen langdurig. Er was niets wat hen harder deed werken. Daarna nam hij weer de trap naar de administratie.

Hij belde Palmieri op en vroeg hem welke groothandelaren ze konden overrompelen voordat de kerstvakantie vijftig miljoen hersenen zou uitschakelen. Palmieri begroette hem met op de achtergrond een Duke Ellington waarbovenuit kreten klonken van dolle kinderen. 'Maar weet je dan niet wat voor dag het is?' vroeg hij. 'Vergeet de zaken en kom een glaasje drinken in Des Alpes.' Mijn vader antwoordde: 'Het interesseert me geen fluit dat jij met vakantie bent in Madonna di

Campiglio!' Hij vroeg, eiste, bezwoer Palmieri vervolgens hem de gegevens te bezorgen van minstens één groothandelaar bij wie hij nog niet langs was geweest. Hij zou het zelf wel doen. Hij zou onmiddellijk in de Fiorino springen en naar het laatste gat in de provincie Ragusa rijden. Hij was bereid om zich ziek te laten maken met gevulde rijstballen en marsala, om zonder er gek van te worden de eindeloze verhalen over echtelijk bedrog aan te horen uit de mond van een handelaar in Ispica wiens prostaat aan flarden was, totdat hij níet vijftig spreien en níet tweehonderd lakentjes, maar tien klotebadjassen – genoeg om de helft van zijn benzine te betalen, maar *één bestelling,* verdorie! – op een bestelbon had, waarvan Palmieri (mijn vader zwoer het op mijn hoofd) zijn verdomde provisie kreeg, zonder maar een moment zijn kont op te heffen van de stoeltjeslift in de Dolomieten.

Palmieri antwoordde dat hij alle groothandelaren, tot de laatste voddenboer, door de zeef had gehaald en dat iedereen een bestelling had geplaatst die bij mijn vader het effect moest hebben gehad van een intraveneus toegediende oceaan kamillethee, en dat om één mens te vinden die bereid was om ('op 18 december!') zelfs maar een blik te werpen op de artikelen waarvan Palmieri de prijzen en bestelnummers probeerde te vergeten door 'als een gek alle sneeuwpistes van de Trentino op en af te gaan', het nodig was dat Jezus Christus in hoogsteigen persoon op het moment van zijn negentienhonderdvijfentachtigste geboorte niet alleen het mirakel moest doen plaatsvinden dat de supermarkten gewapenderhand werden bestormd, maar ook dat alle Fiat-arbeiders veranderden in groothandelaren in linnengoed, en alle nog huwbare schooljuffen veranderden in een heethoofd, bereid om de eerste de beste negentigjarige met een invaliditeitspensioen op te pikken, enkel en alleen om een uitzet te kunnen kopen en hem, Palmieri, tijdens zijn kerstvakantie van dit onbegrijpelijk gezeur te verlossen. 'Rust toch eens uit!' schreeuwde hij. En hij hing op.

En dus zat mijn vader op een onbepaald moment in de late middag in zijn eentje als een bezetene een half pakje Marlboro op te roken op het pleintje voor zijn kantoor. Zijn handen beefden. Auto's vol volwassenen trotseerden het verkeer en waren op weg naar speelgoedwinkels, en hij... Er was niets wat hij kon doen. Het wonder der verzadiging was volbracht. De banken oefenden geen druk uit, want alle leningen werden netjes op tijd afgelost. De bestellingen gingen de ene na de andere de deur uit en werden toevertrouwd aan een onophoudelijke stroom vrachtwagens. De televisie puilde uit van de reclameboodschappen die hun gewicht in goud kostten. De detailhandelaren verkochten, en betaalden dus ook. De toestand was zodanig goed dat alles nog een hele tijd zonder problemen kon doorgaan. Tenzij er iets gebeurde wat aan ieders controle ontsnapte: een natuurramp of de ontvreemding van het atoomkoffertje in het Kremlin. Maar dat waren dromen. De waarheid was dat mijn vader het zich – voor het eerst in zijn leven – had kunnen veroorloven tot de volgende zomer helemaal niets te doen, zonder dat zijn zaken daaronder leden. De machine... De Machine werkte in zijn plaats. Hij bleef roken en probeerde dat duizelingwekkende gevoel dat hij vervangbaar was van zich af te zetten. Zijn boomgaarden droegen zonder mankeren de vruchten van de bemesting van voorgaande jaren. Hij had geen vijanden. Aan de horizon was zelfs geen judas te bekennen. Terwijl Wojtyla het op televisie over hoop had en pastoors de gelovigen opriepen tot wedergeboorte, werd mijn vader, die in het centrum van het opperste palingenetische mysterie van het Kapitaal stond, overvallen door een hevig, hartverscheurend gevoel van dood-zijn-bij-leven, dat hij onmiddellijk toeschreef aan stress. Hij keek naar de brandende lampjes die de illusie van beweging wekten op de balkons van het gebouw aan de overkant. Hij maakte zijn zoveelste sigaret uit en keerde naar huis terug. *Die muziek? Die muziek?*

Twee avonden later zat hij tv te kijken, rood aangelopen door een hele blister slaapmiddelen en ondergedompeld in een soort onmogelijke, uitgeputte waakzaamheid in remfase. Een prominent politicus verdedigde de beslissing van de regering om een paar procentjes van de indexering af te halen, en zijn tegenstrever probeerde hem een spaak in het wiel te steken. Mijn vader bleef maar fluisteren: 'Balestrucci, Balestrucci...'

Alweer hij. Gianfranco Balestrucci was de arme drommel die zelfs in de vette jaren graatmager bleef. Nadat hij de betalingen aan de leveranciers tot het allerlaatste moment had uitgesteld, had hij as over zijn hoofd gestrooid en was hij failliet verklaard. Hij tartte de hysterische aanvallen van tweede echtgenotes en minnaressen en dochters die ten onder gingen aan het complex van Electra & Christian Dior. Huizen aan zee, campers en sportauto's: alles kwam in handen van het gerecht.

Mijn vader was hij een slordige twintig miljoen lire schuldig. Het zou een heel leger Balestrucci's hebben gevergd voordat zijn zaken eronder leden. Desondanks greep mijn vader deze betalingsachterstand aan als een laatste strohalm. 'Godallemachtig, hoe kun je dat níet begrijpen?' klaagde hij tegen mijn moeder. 'Hij heeft al een akkoord met de curator!' En toch lag er al een vonnis waarin werd bepaald dat het geld ons toekwam. We moesten alleen wachten totdat de goederen van de familie Balestrucci tot de laatste catamaran waren geliquideerd.

Wachten? Op 20 december belde mijn vader 's morgens vroeg naar zijn schuldenaar. Mevrouw Balestrucci nam op. Haar stem klonk droef: 'Het spijt me. Hij is altijd weg. We zien hem al maanden alleen op zondag...' Een paar zinnen later nam ze hem al in vertrouwen. '*Alstublieft*,' smeekte de vrouw, 'als hij naar u wel luistert, probeert u hem er dan van te overtuigen mijn porselein van Capodimonte te sparen.'

De agenda van mijn vader dateerde nog van voor de oliecrisis. Dus wist hij de *gewezen* mevrouw Balestrucci de volgende dag al op te sporen. Ik herinner me hoe hij eerst met de hoorn in de hand stond en hoe agressief zijn blik was. Daarna veranderde zijn gelaatsuitdrukking. De abstracte woede van mijn vader was niets in vergelijking met de razernij die na een scheiding samengebald kan worden op een lege bedhelft. De vrouw haalde naar hem uit: 'Zie je deze... Maar weet je dat het me geen bal kan schelen dat dat hoerenjong jou een paar vermaledijde vodden niet heeft betaald? Weet je hoeveel ik heb verloren met die gemeenschap van goederen? Achttien maanden is het al, trouwens, dat hij me geen lire alimentatie meer betaalt...' Mijn vaders ogen vlamden van bewondering: 'Mevrouw, ik verzeker u, ik laat hem alles ophoesten, tot de laatste cent!'

21 december... Toen mijn moeder op 21 december in de middag net thuiskwam, nam ze buiten adem de hoorn op van een telefoon die al rinkelde toen ze nog in de lift stond. Het was Leone Mincuzzi, de oude faillissementsrechter: 'Mevrouw, ik richt me tot u omdat ik u hoogacht en ik geen andere keus heb, in acht nemende dat u al twintig jaar samenwoont met het verachtelijke individu dat uw echtgenoot is...' Na die giftig omstandige preambule vertelde hij haar dat als mijn vader nog één keer naar het gerechtsgebouw kwam om er in alle gangen rond te schreeuwen dat hij, Mincuzzi, een corrupte rechter was wie de hand boven het hoofd werd gehouden door de vrijmetselaars, tja, dat er dan een klacht wegens laster zou worden ingediend bij de bevoegde instanties van de gerechtelijke politie.

De nacht van 22 december kwam ik halfdronken thuis. Giuseppe nam me sinds kort op sleeptouw naar tientallen flats die gezuiverd waren van de aanwezigheid van volwassenen en waar de Bailey's bij sloten stroomde. Ik liep in het donker door de woonkamer en nam me voor pas flauw te vallen als ik mijn kamer had gevonden. De Brionvega stond nog aan. Er was dus nog iemand wakker. Terwijl de tv-zenders zich op gang trokken voor het kerstoffensief van Hollywood en alvast *Curly Top*-klassiekers van onder het stof haalden, was ik het toonbeeld van een dronken padvinder: ik wankelde, ik had een zoetige adem van rum met cola proberen te verstoppen onder een halve tube tandpasta, en de rand van mijn lippen glansde, een onmiskenbaar spoor dat was nagelaten door meisjes die door de orde der apothekers waren behept met een obsessie voor Labello-balsem. Ik dacht: *Kleine stapjes...* Maar ik praatte mezelf naar mijn eigen ondergang: 'Alles goed?' zei ik met de paniek van de beginneling. Mijn vader maakte zich los van de televisie. Ik verstijfde. Mijn angst om te worden ontdekt verdween in het niet bij het nog veel duizelingwekkender gevoel dat ik een blik langs zag komen die gericht was op oneindig.

Zijn ogen glommen. Achter hem was op het scherm Shirley Temple te zien die werd gekweld door het schoolhoofd. Het was duidelijk dat kijken naar *The Little Princess* op mijn vader het effect had dat uitgeputte mensen ervaren bij het zien van een afgevallen blad dat door de grijze herfsthemel glijdt (of een zonnestraal in een lege kamer of, in de praktijk, *om het even wat*). Hij riep me bij zich, met een treurige, uiterst beschaamde blik. Zonder te merken in welke toestand ik me bevond, legde hij zijn hand op mijn schouder en zei: 'Ik heb áltijd gewerkt als een paard, toch?' Hij begon me over zijn problemen te vertellen: een trieste nachtelijke monoloog, die door mijn verblijf in de Havana Club onbegrijpelijk was en waaraan ik dus zeer vage herinneringen heb. Maar het ging grosso modo over het kwaad. Het Kwaad in de Wereld. Met andere woorden, de immense offers die eerlijke ondernemers brengen ten behoeve van het algemeen, alleen maar om de insolventie van een paar oplichters ongedaan te maken. De overdrijving en het boetekleed waren zijn Leidsterren, maar die nacht leek hij helemaal door zijn demonen overmand. Hij noemde Balestrucci nooit bij naam, want een gedetailleerd verhaal zou afbreuk hebben gedaan aan zijn plechtstatigheid, maar op een bepaald moment (en dat was wat mij angst inboezemde) alludeerde hij vaag op de mogelijkheid dat ík op een dag zijn wreker kon worden. Ik zou een gerespecteerd vakman worden, mij bewust van en met verstand van wat rechtvaardig is – zo verzekerde hij me op het hoogtepunt van zijn zeer gecontroleerde delirium – en dankzij mijn 'toekomstige kennissen' zou ik hem kunnen helpen bij het oplossen van de problemen die hem kwelden. Het spel met dubbele bodems was zo doorwrocht dat ik het niet kon doorgronden, en toch was duidelijk waar hij op doelde. Hij had het over 'toekomstige kennissen' en zinspeelde zo niet al te subtiel op 'met wie ik nu omging'. Ik bloosde. Ik betreurde dat ik niet zoveel had gedronken dat ik zijn charade niet doorzag. Ik ging naar bed en probeerde zo snel mogelijk al zijn woorden te vergeten.

Op die dag was het, 23 december, kort na het avondnieuws...
Om tien uur was mijn vader nog niet thuis. Mijn moeder had tevergeefs zijn kantoor gebeld, mijn grootouders, Palmieri en zelfs Di Liso. Een hoop gekleurde pakjes ging ritmisch aan en uit onder de lampjes in de plastic kerstboom. Er ging nog een halfuur voorbij. Twee telefoontjes kort na elkaar gaven een beeld van de absurde toestand. Het eerste duurde enkele seconden. 'Goedenavond, het ziekenhuis van Bari hier,' zei de vrouwenstem. 'U moet komen tekenen voor uw man. Hij is opgenomen op basis van de wet op de IBS.' Mijn moeder: 'Wat... wat zegt u?' De vrouwenstem: 'Inbewaringstelling. Opname in een psychiatrisch ziekenhuis. Als u hiernaartoe komt, leggen we het u uit.'
Tussen het eerste en het tweede telefoontje verstreken minder dan vijf minuten, maar het was genoeg om mijn moeder te laten blokkeren in een dood gebied. Ze stond daar met een bleek gezicht en trekken die overgeleverd waren aan de genade

van een hevige, dierlijke verlamming, die in een oogwenk alles had weggevaagd, dat onbestemde arsenaal in de villa die ze wilden verbouwen, de nieuwe auto's die ze wilden kopen. Daardoor werden haar gelaatstrekken in mijn ogen opnieuw mooi, met die lange, slanke vrouwelijkheid die ze altijd had kunnen blijven bezitten. Een vrouw die leed voor een dierbare. Toen kwam het andere telefoontje, en zo ook de verduidelijking die de kracht smoorde die school in het naakte gevoel dat iedere verklaring omlijstte. Het was Lorenzo Agosti, de advocaat van mijn vader. Hij zei: 'Deze keer heeft hij er een rommeltje van gemaakt... Je hebt geen idee.'

Hij was duidelijk zonder enige remmingen het kantoor van de advocaat binnengelopen, recht naar diens bureau. Daar zei hij: 'Lorenzo! Je moet ze laten arresteren, *nu meteen.*' De advocaat, die trouwens civiele zaken deed, keek op van zijn dossier over een burenruzie. 'Wat zeg je?' Mijn vader, met luide stem: 'Balestrucci! Balestrucci en die andere paljas van een rechter!'

'Zie je het voor je?' vroeg Agosti aan de telefoon. 'Ik kon niet anders dan de politie bellen...' In de blik van mijn moeder was opnieuw de schitterende ontreddering te zien van het eerste xx-chromosoom dat op aarde verscheen. Het duurde even. De advocaat ging verder: 'Ik zweer je dat ik heb geprobeerd hem tegen te houden.' Hij vertelde haar dat hij mijn vader had uitgelegd wat die al verdomd goed wist, namelijk dat iemand laten arresteren gewoonlijk een complexe procedure vergt, waarvoor hij hem kon doorverwijzen naar een ervaren strafpleiter. Op dat moment ('hij is begonnen, ik heb hem op geen enkele manier geprovoceerd') had mijn vader een stoel gepakt en die naar zijn hoofd gesmeten, maar hij had hem gemist. Vervolgens had hij het bureau omvergegooid – dossiers, telefoons, snuisterijen: alles vloog door de lucht. Agosti zat gehurkt op de vloer en bleef maar herhalen: 'Ben je gek geworden? Ben je nou helemaal gek geworden?' Mijn vader was langs hem heen naar het raam gelopen. Hij had de zware gordijnen opengetrokken die de grote kerstboom van de Via Sparano aan het oog onttrokken en had het raam geopend. Terwijl de wind in zijn gezicht waaide, keek hij naar de lichtjes van de winkels in de diepte. 'Klotestad...' was zijn conclusie. Daarna was hij weer door de kamer teruggelopen. Hij had de kostbare didgeridoo van eucalyptushout, een vakantiesouvenir uit Australië, van de muur getrokken en terwijl hij met het instrument zwaaide probeerde hij het aquarium vol tropische vissen omver te halen, dat als de geluksbrenger van het kantoor gold. Toen de politie aankwam, klom hij met beide voeten in de opening van het nog openstaande raam. 'Ik spring! Ik zweer jullie dat ik spring!' Ze hadden hem vastgegrepen, hem een krachtig neurolepticum ingespoten en overgebracht naar de psychiatrische afdeling van het ziekenhuis, tussen de echte gekken.

Hij was 'een gevaar voor zichzelf en voor anderen' en moest minstens twee weken in het ziekenhuis blijven. Kerstmis vieren terwijl het gezinshoofd verbannen was naar de schandelijkste afdeling van een ziekenhuis zou onze reputatie flink hebben geschaad. Mijn moeder schakelde dus de kleine kring van half-invloedrijke intimi in, het levende patrimonium van iedere respectabele familie, en binnen vierentwintig uur werd hij ontslagen.

Ik zag mijn vader thuiskomen, suf van de kalmeringsmiddelen. Hij werd geëscorteerd door Palmieri, die net was teruggekeerd uit de bergen van Trentino en even gebruind was als een kapitein van de grote vaart (van het type: 'Ik heb de zeven wereldzeeën bevaren en echt absurde dingen gezien; dit is een onbeduidend incidentje...') en door Lorusso, onze huisarts, die van de atoombom op Liverpool. De dokter – een provinciaal met nieuwe stars-and-stripes die ervan overtuigd was dat Reagan God was en dat het oude continent het verdiende ten onder te gaan in zijn eigen bodemloze ouderwetsheid – legde dat wat van mijn vader overbleef in het echtelijke bed. Hij schreef een stuk of zes blaadjes vol met voorschriften en vertelde ons met een intellectuele levendigheid, grenzend aan enthousiasme, dat de binnenlandse vakliteratuur het eenvoudigweg over een 'door stress veroorzaakte depressie met paranoïde gedachten' had, maar dat mijn vader in werkelijkheid was getroffen door 'nikefobie', een soort pathologie die al wijdverspreid was onder brokers in Wall Street en NBA-kampioenen, en die nu klaarblijkelijk ook enige beschaving begon te brengen aan de oevers van de Middellandse Zee. 'Om het eenvoudig samen te vatten: depressie als gevolg van onverwacht succes.' Hij vertelde ons over de kampioenen van de Lakers of de Chicago Bulls, die het bovenmenselijke gemiddelde realiseerden van dertig punten per wedstrijd en het volgende seizoen zonder aanwijsbare reden ineenstortten. Om ons moed te geven vertrouwde hij ons toe dat mijn vader een echte kampioen was, aangezien de 'nikefobie' bij hem tot een 'tweede incubatiegraad' was gestegen. Zijn overwinningsschrik had hem niet verhinderd alsnog te winnen. 'Iets diep in hem heeft geprobeerd hem ervan te overtuigen dat succes hebben verkeerd is,' vervolgde de dokter, 'maar een nog koppiger instinct heeft ervoor gezorgd dat die destructieve krachten al te veel schade zouden veroorzaken. Kortom, mevrouw, over twee of drie maanden zou hij erbovenop moeten zijn. En ik meen te begrijpen... ik bedoel, te mogen zeggen... tja... gezien jullie huidige situatie... dat dit *hoegenaamd* geen afbreuk zal doen... tja... Ongelooflijk wat de menselijke geest allemaal vermag, niet?' Kortom, de beruchte balansen van Palmieri lagen op straat.

Doxepina, Parmodalin en absolute rust. De dokter en Palmieri namen afscheid. Ze overlaadden mijn moeder met voorspelbare adviezen. Ze gaven de patiënt tikjes waarop die reageerde met de doffe blik van een schipbreukeling uit een andere dimensie. Veel valt er niet aan toe te voegen: dat was onze kerstavond.

Als de zenuwen van ondernemers die werden gewurgd door schulden het begaven, schreef men hun mentale problemen toe aan hun onvermogen op zakelijk gebied succesvol te zijn. Hun collega's beklaagden hen maar glommen ook van voldoening, hun echtgenotes en kinderen die de jaren van onderscheid al hadden bereikt, behandelden hen als ontspoorde konvooien die weer op de juiste koers naar respectabiliteit moesten worden gezet. In het geval van mijn vader ging het om een ondernemer die succes had geoogst. Zijn korte herstelperiode werd ervaren als de natuurlijke incubatietijd van nog grootsere successen.

Mijn moeder nam alles op zich. Ze bouwde een beschermend nest rondom hem dat bestond uit stilte, lang uitslapen en groene thee – een gezondheidsgevangenis waarvan zij de onbuigzame bewaakster werd.

Er kwamen collega's, familieleden en gewone vrienden op bezoek, die allemaal een dankbaarheidskrediet wilden opbouwen dat in de toekomst nog van pas kon komen. Maar op de drempel van het huis stuitten ze op haar. Mijn moeder voerde hen naar de salon, bracht thee en koekjes, stelde hen gerust over de gezondheidstoestand van de zieke ('Hij herstelt, op kantoor beredder ik nu de zaken...') en dan pas gaf ze de genadeslag: 'Het spijt me, ik zou je graag even bij hem binnenlaten, maar hij slaapt nu en hij moet absoluut rust houden.' Alsof aan het eind van de gang – derde deur links – niet een man zat die uitgeput was door dertig jaar concurrentie, maar de jonge Siddharta in lotushouding. De bezoeker werd terug naar de deur begeleid en fronste zielig zijn wenkbrauwen: 'Niet vergeten (wat betekende: *ik smeek je!*), zeg hem in ieder geval dat ik langs ben geweest.' En zij, ongenadig: 'Absoluut.'

De onschuldige vlam van bezorgdheid die mijn moeder twintig jaar jonger had gemaakt toen ze het telefoontje van het ziekenhuis had gekregen, keerde niet terug in haar blik. Uit haar aanpak van de noodsituatie – zo moest ik die maanden vast-stellen – wekte ze eerder de indruk eindelijk het kompas in handen te hebben om de eerste steen te leggen voor een reus-achtig project. Ik bedoel niet dat ze de toestand van mijn vader opwindend vond. En toch leek de pseudowetenschappelijke vastberadenheid waarmee ze haar man aan de wereld hoopte terug te schenken haar overtuiging te verstevigen dat alles wat ze in mijn vader afkeurde onverhoeds op het punt stond te ver-dwijnen. Ze had erop durven wedden dat hij vrijer en ontwik-kelder uit zijn inzinking kon komen, vrij van de ballast van het neorealisme: een nieuwe man.

Mijn vader sliep soms dertien uur achter elkaar. Aan tafel was hij eerder zwijgzaam. En als hij het zoals gewoonlijk over zijn vroegere leven vol ontberingen had, leek hij geen voeling meer te hebben met de tijden waarover hij vertelde. Hij haalde herinneringen op, maar sprak zonder overtuiging. Eens per week belde hij naar kantoor om op de hoogte te blijven. Hij ondertekende de papieren die mijn moeder hem voorlegde. Hij zei altijd: 'Allemaal in orde.' Maar vervolgens betrapte ik hem in de badkamer. Nadat hij zijn scheermes in de beker had ge-zet, friste hij zijn wangen op met twee porties eau de cologne en bekeek hij zichzelf achterdochtig in de spiegel. Hij probeer-de zichzelf te herkennen. Hij sloot en opende zijn ogen. Uitein-delijk verscheen rond zijn mond een vreemde glimlach van vol-daanheid (en ik die hem observeerde, dacht dat het, afgezien van zijn inzinking, gevaarlijk was een man die op die manier glimlacht te vertrouwen), alsof ook hij bezweek voor de me-ning – van mijn moeder, van de mensen die in die periode in ons appartement langskwamen, van *iedereen* – dat zijn depres-sie iets bovennatuurlijks had: hij en zijn firma, samengeklon-ken in een energieke band die functioneerde volgens de wet van de communicerende vaten (hij laadde zich weer op, zij marcheerde uitstekend langs alle nerven van het commerciële weefsel, en keerde naar ons terug in de dolgedraaide hiërogliefen van onze rekening-courant), alsof uitgerekend die toestand van suffe halfslaap, gedrogeerd door valium en lithiumzouten, het hem mogelijk maakte in contact te treden met het diepe, mysterieuze deel van zijn zaak: de nog lege wieg van een Geboorte waarin de ondoorgrondelijke pi van het geld verdienen en de fysieke persoon van mijn vader tot één entiteit zouden versmelten.

Die toestand bracht met zich mee dat hij iedere vorm van controle over mij liet varen. De intercom ging. Op straat stond Giuseppe met zijn Aprilia Red Rose met knetterende uitlaat. Dagen van absolute vrijheid kondigden zich aan.

7

Het waren de maanden van de feesten die eindigden met eindeloze tongzoenen.

'De ouders van Matteo zijn op reis naar de Canarische eilanden...' Dat was het soort nieuws dat zich 's middags van telefoon naar telefoon verspreidde en het microklimaat in verhitte slaapkamertjes die uitpuilden van de illegale tapes en kleenexpropjes. 'We hebben een probleem!' zei een andere stem aan de telefoon. 'Het huis is vrij, maar mijn versterker is stuk.'

Toen ze na de millenniumwende verspreid waren over alle uithoeken van de planeet, of nog op dezelfde plaatsen woonden, die ze nauwelijks herkenden als de stad waar ze jaren geleden voor het eerst het slipje van een leeftijdgenote hadden uitgetrokken, dachten velen die toen als tiener in Bari waren opgegroeid nog terug aan de combinatie van acne, vet en rood haar die op een middag die nog onder het gesternte van de Bangles stond, met vijf kratten bier en een gloednieuwe stereo van Bang & Olufsen het huis was binnen gelopen. Giuseppe had de touwtjes in handen. Hij had een *mediamiek* gevoel voor het ontbreken van volwassenen tussen de muren van een appartement. Dan werd er wat rondgebeld en dan loste hij het op, ook voor ons, wat het probleem ook was

Dit was dus de tijd waarin een onbepaald aantal minderjarigen, gewend als ze waren in hun familie de duistere sfeer te ademen, doordrongen van *Canzonissima '59*, met kruisjes om de hals en Clippers de wereld verkenden. Of liever: een schijnbeeld ervan doorkruisten, gedoopt in popmuziek. Maar terwijl de jongens en meisjes die naakt in de modder hadden liggen rollen op het elektrische gedonder van Jimi Hendrix de eerste steekvlam van het fenomeen hadden beleefd – die dus per definitie nog gloeiend heet was – hadden wij te maken met een feestelijk uitgedost kadaver. Het was de tijd van de tienerfilms voor toekomstige bedrijfsleiders en van het absurde, nutteloze USA for Africa. De zonsondergangen in onze stad zinderden in iets doods, en hoe doder het was, hoe meer het zei over het tegendeel en met hoe meer pailletten het zich tooide. Niet dat Giuseppe zich bewust was van die facetten van de toenmalige situatie. En toch spande hij zich in voor al die feesten, alsof je geld aan de ergste dingen vergooien de enige manier was om in contact te treden met de tijdgeest.

Eerlijk gezegd waren de eerste feesten ontgoochelend. Onder de naald van de stereo passeerden de dwaze refreinen van Paul Young. De eerste noten van *Reality* weerklonken en er werd geslowd. Wie beweerde ook alweer dat adolescenten zich door hun instincten laten leiden?

De eerste die ik in handen kreeg, was Marina, een opeenstapeling van kleurrijke sweaters die de mogelijkheid van een fysiek lichaam uitsloot. We waren bij Giannelli. Het meisje hing zonder een woord te zeggen aan mijn hals. We dansten als twee aardappelzakken, terwijl Richard Sanderson uit de stereo weerklonk: *'I try to live in dreams / It seems as if it's meant to be / Dreams are my reality.'* Toen ik besloot mijn lippen op de hare te drukken, waren we al met de vierde slow bezig en vertoonde het meisje tekenen van nervositeit.

Aanvankelijk leek haar keuze voor mij een daad van grote toegeeflijkheid. Toen ik echter geen enkel initiatief nam, terwijl de eerste stelletjes al flink bezig waren, probeerde ze me wakker te schudden door haar knie tussen mijn benen te duwen. Omdat ik niet reageerde, werd ze ten slotte overvallen door het schrikbeeld dat zij de enige aanwezige was voor wie de avond op een mislukking zou uitdraaien, de enige naam (de hare) met een nul op het scorebord dat de ware deus ex machina van de avond was: de noodzaak om enkele taferelen uit *La Boum* te imiteren. Ze begon me hatelijk aan te kijken: *Kus me dan, lul, kus me dan...* Ik was verlamd. Ik probeerde na te denken over de manier waarop alle aansporingen in de hits van die tijd, namelijk om onze eigen dromen te realiseren, in ons lichaam konden omslaan in iets zo kil en meedogenloos. De vloer lag vol papieren servetten, taartkruimels en plastic bekertjes die kraakten onder de voeten van de stelletjes die elkaar omhelsden terwijl de stem van Phoebe Cates zich aan het kokette motief van *Paradise* waagde. Op dat moment deed ik mijn plicht en kuste haar. Zo zag ik bevestigd dat wij niet naar elkaar toe waren gedreven door stoutmoedigheid of door verlangen, maar door de vijftien miljoen Europeanen die *La Boum* hadden gezien, om nog te zwijgen van het immense leger toeschouwers dat *Paradise* maandenlang in de filmtop had gehouden. En als het niet die twee specifieke films waren, dan de blinkende kooi van omzetcijfers en gebrek aan affectiviteit waarin we ons allemaal zo graag leken te willen opsluiten om vervolgens de sleutel weg te gooien.

Tien minuten later zaten ook ik en Marina op de canapé. We bleven elkaar aflebberen en voelden helemaal niets, afgezien van een beginnende droge keel. 'Gave avond!' zei Giuseppe aan het eind van het feest, en hij wilde dat ik hem een high five gaf.

Maar na een paar weken veranderden de dingen. Het lebberen ging over in betasten, en dat kristalliseerde zich ten slotte uit in de praktijk van het 'beschaamd rukken'.

Het was alsof in de hele stad een gecodeerde boodschap circuleerde die ons aanspoorde minder naïef en verstard te zijn, zodat we op een stijlvolle manier de wrok konden aanboren in het Grote Roze Cadeau van onze tijd. Iemand haalde Richard Sanderson definitief van de platenspeler. In plaats daarvan bracht een zanger uit Manchester ons nu aan het dansen met strofes zoals: '*What she said: How come someone hasn't noticed That I'm dead?*'

We bleken onverwachts voldoende doortastend om met twee vingers de bril te pakken van het meisje dat we gingen kussen. We lichtten het vederlichte, perzikkleurige montuur op, en in plaats van de parochiale braafheid die we tot een paar seconden eerder voor ons hadden gezien, verscheen een open, listige blik, een levendige warboel van haar en een glimlach die zei: *Kom hier, wees brutaal.*

De handen van die meisjes openden zich op onze kin en gingen toen de andere kant op, zodat we hen kusten voordat we daar klaar voor waren. Hun in strakke merkspijkerbroek gestoken achterste maakte zich los van de canapé om ons beter te kunnen beklimmen. We proefden de frisse smaak van munt op hun tong. Hun oorringen en kettinkjes en armbandjes wapperden en keerden de fletse pretentie van keurigheid om die diezelfde juwelen hun in het begin van het feest hadden verleend. Onze handen streken over de trui van het meisje, raakten de spijkerbroek aan en doken in de eerst zachte en vervolgens rimpelige holte vlak onder de riem. Op dat moment werd de overgave in de halfopen lippen van het meisje weer een glimlach vol inzicht. Ze stopte onze handen. Met een snelle maar steeds sierlijke beweging draaide ze zich om, zodat ze met haar rug naar ons zat: onze buik tegen haar ruggengraat, de knieën van het meisje tussen de kussens van de canapé en haar wang tegen de wand gedrukt waartegen de canapé stond. Terwijl wij ons gekunsteld afvroegen wat we moesten doen, *tsjak*... We voelden hoe onze buik zich ontspande en meteen daarna realiseerden we ons dat het meisje zojuist onze broek had losgeknoopt. Achter haar rug, zonder ons aan te kijken, begon ze de boxer te strelen. We kregen een krop in de keel en vervolgens leek het alsof een ijsblokje onze slokdarm blokkeerde, toen we zonder dat er een vergissing in het spel kon zijn (en sommigen van ons baden tot hun eigen verbazing: *God, laat dit een vergissing zijn!*) voelden dat de benige knokkels van een hand zich om onze pik samentrokken en ontspanden, op een manier die zo anders was dan hoe we het zelf deden (en allemaal waren we even bereid om ons standpunt bij te stellen: *Misschien pak ik het al jaren verkeerd aan, misschien hoor je eigenlijk zo te rukken...*), of deed een koude, harde ring met een zeegroen hartje ons plots bevriezen, waarna hij in ons onderlijf kraste en de 'ah!' die we hadden willen uitschreeuwen onze mond niet uit kwam.

Dat noemden we dus 'beschaamd rukken': een nieuwe beheersing die de spot dreef met de onhandige zelfbeheersing van de eerste feesten, een *speaker's corner* van een paar vierkante centimeter die het meisje in de duisternis voor zichzelf construeerde, om zonder woorden tegen ons en tegen zichzelf te kunnen zeggen: 'Zo deden onze grootmoeders het ook, en misschien zelfs de naïefste onder onze moeders. Ze doofden het licht om hun eigen man niet in de ogen te hoeven kijken, ze vertrouwden de verantwoordelijkheid voor hun geopende benen toe aan hun echtelijke plicht, of aan God, of aan dat principe van mannelijke, onwetende arrogantie dat ooit de ware naam van God was. Maar ik ben geboren in een monsterlijk vrije wereld, en als kind heb ik veertien keer achter elkaar *The AristoCats* gezien. En ik heb jarenlang de *Tips van de gynaecoloog* in *Cioè* gelezen, het tijdschrift waartoe vertwijfelde meisjes hun toevlucht namen om vreemde existentiële dilemma's op te lossen. Dus vroegen ze aan de expert of orale seks een redelijk compromis was als hun min of meer officiële verloofde iedere godganse dag probeerde hun hersenen te spoelen, gedreven door iets wat die meisjes hoegenaamd niet als liefde percipieerden, en ook niet echt als gewoon zin om te neuken, maar wat ze zelfs niet waagden te definiëren, of slechts in bedekte termen, als de boze bedoeling om hen in de ogen van de wereld te beschamen (*ja, en dan?*, vroeg ik me af...). Ze kregen van de gynaecoloog het volle recht om hun adolescentie en seks op een waardige, vrije, moderne manier te beleven, zoals overigens ook bleek (enkele pagina's voor en enkele pagina's na de *Tips van de gynaecoloog*) uit de foto's van lachende meisjes in de advertenties voor de lipbalsem met suikerspin van SOS LÈVRES, in de advertenties voor de 'kleurloze en lekkere' make-up van DEBBIE BUBBLES, in de advertenties voor de heerlijk geurende glittergel van BABY ROLL 'waarmee je je hele lichaam kunt insmeren'. En ik heb mijn vader en mijn moeder zich midden in de nacht met de auto naar een gehucht in Basilicata zien haasten, vlak na de aardbeving in 1980, in de barmhartige hoop een vervanger te vinden voor het Eritrese dienstmeisje, dat van de ene dag op de andere zonder aankondiging vooraf ontslag had genomen. En de eerste keer dat ik een jongen kuste, begreep ik dat een kus geen kus is, maar een tastbaar bewijs dat hysterische reacties van je beste vriendinnen kan ontketenen. En toen ik uiteindelijk een paar maanden geleden, kort na het begin van het schooljaar, om acht uur 's ochtends in een bus vol anonieme gezichten zat, met mijn jurk boven de knie, mijn benen stralend van de jodium en kokos, met die nog niet geheel gedoofde herinnering aan de zomer, met mijn armen naar boven en mijn handen geklemd rond een lederen lus, mijn oksels onthaard en ingesmeerd met BABY ROLL, toen ik een druk gewaar werd die te hard was om een toevallige beweging van een andere passagier te zijn en ik mijn hoofd draaide, en ik die oude man in jas en borsalino zag, iemand die mijn grootvader had kunnen zijn, met een mager gezicht vol rimpels en rode vlekken op zijn slapen, toen dacht ik: *Het zal toch niet zo zijn dat die vent tegen me aan staat te rijden,* en vervolgens dacht ik: *Ja, dat is precies wat hij aan het doen is...* En toen heb ik niet geschreeuwd, ben ik niet weggegaan, heb ik zelfs niet mijn handen uit de lus gehaald. Ik heb hem zijn gang laten gaan, ik heb op zijn gewelddadige toenadering gereageerd met de meest totale overgave, want voorbij die drempel was er iets onuitspreekbaars, een verhaal dat nooit op de pagina's van *Cioè* zou kunnen belanden. Ik had het nooit kunnen vertellen aan mijn vriendinnen en evenmin aan mijn ouders met hun geëmancipeerde kijk op de wereld, het is iets *van mij en van mij alleen,* de enige vrijheid die de monsterlijk vrije wereld waarin ik geboren ben mij niet kan afnemen. En dus, mijn jongen, herken je het? Dit is *What She Said* van The Smiths, dat is *Joe le Taxi* van Vanessa Paradis... Snap je nu eindelijk waarom ik je op deze manier aan het aftrekken ben?'

Het nieuwe jaar schonk ook mijn leven een klein maar onverwacht aantal veroveringen. Ik had er echter geen idee van hoe het Giuseppe verging. Hij was onze gulle gastheer, maar niemand had hem al betrapt met zijn handen op de eerste en de laatste letters van de woorden BEST COMPANY op de sweaters die bijna al onze vriendinnen droegen.

Jaren later, toen ik sommigen van hen interviewde, kreeg ik een compleet beeld. Het is nauwelijks beter samen te vatten dan in het getuigenis van de inmiddels vierendertigjarige Irene Russo (IIF op het Giulio Cesare), die met ongeschonden medeleven zei: 'Ik herinner me dat ik vier of vijf keer na elkaar met hem ben uitgegaan. Het was een frustrerende ervaring. Uren wachten tot hij de eerste stap zette. Ik was écht gek op Giuseppe. Ik bedoel... Ik vond hem aantrekkelijk, afgezien nog van al dat geld. Ik was zo'n typisch meisje met beugel en een ongebreidelde passie voor David Byrne: ik kon zíen hoe het echt zat. Al die mensen die bij hem rondhingen. Ik was ervan overtuigd dat ze hem... dat júllie van hem profiteerden. Wat mij natuurlijk nog verliefder maakte. En dus begonnen we samen uit te gaan: filmpje, pizza, ritje op de motor... Niet één keer heeft hij een hand naar me uitgestoken. Toen hij zich realiseerde dat ik er klaar voor was (en ik zou alles alleen hebben gedaan als hij me die kans had gegeven) wimpelde hij me af met het verzameld werk van de Talking Heads. Ik bedoel, het is niet dat hij míj niet leuk vond. Hij deed precies hetzelfde met andere meisjes. Hij liet ze een blauwtje lopen. Ook die halve sletten die achter hem aan zaten in de hoop dat ze er vroeg of laat een handtas van Vuitton aan zouden overhouden.'

Op 26 januari 1986 was er een feest in een vreemde villa vol wandtapijten, een paar kilometer buiten de stad. 'Er komt een vriendin, een goeie vriendin van me en haar broer...' zei Giuseppe. Het meisje heette Rachele. Ze was de dochter van een kolonel die met zijn vrouw voor een parade van de cadetten van de militaire school van Nunziatella naar Napels was vertrokken. Ze zouden pas de dinsdag erop terugkeren, en door alle gymnasia van de stad gonsde de mondelinge uitnodiging, met een 'breng mee wie je wilt' eraan toegevoegd.

De villa stond geïsoleerd op het platteland tussen Bari en Triggiano. Er liep een lange oprijlaan van gravel naartoe, maar het huis zelf werd door een massieve ommuring aan nieuwsgierige blikken onttrokken. Giuseppe en ik kwamen er in de vroege middag aan met een door hem betaalde taxi, om een handje te helpen bij de voorbereiding.

De jongen die de deur opendeed had lang haar dat aan een wasbeurt toe was en droeg een stretchspijkerbroek en een t-shirt van Iron Maiden waarop een zombie stond die Margaret Thatcher overviel. 'Dit is Romano,' zei Giuseppe. Romano zei 'hallo' met de depressieve uitstraling van iemand die – nadat hij al twee dagen lang het hele huis voor zichzelf heeft gehad – vrijheid als de saaiste van alle vallen beschouwt. Hij liet ons binnen en verdween naar de bovenverdieping.

De hal van de villa was een soort handleiding voor de perfecte staatsgreep: absurde hoornen des overvloeds op albasten zuilen, verzamelingen medailles en wandtapijten waarop oude strijdtaferelen waren afgebeeld. In lijstjes op tafeltjes en boekenplanken stond steeds hetzelfde stel van middelbare leeftijd (zij in luchtige blauwe mantelpakjes, hij altijd glimlachend en in uniform), in gezelschap van burgemeesters, hoge officieren en bekende politici. Op de onvermijdelijke foto met Johannes Paulus II stond naast het paar een dolgelukkig jongetje waarin ik de trekken van Romano herkende. Aan de zijkant stond een meisje in een communiejurk met een mand witte rozen en de peinzende blik gericht op een punt dat niet op de foto was vereeuwigd. Ik volgde Giuseppe naar de woonkamer.

In de grote kamer stonden een mooie witte bank en een marmeren tafel, waar drie meisjes aan zaten te kletsen. Giuseppe stelde ons aan elkaar voor. In de handdruk met mijn leeftijdgenotes ('Aangenaam, Vanessa', 'Romina', 'Ik ben Stefania, als jullie willen, zet ik verse koffie') voelde ik een aangename opluchting die het feit dat ze niet echt overdonderende schoonheden waren meer dan goedmaakte. Op het grote televisietoestel vertelde een journalist over de ophanden zijnde lancering van de Shuttle. Het zonlicht viel door de terrasdeur naar binnen en deed de varens in de tuin stralen. *Klik.* En toen verscheen die perfecte harmonie in de deuropening: 'Goedemiddag allemaal!' Muziek op het eerste gezicht.

Ze droeg een mouwloze jurk en kwam naar ons toe. En terwijl haar licht gekroesde, roestbruine haar de natuurlijke vervolmaking was van wat ik op de foto had gezien, had haar slanke (slanke, niet atletische) lichaam weinig meer te maken met haar vroegere, kinderlijke rondingen. Ze was niet zo mager dat het een dieet verraadde, maar slank op de spontane manier die in combinatie met een buitengewoon metabolisme bij sommige meisjes in een vrijwel volmaakt lichaam resulteerde. Voor ze ons verwelkomde, liep ze eerst naar de stereo, waardoor het leek alsof het geluid van de klarinet, daarna de trombones en tot slot de vrolijke explosie van de bekkens haar hadden begeleid tot ze voor ons stond. Haar bewegingen, ze schreed als een triomfator die geen slachtoffers of gevangenen had gemaakt, hadden namelijk diezelfde frisheid – typisch Gershwin.

Ik had inmiddels zo cynisch en ervaren kunnen zijn dat ik op de *Rhapsody in Blue* reageerde met een bloedeloze air van zelf-genoegzaamheid. Maar het was pas de tweede of derde keer in mijn leven dat ik het stuk hoorde. En toen ik het meisje bekeek, bedacht ik dat ze die muziek niet had opgezet om zich te omge-ven met een aura dat ze ook zonder orkest al had, maar om ons iets te geven wat we ontbeerden. Toen ze Giuseppe op de wangen kuste en 'Aangenaam, ik ben Rachele' zei, een paar fracties voordat ze mij een hand gaf, en ik inzoomde op haar gezicht – een mond die niet overdreven sensueel was en hazel-nootbruine ogen – voelde ik dat een hogere macht mij beval uit mijn schulp te kruipen (een combinatie van enthousiasme en schrik die het geflikflooi met andere meisjes tijdens de vorige weken geheel vreemd was). Ik overwon mijn horror vacui en liet ook mijn gevoel voor wat belachelijk klinkt los. Ik drukte Rachele de hand en zei (mijn god!): 'Zoals in de songtekst: jij kunt niet meer zijn dan *sweet little sixteen*.'

Het meisje boog haar hoofd. Ze glimlachte. 'Als je zo van Chuck Berry houdt – pauze – kun je me in de keuken mooi hel-pen om een zwartje te maken.' Ik stond met mijn mond vol tan-den. Van alle mogelijke reacties was dit wel de beste en meest spontane om een onhandige toenaderingspoging te negeren zonder die helemaal om zeep te helpen. 'Zwartje?' vroeg ik. En zij: 'Koffie, anijs, rum en citroenschil... Hop, aan de slag!' Ik volgde haar naar de keuken. Om het steekspel op gang te hou-den, zei ik: 'Je zult zien, het wordt een memorabel feest.' En zij, terwijl ze de provisiekast opende: 'Nee. Het wordt zo perfect dat niemand zich er nog iets van zal herinneren.' Om me niet te laten plattrappen door de tippen van haar rode Superga's zei ik, terwijl zij triomfantelijk een fles sambuca opduikelde: 'Het wordt een zuipfeest, een echt crimineel feest.' Rachele draaide de vlam onder de koffie lager: 'Nou, als er toch een dode moet vallen, dan liefst een moord. Anders geen feest.' – 'Anders knijpen we ertussenuit met de auto van je vader,' zei ik op trillende benen. Ze kneep haar ogen even half dicht. 'Kijk,' antwoordde ze enigszins geforceerd glimlachend, waardoor op haar gezicht enkele schoonheidsvlekjes werden gladgestreken, in een poging me een uitweg te bieden na mijn misstap, 'het zwartje is klaar en jij hebt geen vinger uitgestoken. Help me dan tenminste om alles naar de kamer te brengen,' en ze wees naar het dienblad.

Giuseppe onderhield de andere meisjes over zware motoren. De meisjes keken hem verbijsterd aan. Ik deelde de kopjes en de schoteltjes uit en probeerde niets te breken terwijl Rachele me in het oog hield. Mijn handen beefden niet. Haar aandacht creëerde een evenwicht waarin zelfs een porseleinen servies tijdens het vallen zou hebben beloofd geen lawaai te maken. Ze had (dacht ik) een klassieke adellijke geest, zo diep dat ze zich er niet van bewust was. Ze was geen snob. Door de rust die haar omgaf, kon ze ons onder haar vleugels nemen zonder dat het bij ons weerstanden opriep. Het eenvoudige, heldere gebaar waarmee ze het warme alcoholbrouwsel aan haar lippen bracht, compenseerde zelfs de groteske plechtstatigheid van de villa waarin ze haar dagen doorbracht. Ze moest voor die verlopen hardrocker van een broer van haar zelfs een reden tot afgunst zijn geweest, stelde ik me zo voor, en voor de kolonel een kriebelend en onontwarbaar raadsel, zodat hij, als ze 's ochtends vroeg door de gang naar de badkamer schichtte, haar naaktheid nauwelijks bedekt door een witte handdoek, iets levends in handen wilde krijgen om het te verstikken.

Ik kon me niet langer overgeven aan die fantasieën, want Giuseppe schreeuwde: 'Kijk!' Een van de vriendinnen van Rachele slaakte een 'kut!' en Rachele zei 'mijn god!' terwijl ze hard in mijn arm kneep.

Tweeënzeventig seconden na zijn lancering was de spaceshuttle ontploft. Op het scherm verscheen een witte zuil, als de staart van een vis die in stoom werd gesmeed door een of andere destructieve oude god. Hij zette langzaam uit tegen de blauwe achtergrond van de hemel. De stem van de verslaggever zei: 'Een ramp.' Meteen daarna werd de scène herhaald (de raket met vaste brandstof vatte vlam en het ruimteveer viel in een chaos van brokstukken terug naar de aarde). De onzichtbare commentator had het over Christa McAuliffe, 'de eerste lerares in de ruimte'. We zagen nu beelden van grote, brandende brokstukken die in de oceaan vielen. Er volgde een andere herhaling: het ongeluk gezien vanaf de tribunes van het Kennedy Space Center. De vader, de echtgenoot en de leerlingen van Christa McAuliffe applaudisseerden alsof ze de finale van de Super Bowl bekeken. Twee seconden later zaten hun traanloze gezichten gevangen in een dof voorgeborchte van ongeloof.

Giuseppe zei: 'Pf! In de bioscoop zie je veel betere dingen.' De intercom ging: één, twee keer. Rachele liet mijn arm los om te kijken wie er was en ik dacht dat als de wereld een zin had, ze op televisie beelden moesten uitzenden van Los Angeles dat helemaal door de San Andreas-breuk werd opgeslokt, zodat zij in mijn armen zou vallen. De gasten begonnen te komen en Rachele was verloren, nam ik aan, want met haar verplichtingen als gastvrouw en alle meubels die verplaatst moesten worden, zou ze geen tijd meer hebben om nog aandacht aan mij te besteden. Maar even later zat ze weer naast me. Ze legde haar hoofd op mijn schouder en zei terwijl ze naar de televisie wees: 'Wat nu?' Maar de vraag was een voorwendsel. Ze zag maar al te goed dat er een spotje tegen aids werd uitgezonden. *De zorgeloze vrije liefde is voorbij* – leek het ongelooflijk sombere ministerie van Volksgezondheid te suggereren – *Dit is een tijd voor boetelingen en zombies die begeleid door de klanken van een requiem op de stad af komen...* Het huis begon in beweging te komen. 'Kom, laten we hier niet bij de pakken neer blijven zitten,' zei Rachele. Ze glimlachte, maar haar gezicht was niet meer hetzelfde. 'Help mij even een jurk te kiezen voor vanavond.' *Dat. Moet. Ik. Verkeerd. Hebben. Begrepen.*

Het was eind januari. De stad viel vrij vroeg ten prooi aan de duisternis. Maar op sommige middagen liet een wolkendek dat een paar meter boven de horizon hing de avond op haast kunstmatige wijze nog vroeger vallen dan gebruikelijk. Maar daarna, als je ogen gewend waren aan het kille kunstlicht, brak de gouden bol nog even door en viel het zonlicht als een tot bloedens toe afgeranselde engel over de aarde.

Het vierkant van zonlicht dat nu op de vloer in de kamer van Rachele viel, was een gevolg van dat verschijnsel. Zij sprong erin en eruit, al naargelang ze haar kleerkast overhoophaalde of zich in al haar pracht aan mij vertoonde: 'Hoe zie ik eruit?' Ik dacht: *Ze probeert me te verleiden. Zo werkt het nu eenmaal. Vooruit, doe iets!* En vervolgens dacht ik: *Ze houdt me alleen maar voor de gek, ze behandelt me als haar kamermeisje...*

Zodra ze haar sobere kamer, zonder posters aan de muur, was binnen gegaan, had ze me een ogenblik in stilte aangekeken. Toen had ze gezegd: 'Even kijken wat ik kan aantrekken...' Ze begon zich uit te kleden, zonder schaamte maar ook zonder te flirten, alsof ze in staat was (en dat was ze!) om alleen al omdat het er was, het aan haar lichaam over te laten het hele gamma van mogelijkheden te bespelen. Nu stond ze in haar ondergoed. Ik zag haar mooie, rechte benen van de vloer oprijzen en zich vervolgens elastisch samenplooien omdat ze een lade wilde doorzoeken. Een eenzaam moedervlekje verscheen op haar buik, die zo plat was als een tafel. De Superga's die ze in een hoek had gegooid, gaven een zurige geur af die ik in een minder sterke versie herkende in haar oksels, toen ze vlak naast mij stond alvorens terug te keren naar haar kleerkast, waarbij ze blootsvoets over het parket liep. Haar helemaal witte bh en slipje contrasteerden met haar oranje huid. Meteen daarna had ze een jersey jurk met een v-hals aangetrokken, een rode jurk met witte stippen, een bloemenfantasie met een satijnen band onder haar boezem...

De zon was helemaal ondergegaan. Ze schakelde de schemerlamp aan: 'Goed zo?' Ze droeg een heel eenvoudige witte jurk, met alleen maar meanderend borduurwerk rond de hals en aan de zijkant een ritssluiting in helderder wit. Ik zei: 'Je bent prachtig.'

Pas toen we de kamer uit kwamen, realiseerde ik me dat het feest begonnen was. Op de benedenverdieping weerklonk loeihard wat in onze harten al een tijdje de bonte decors van de Club Tropicana had vervangen door grijze stadstaferelen, bevolkt door vriendinnetjes in coma en dat onherstelbare gevoel van verlies onder brandende lantaarns. Kortom, new wave, die we ons hadden toegeëigend door de hemel van Manchester te vervangen door die van Bari. Op de galerij naar de trap kwamen we haar broer tegen. Romano bleef staan. De onmacht die hem ertoe dwong Rachele niet langer dan twee seconden aan te kijken, maakte me duidelijk dat er tussen mij en het meisje echt een vonk was overgesprongen.

Vergiste ik me?

De villa van de onwetende kolonel was ingenomen door een honderdtal jongeren. In de woonkamer en in de keuken werd gedanst. Overal werd gegeten en gedronken. Rachele was in een nieuwe fase beland. Ze sprong even op het ritme van de muziek, babbelde minzaam met een glas whisky in de hand, liep naar de koelkast en goot tientallen ijsblokjes in een slakom. Wanneer onze blikken elkaar kruisten, schonk ze mij dezelfde glimlach als die waarmee ze zich tot de andere gasten richtte. *Dit is haar ware aard,* bedacht ik moedeloos, *over tot de orde van de dag, met elegantie als excuus...* Ik pakte het eerste glas binnen handbereik en klokte de inhoud zonder erbij na te denken naar binnen.

Ik begon van de ene kamer naar de andere te dwalen. De wijzers legden nog een rondje af. Negen uur, tien uur. Uit de luidsprekers weerklonk een Engelse jammerklacht: *'The boy with the thorn in his side / Behind the hatred there lies / A murderous desire for love.'* In de lange gang tussen de woonkamer en de hall was Giuseppe aan het bowlen met Peroni-flessen in plaats van kegels. Twee meisjes in aluminiumfolie van het Giulio Cesare stonden als spasten voor elkaar te springen. Vlakbij stond een stelletje te ruziën: de jongen probeerde het meisje bij haar polsen mee te sleuren, zij trok haar ene arm los, greep een wekkerradio en probeerde die op zijn gezicht te slaan. Zeer toepasselijk blèrde de stereo: *'And if a double-decker bus / crashes into us / to die by your side / is such a heavenly way to die.'* Ik liep weg van de scène en dacht: *Twee minuten pauze...* Ik ging naar de badkamer en sloot de deur achter me.

Donker. Ik deed het licht aan om mijn weg te vinden in deze vreemde omgeving. De wanden van het smalle, lange vertrek waren met kurk bekleed. Op de rand van de badkuip stond een vaas met droogbloemen. Een jongen zat op zijn knieën, met zijn hoofd in de plee. Een andere stond vanuit de hoogte naar hem te kijken (ik vroeg me af hoe hij dat had gedaan zonder licht). De jongen die niet aan het overgeven was, wendde zich tot mij. Hij was mager, zweette als een paard en had rechtopstaand haar. Op zijn witte T-shirt stond KILL THE HIPPIES. Hij nam een glas ijskoude wodka van de wastafel. 'Weet je waarom hij aan het kotsen is?' vroeg hij nog altijd zwetend. Ik: 'Eh...' Hij bleef aan een puist op zijn kin krabben. 'Hij kotst omdat dit feest degoutant is. Hoor je die muziek? Drie jaar geleden speelden Skizo en Lobotomy hier in Bari. Live. Je kent Skizo toch wel?' Ik bekende: 'Nee.' En hij: 'Les 1: dat was punk, en dit is waardeloze new wave. Punk was de zelfmoord van de rock. Dit is de begrafenis. Weet je wat dat betekent?' Ik wist het niet. 'Het betekent dat jij dood geboren bent. Hij kotst en jij bent dood geboren. Mooie vooruitzichten...' En hij gaf me zijn glas.

De spaceshuttle was inderdaad ontploft. De levende doden waarden door de stad. En zodra ik uit de badkamer kwam, zag ik de anderen in omhelzing dansen. Ik was aangeschoten en de tijd van slows was aangebroken. Nog een keertje slows. Meteen daarna zag ik het probleem. Rachele bewoog vooruit en achteruit in de armen van een jongen. De kerel – spijkerbroek en vuurrood truitje – stond met zijn rug naar me toe en had zijn handen op haar heup. Zij zette een halve stap naar rechts, hij begeleidde haar met een zekere sierlijkheid en gevoel voor positionering waardoor hij me geen poseur leek.

Nu-gaan-ze-kussen, zei ik tot mezelf, ten prooi aan de diepste neerslachtigheid. Op dat moment merkte Rachele iemand op tussen de jongens die niet aan het dansen waren. Ze lachte klef. Ze nam afscheid van haar cavalier, die haar zonder protesteren liet gaan, en ik was al te opgelucht om te beseffen dat ik die iemand was die niet aan het dansen was en met zijn nagels in zijn vingertopjes stond te duwen.

'Hé...' zei ze enigszins overdreven. Ze kwam dicht bij mij staan. Ik meende op haar witte jurk de sporen te zien van de zweetklieren waarmee ik al eerder had kennisgemaakt. Als ze niet zweette, betekende het dat ik mentaal haar essence had gedistilleerd... En in de volgende scène stonden we te kussen.

Het was niet het genot van onze verenigde lippen dat mij deed wankelen, noch het rampzalige gevolg van het rum-met-koffiemengsel dat uit haar maag het heerlijke aroma van een stervend dier deed opstijgen, maar het besef dat ik een fotogram had overgeslagen. We stonden voor elkaar, en meteen daarna waren onze tongen in een strijd verwikkeld. Tussenin was er een black-out, een *mystery track*, een van die zeldzame momenten waarop het leven zo snel gaat dat het gestalte krijgt in het element dat er het beste bij past: de leegte. Van een bestaan dat we doorbrengen op ons eigen uitverkoren terrein zouden we ons niet het minste detail kunnen herinneren – er zou niets zijn om mee terug naar huis te brengen, omdat er nooit iets aan zou zijn ontsnapt. Onze hofmakerij van een paar uur eerder was zo ontastbaar en toch zo onmiskenbaar echt geweest dat de gevolgen ervan ons nu bij de strot grepen.

We bleven dansen en kussen, tussen de anderen die hetzelfde deden. Toen zaten we op een canapé. Ik liet mijn handen over haar heupen gaan en toen tot aan haar borsten. Rachele zei: 'Kom hier...' Ze streelde mijn haar, ik kuste haar slapen en drukte mijn onderarm tegen haar hals, alsof ik haar moest wurgen. Daarop fluisterde Rachele: 'Kom met me mee naar de badkamer.' Ze bevrijdde zich uit mijn greep en nam me bij de hand. We liepen een paar stelletjes voorbij en struikelden over onze eigen voeten. De zanger zei: *'Oggi useremo soltanto / benzina che sia priva di piombo'* en ik bedacht: *Nu gebeurt het, nu gaan we naar de badkamer en gebeurt het, het gaat gebeuren...*

Maar toen we de badkamer binnen kwamen en achter de gesloten deur in haar badkamer zaten, met opnieuw die met kurk beklede wanden, en het licht van de toilettafel ieder detail van haar benadrukte (toen zag ik haar enigszins vooruitstekende hoektand), werden de verwarring en angst die mijn bloed deden stollen uit de weg geruimd door de stem van Rachele, die duidelijk zei: 'Ik moet plassen.' Ze zette haar handen op haar knieën, trok haar jurk een paar centimeter omhoog en trok haar slipje uit, terwijl de jurk door de kracht van haar dijen werd geblokkeerd en geen duimbreed naar beneden zakte. Ik zag de perfecte ronding van haar kont terwijl ze op de rand van de pot zat. Ze pakte mijn hand vast, kneep er stevig in en terwijl zij zo neerzat en ik met wijd open mond voor haar stond, hoorden we de eerste plons in het water van de wc kletteren. Terwijl ze maar bleef plassen en mijn hand vasthield, kreeg ik het gevoel dat we uiteenvielen. Alles stond stil, en wij waren opnieuw daar, aan de andere kant. Ik maakte mijn hand los van die van Rachele en legde hem op haar voorhoofd. Ze sloot haar ogen. Ik streelde haar zoals je zou doen met een buitenaards wezen als dat de enige manier was om te voorkomen dat het terugkeerde naar de parallelle dimensie waaruit het tevoorschijn was gekomen. We waren buiten de tijd, en we zagen duidelijk, stap voor stap, wat we zouden moeten doen om ons voor het leven te behoeden en samen te blijven. Mijn vader, die aan de andere kant van het universum onder de kalmeringsmiddelen zat, bevond zich in een droom die onderhevig was aan volstrekt tegengestelde krachten van die die hier nu de dynamo aandreven van een opgewonden gelukzaligheid. *Laat hem nooit meer ontwaken,* smeekte ik, *of laat ik nooit meer in slaap vallen...* Maar waaruit die magische sfeer ook mocht bestaan, hij begon uit elkaar te vallen. Rachele had geen druppel meer over voor de onderaardse wateren. Ze drukte haar rug tegen het deksel van de wc. Ze zuchtte. Ik nam mijn hand van haar voorhoofd en zij opende haar ogen. We probeerden elkaar aan te kijken, maar tussen ons was er nu slechts gêne. Alles snikte, sprong naar voren en stabiliseerde zich. Het was opnieuw 1986, het jaar van aids en van door het succes gevelde ondernemers, van de compact disc, van de videorecorder, van kinderen die hun vaders haatten en van mobiele parkeergarages die ten hemel rezen. Rachele strekte haar benen. Ik keerde me om, zodat ze rustig haar kleren kon fatsoeneren.

We leverden ons weer over aan het feest, van elkaar gescheiden door een afstand die tweemaal zo groot was als toen we er bij onze eerste kennismaking iets af knabbelden. We liepen rond en meden elkaars blik. Racheles ogen gingen schichtig op zoek naar een bekend gezicht dat haar een ontsnappingsmogelijkheid kon bieden. Ik probeerde haar tegen te houden door haar hand beet te pakken, maar mijn hand bewoog niet. Ik zou het algauw inzien: als je te dicht bij iemand in de buurt komt, en de greep niet kunt volhouden, is het wonder van intimiteit als een klein juweel dat je even in zijn diepe schuilplaats hebt aangeraakt en dat dan steeds verder weg begint te rollen.

Het was inmiddels kwart voor een. De muziek stond nog maar half zo hard en wat nog overbleef van de conversatie zwalpte door de lucht. Groepjes waren druk in de weer met koffiekannen, om de reis huiswaarts beter aan te kunnen. Anderen woelden verwoed in de berg met jassen. Door de openstaande tuindeur waaide een koude nachtwind naar binnen. En toch liep niemand erdoor naar buiten. De gasten namen afscheid, maar gluurden ook naar een bepaalde plaats in het huis. Ze bleven staan.

Rachele liep naar een van haar vriendinnen. Ze drukten elkaar de hand. Daarna gingen ze met de rug tegen de muur staan om naar het tafereel te kijken dat ieders aandacht had. Alleen Giuseppe keek zonder zich te verbergen: op zijn gezicht stond geen ontgoocheling te lezen, maar de verbijstering van een speler die na een reeks overwinningen lang genoeg om hem de illusie van onoverwinnelijkheid te schenken, een tegenstander treft die hem met een paar bewegingen in het stof laat bijten, en dan pas inziet dat in een ontmoeting lang geleden met diezelfde tegenstrever al alle vereisten aanwezig waren voor het huidige schaakmat.

Al wekenlang had hij zich nergens laten zien. *Goed, nu is hij hier,* bedacht ik.

Ze konden er niet langer dan een halfuur zijn en ze bewogen zich door de kamers van de villa alsof ze de eigenaars waren. Ze hadden niemand gegroet. Hoogstwaarschijnlijk had niemand hen kunnen begroeten zonder een gevoel van minderwaardigheid, dat je bijna als vanzelf achteruit liet deinzen. Vincenzo droeg een zwarte jas en daaronder een paars-met-rood gestippeld hemd, een ongepaste outfit die (in het licht van het totale gebrek aan verzoeningsgezindheid waarmee hij alles benaderde) ons feest veranderde in een poppenkast voor armlastige debutanten. Het was vooral de verdienste van het meisje, of beter gezegd: van de manier waarop alles wat we onwankelbaar met Vincenzo associeerden via zijn vriendin duidelijk werd gemaakt. Die vriendin was in feite een vrouw van zo'n jaar of vijfendertig, veertig, met een dikke laag make-up op haar magere, knokige wangen, en golvend haar tot op de schouders van een glinsterende zwarte jurk. Als een van onze vriendinnetjes zich zo had toegetakeld, zou ze eruit hebben gezien als een consciëntieuze studente die zich op zaterdagavond, voor ze uitging even voor de grap als hoer verkleedt en in de spiegel kijkt. Maar deze vrouw leek geen hoer. Ze zag er eerder uit als een bronzen beeld dat in een nachtclub was beland. Ze schreden naast elkaar van de keuken naar het midden van de woonkamer. We wachtten allemaal tot ze elkaar bij de hand namen, tot ze een liefkozing uitwisselden. Maar dat gebeurde niet. De luttele centimeters die hun lichamen van elkaar scheidden, waren niet de afstand die ze moesten overbruggen om bevestiging van de ander te krijgen. Ze straalden een gevoel van ongedwongen bevrediging uit dat typisch is voor volwassenen die gewend zijn hun persoonlijke contacten elders af te handelen.

Vincenzo liet haar het huis zien en gaf commentaar bij de schilderijen en de wandtapijten. Zij reageerde door overdreven heftig te knikken. Het was alsof ze hadden afgesproken ons te negeren, maar terwijl hij het spel zonder problemen speelde, vertoonde de vrouw tekenen van nervositeit. Op een van die momenten zagen we haar litteken: een lange, witte streep van haar elleboog over haar onderarm tot aan haar pols. Dat beeld liet ons niet meer los. Zoals wanneer een piano op een andere piano valt in een verder in absolute stilte gehulde kamer. Wanneer had hij die versierd? En vooral, hoe was hij erin geslaagd een vrouw te versieren van wie wij zelfs niet wisten met welke woorden we haar een vuurtje hadden moeten vragen?

Ze gingen op de canapé zitten. Ze dronken zonder een woord te wisselen. Nu Vincenzo haar geen aandacht meer schonk, keek de vrouw om zich heen. Ze zagen dat er minstens dertig ogen op haar waren gericht. Nu pas leek ze een hoer die in een televisieprogramma voor jongeren gedwongen wordt over haar leven te vertellen. We zouden hebben gezworen dat ze er geld voor over zou hebben gehad om ineens te kunnen verdwijnen. Vincenzo zette zijn glas op de kristallen salontafel. Hij stond op, nam een wollen mantel van de kapstok en legde die voorzichtig om haar schouders. Ze groetten ons met een kort handgebaar en vertrokken.

8

Het halssnoer van de in het wit geklede vrouw reflecteerde betoverend in de spiegels van het restaurant. Ze wendde zich met dromerige blik tot de ober en zei: 'Rigatoni...' Nog voordat het spotje van Barilla van het scherm verdween, keek Vincenzo's vader de andere kant op en vroeg: 'Zeker weten?'

Het bovenmaatse televisietoestel stond op een meubel met glazen deuren die eruitzagen als flessenbodems, en waardoor de boekdelen van de *Encyclopedie van het recht* werden vervormd tot een kubistische explosie van gele vlekken. Als hij naar een ander kanaal had gezapt, had hij Mr. T gezien, aan het stuur van een jeep, of een luchtmachtofficier die uitlegde waarom de Challenger was ontploft. Maar hij zette de televisie aan voordat hij aan zijn bureau ging zitten en liet hem de hele dag aanstaan, met het geluid zacht, zonder ernaar te kijken. De stagiairs wisten niet of dat hem kalmeerde of inspireerde. Maar als zijn zakelijke problemen zo gecompliceerd werden en zo vol hinderlagen zaten dat hij er doodmoe van werd, als hij moeite had om zich te concentreren of dat *'het is te veel, ook voor mij...'* ervoer dat over sterke, succesvolle mannen de schaduw werpt van het Onnoembare, dan liet hij zich wiegen door het zwakke gezoem van de oververhitte anode tegen het fluorescerende scherm.

'Ja, dat sei ik al,' bevestigde de Grijns met uitgestreken gezicht.

Hij had hem net verteld dat hij zich geen zorgen hoefde te maken over zijn zoon. Sinds het begin van het schooljaar liep Vincenzo in het gareel. Hij ging gewoon naar school. Hij had het gewoon naar zijn zin. De vorige avond was hij bijvoorbeeld naar een feest in de villa van een medeleerling gegaan. Ze hadden er vast gedanst en gedronken. Daarna was hij naar huis teruggekeerd. 'Gewoon...' had de chauffeur herhaald. Meester Lombardi had gezegd: 'Goed.' De chauffeur was hem zoals gewoonlijk blijven aankijken zonder iets te zeggen. De televisie had uiterst stil gezegd: 'Als je op zoekt bent naar een hart om van te houden.' De advocaat had gezucht en zijn hand op zijn agenda gelegd.

Vroeger, toen zijn vader het kantoor nog leidde, hadden begrippen zoals 'gezag' en 'realiteitszin' nog een betekenis. De noordelijke helderheid van een De Gasperi. Zelfs het gemene pragmatisme van Henry Ford. Daar moest je zoeken om het geheim van de wereld te begrijpen. Maar nu reageerde de president van de Verenigde Staten op vragen van journalisten over financiële problemen met: 'Het tekort is groot genoeg om voor zichzelf te kunnen zorgen.' De luisteraars kregen echt de suggestie te horen dat het probleem met een grapje kon worden opgelost. Ze konden zelfs beginnen te vermoeden dat niet de grap op zich maar deze veralgemeende suggestie tot het resultaat kon leiden dat het ooit noodzakelijk zou worden 'serieuze, onomkeerbare maatregelen aan te kondigen'. De nieuwe reclameslogans die op televisie passeerden, de lachbanden van middagseries, de springende roze konijntjes en de kleurrijke veelhoeken van het rad van fortuin die met hun *tak tak tak* begonnen te draaien, produceerden samen een alfabet, een laagfrequent geluid: de evenwichtslijn tussen hemel en aarde waarop niets echt werd en alles beheersbaar was.

Dus als iemand hem op een dag was komen vragen of hij ooit iets te maken had gehad met de gebroeders Terlizzi, hoefde hij alleen maar over te schakelen van het aloude erfgoed van zijn persoonlijke ervaring naar de vluchtigheid van de bewijsstukken om in alle gemoedsrust te kunnen antwoorden: 'Nee, nooit iets met ze te maken gehad.' En als die iemand hem zuchtend een signalementsfoto had toegeschoven van twee veertigers, allebei stevig gebouwd en met een gebruind gezicht, de ene gekleed als straatventer, de andere met de vreselijke krijtstreep van een zanger op trouwerijen: 'Zeker dat u ze zelfs nooit hebt gezien?' zou hij gezegd hebben: 'Nee, nooit gezien.' Want waar waren, afgezien van vluchtige herinneringen, de bewijzen dat hij hen kende? Bestond er een document dat een spoor bevatte naar de enige ontmoeting die hij ooit met hen had gehad? Bestond er toevallig een endossement op een cheque? Bestond er ook een foto, een telefoonopname? Nee, die bestond niet. En hoewel hij zich bijzonder goed de details kon herinneren van de avond waarop hij met hen had moeten tafelen in een restaurant dat voor de gelegenheid helemaal leeg was (Carmelo leek hem een uitzonderlijk intelligente man, zijn jongere broer een paljas zoals er zo vele zijn), hoewel hij met allebei had gesproken en hun de hand had gedrukt voordat elk van hen terugkeerde naar zijn eigen wereld, hoefde hij nu alleen maar op te gaan in het geluid dat uit de kleine speakers van de televisie kwam om de ongevaarlijke dienders van zijn geweten ervan te overtuigen dat die avond nooit had bestaan.

Voordat hij naar het advocatenkantoor was gereden, had de chauffeur zijn gebruikelijke collecterondje gedaan. Hij was door de stad gereden, die schitterde onder een koude, heldere hemel. Hij was langsgegaan bij restaurants, garages, speelzalen en privéklinieken. En de mensen die hij had gesproken en tegen wie hij had gezegd wat ze hem hadden gezegd te zeggen, hadden hun wenkbrauwen gefronst. Ze hadden hem met ogen vol haat aangekeken. Ze hadden geprotesteerd. Maar toen hadden ze achter hun rug de koortsachtige, in contanten te kwantificeren beweging gehoord van hun zaak die op volle toeren draaide (in de restaurants zetten de kelners al om tien uur bordjes met GERESERVEERD op de tafels, de speelzalen zaten vol spijbelende jongeren die tonnen penningen in de gleuf van een Frogger of van een Donkey Kong gooiden). Hun haastige handen waren toen zichtbaar langzamer gaan werken. En iedereen had uiteindelijk geknikt, en de aandrang onderdrukt hem aan te vallen.

De Grijns was toen naar zijn volgende halte gereden. Hij had de stad in zuidelijke richting verlaten. Hij was door de gele vlakten gereden, die groen werden en dan weer geel, al naar gelang of het olijfgaarden waren of korenvelden. Hij steeg en daalde, evenwijdig aan de wiegende lijn van de telefoonkabels. Hij vertraagde vlak na Casamassima, waar aan de rechterkant een ongeregeld legertje betonmixers en vrachtwagens en pneumatische hamers de komst van een wooncomplex aankondigde. Ietsje verderop lag een enorme moddervlakte, bijna lichtgevend door de hoeveelheid fosfor in de mest, te wachten om te worden omgetoverd in de eerste golfclub van de provincie.

Hij was het terrein op gereden. Rond de diverse villa's had hij bouwvakkers en schilders en landmeters gezien, en grauwe insectenwolken die rond de cementzakken wervelden. Hij had het bestelwagentje gezien waarop EUROGARDEN stond. Vlak erachter stond de Countach met verticaal geopende deuren en het chassis vol opdroogde spatten. De auto stond bij een villa geparkeerd waaraan alleen nog de laatste hand moest worden gelegd. Vier arbeiders – twee aan elke kant – probeerden een groengeschilderd hek in een rail te zetten. De baas van de firma was bezig met de elektriciteitskast. Ondanks het weer droeg hij een bermuda en een lichtblauw hemdje dat zijn schouders met hun verslappende spieren bloot liet.

Zodra hij hem zag, liep Giuseppes vader hem tegemoet. Een paar stevige passen. Toen bleef hij staan. De indrukwekkende gestalte van Domenico Rubino tegenover de doffe, schriele Grijns. Hij keek de chauffeur aan en zei: 'Laten we even wat verderop gaan.'

De vorige keer had hij bijna zijn zelfbeheersing verloren. Hij had de deur achter zich gesloten terwijl de vonken van de barbecue achter het glas van de ramen rondwervelden. 'Goeie god!' had hij met hoge stem gezegd. 'Niet te geloven dat je niet eens zes cijfers op volgorde kunt onthouden. Als je bij mij thuis komt, bel dan tenminste even van tevoren!' Hij wist wel dat als de Grijns zonder afspraak kwam dat geen gevolg was van het verlangen van de uitvoerder, maar van het gratuite en daardoor des te vernederender spierballenvertoon van diegenen die hem wilden inpeperen: *Wij doen wat we willen, en desnoods lopen we zonder je toestemming te vragen je huis binnen...* Hoe meer hij zich ervan bewust werd dat de man in zijn spijkerbroek en gerafelde coltrui niet verantwoordelijk was, hoe meer zin hij had de man eens flink onder handen te nemen.

Nu herhaalde hij: 'Laten we even wat verderop gaan.' De Grijns volgde hem naar een plek waar ze uit het zicht waren van de arbeiders en de landmeter. Giuseppes vader vroeg: 'Wat is het probleem?' De chauffeur herhaalde slechts wat hij eerder al had gezegd tegen de restaurantmanager, tegen de baas van de speelzaal en tegen al die anderen die zin hadden gehad om achterin een goedendag te gaan halen: dat vanaf maart de bijdrage zou stijgen van dertig naar veertig procent van de totale maandelijkse opbrengst van de zaak. Giuseppes vader probeerde nogmaals zijn woede te beheersen: 'Goeie god! Ik zou het nog kunnen begrijpen als we deze maand tien procent meer hadden geïncasseerd.' Vervolgens schudde hij het hoofd: 'Als jullie zo doorgaan, kunnen we de tent straks sluiten. Dat is waar het uiteindelijk op uitdraait...' Hij beging daarbij de vergissing ook de Grijns bij het Grote Meervoud te rekenen waarvoor hij zijn redenering had willen uiteenzetten. Iets wat onbehouwener was dan eenvoudige ergernis legde een wrede glimlach rond zijn lippen. 'Wat, geloof je me niet? Wil je de boekhouding zien?' grinnikte hij plots. Hij balde zijn vuisten en ging op de man af, totdat hun neuzen elkaar net niet raakten. Hij deed zijn best om hem niet te slaan: 'Je gelooft me niet, hè? Dan laat ik ze je zien, die verrekte boeken! Je gaat nu met me mee naar huis en ik laat ze je zien.'

De Grijns was naast hem in de Lamborghini gaan zitten. Ze hadden de bouwwerf verlaten en daarbij iedere bout van de steigers laten trillen door het geronk van de vijflitermotor. Giuseppes vader reed en gromde en versnelde op de rijksweg tot honderd. Hij kneep in het stuur van de auto alsof hij het wilde wurgen. Zag hij eruit als een dandy? Droeg hij een maatpak? Nee, verdorie. Hij droeg een bermuda en een vaal hemdje met het logo van zijn firma. En dit was een Lamborghini. En hij was een boerenkinkel met een auto van honderdtwintig miljoen lire die er schijt aan had toen zijn vrouw tegen hem zei: 'Koop dan tenminste een colbertje en een overhemd!' Hij negeerde de verwijtende blikken van de leraren wanneer hij zijn zoon naar school bracht en het nog laffere gefluister van de ouders van de andere kinderen. Ook al had hij het gewild, dan nog had hij niet eens tijd gehad om colbertjes te passen. Want die Countach en de villa en het zwembad had hij verdiend door altijd maar te werken. Hij werkte de hele dag en ging er zelfs mee door als hij in bed lag te slapen. En toegegeven – dat was de enige concessie die hij de loopjongens van de gebroeders Terlizzi wilde doen – een bank zou hem nooit de kans hebben geboden Eurogarden op te richten. Niemand zou hem zomaar vijftig miljoen lire hebben gegeven, of althans niet als die niet had geprofiteerd van de meest explosieve business van die jaren (en dat was niet plastic, elektrische hekken, Gucci-tassen of videogames). En hij had dat geld verveelvoudigd, en dat had hij helemaal op eigen kracht gedaan. Dat was toch ook wat waard. Dat was wat hij de Grijns wilde laten inzien, terwijl hij met bijna tweehonderd door de velden raasde.

Maar het probleem van de Grijns was niet dat hij zijn twijfels had bij de boekhouding of dat hij nadacht over wat rechtvaardig of verkeerd was. De aarde stierf en werd geboren en stierf weer. De krachten, vooral: de sterkere haalt het van de zwakkere. Het ging er dus alleen maar om hem even zijn hart te laten luchten.

Op de hoofdoprijlaan, een paar bochten voor het huis van de familie Rubino, kruisten ze een Mercedes met daarin een opzichtige dame van middelbare leeftijd die hen groette met een krachtig handgebaar. Daarna verscheen ook de villa. Een enorm, nutteloos platform met drie verdiepingen stak uit de ondergrond. Giuseppes vader zei: 'En nu eruit!'

De Grijns wachtte hem op in de tuin, te midden van de discuswerpers en de hagen van wilde rozen, met het laddertje van het zwembad als laatste fonkelende detail van al die monsterlijkheden. Toen zag hij iets wat zelfs de wonderlijke vereenvoudigingsmachine van zijn geest niet tot zijn essentie kon herleiden. In het midden van het gazon zat een roodharige tiener met een racebaan vol hellingen en scherpe bochten te spelen. Als een van de autootjes uit de bocht vloog, nam een mopshond met een nertsjasje dat in zijn bek en begon als een gek om zijn as te draaien. Op het gras lag een pornotijdschrift. De jongen speelde met de autootjes, beroerde zichzelf, gaf de hond een tik, keek vervolgens naar het tijdschrift en wreef intussen over zijn broek, zonder een moment met een van deze dingen op te houden.

Het ging niet om het ene of het andere detail, maar om de som van alle elementen. Een gevoel van ondoorgrondelijkheid… Net als op het gezicht van de jongeren aan wie hij op de velden tussen de kustweg en Japigia heroïne verkocht. Daaraan dacht hij terwijl hij even stond te wachten. Daarna dacht hij er al niet meer aan. Domenico Rubino kwam naar hem toe met in zijn handen twee grote, in linnen gebonden boekwerken.

Hij zag er al minder strijdlustig uit. Hij was het huis binnen gegaan in de overtuiging dat hij alles op het spel kon zetten: *Vooruit dan maar! Alles naar de kloten! Neem me mijn villa maar af, mijn bedrijf, verkoop de villa, laat het bedrijf op de fles gaan en sodemieter op!* Maar toen had hij Giuseppe in de tuin gezien. En nog voor Giuseppe had hij zijn vrouw zien vertrekken met de Mercedes – iets wat mevrouw Rubino iedere ochtend deed: ze nam een paar vriendinnen mee om samen met hen de winkels in het centrum te bestormen. Ze zwaaide met een stuk of vijf creditcards en kocht om het even wat om de grimas te kunnen verjagen die de nachtmerrie van de rijkdom de rest van de dag op haar gezicht drukte. En dat (zo moest hij erkennen toen hij met de boekhouding bij de Grijns kwam) was de reden waarom hij geen kant op kon. Niet omdat hem de moed ontbrak om tegen zijn vrouw en zijn minderjarige zoon te zeggen: 'Terug naar af! Terug naar een eenvoudig huis, terug naar het tellen van ons geld voordat we iets kopen, terug naar een tweedehandsauto waarin we iedere ochtend in het verkeer gek worden,' maar omdat ze geen flauw benul zouden hebben waar hij het over had als hij hun dat allemaal zou vertellen.

Hij sloeg de boeken open voor de holle ogen van de Grijns. Hij probeerde zichzelf een kracht te verlenen die hij iedere seconde voelde afkalven, en hij zei: 'Kijk, blader, lees als je kunt lezen en zeg me of ik gelijk heb...' terwijl iedere rimpel op zijn gezicht fluisterde: *Veertig procent van de maandelijkse omzet van mijn bedrijf? Oké, oké...*

Later pas, in de vroege middag, was de Grijns op kantoor langsgekomen.

Hij was het kantoor van Vincenzo's vader binnen gelopen en had naar de reclamespot op de televisie gekeken zonder er iets van te begrijpen. Hij had tegen de advocaat gezegd dat Vincenzo in het gareel liep. De advocaat had 'goed' geantwoord en vervolgens een hand op zijn agenda gelegd in de overtuiging dat Vincenzo weer normaal werd. Hij had bijna zijn rebelse fase achter de rug en zou binnenkort een jongen als alle andere worden. Daarna zou hij opnieuw anders dan alle anderen worden – zij het in de andere richting: hij zou slim en lucide en pragmatisch worden, zoals de tijd waarin ze leefden dat voorschreef.

Maar de Grijns had hem niets verteld over de vrouw.

Hij had hem vooral niet gezegd dat de jongen hem al weken – avond na avond – dwong hem met zich mee te nemen naar de andere kant van de stad, tussen de enorme, zwarte appartementsgebouwen die boven het asfalt van Japigia uitstaken.

Hij had gelogen tegen de advocaat. Hij had hem niet belogen: leugen en waarheid waren concepten die de Grijns nauwelijks kon bevatten. De sterkste kracht had het gewonnen van de zwakste... En toen Vincenzo hem een klein jaar eerder op een nacht tijdens het dealen had betrapt, was die jongen meteen de sterke kracht geworden. Of liever (zoals de Grijns zich de wereld rondom hem vast voorstelde), de blonde transparantie die de zoon van de advocaat was geweest, was gestremd tot een dichte klont energie. Als hij daartegenaan was gebotst, had dat andere energiebronnen kunnen activeren die hem zouden hebben kunnen overvallen en zelfs vernietigen. Ook zijn activiteit als dealer was daarvan afhankelijk. Toen hij zich had gerealiseerd dat hij wekelijks een bepaalde hoeveelheid drugs achterover kon slaan en die vervolgens kon doorverkopen zonder dat iemand er wat van merkte, had die gedachte die hij zelfs niet had willen bedenken hem ertoe gedwongen de hand te leggen op twintig pakjes drugs. Het was niet zijn schuld. Het was niet zijn verdienste. Dit was het jaar nul: niemand was baas over wat dan ook.

Maar als de ogen van de Grijns een hemel waren geweest, de hemel die zich op 27 januari 1986 boven Bari uitspande, tussen de krachten en lichtjes en kleurexplosies die de grijze vierkante gebouwen deden oplichten als een bombardement gezien vanuit een vliegtuig, als die hemel een lens had gehad om mee in te zoomen op de tweede verdieping van een klein, okerkleurig gebouw in de wijk San Pasquale, dan zou hij een geheel lichtblauwe bubbel hebben gezien met in het midden ervan een minuscuul rood puntje dat groter werd en zich weer samentrok, als een kwal, en ten slotte wegzonk tussen de witte kuiven van een laken dat uiteenviel in talloze donkerder blauwe strepen.

Ik stapte uit bed en biechtte aan de muren van mijn lege kamer op dat ik van haar hield. Ik raapte een Kleenex van de vloer en veegde het sperma van mijn vingers. Ik trok mijn was T-shirt uit en gooide het op de grond. Ik keek door het raam naar de donkere winterhemel, ging weer op mijn bed liggen en dacht aan datgene waaraan ik al de hele dag had gedacht.

Het was al de derde keer dat ik me aftrok terwijl ik aan haar dacht. Een eerste keer toen ik pas wakker was. Een tweede keer in de wc op school. En nu hier, in de kamer van mijn kindertijd en jeugd, een kamer waarvan de muren behangen waren geweest met groene en gele strepen, bevolkt met latexreproducties van de personages van Marvel-comics, met de stripverhalen van Marve-comics, met robots die ik zelf in elkaar had gezet volgens de meer dan vijftig pagina's dikke instructies, zodat je ze door alleen maar in je handen te klappen kon activeren en ze hun benen bewogen op de tegels van wat nu een kamer vol onrust was, waar onvolledige reeksen duistere gestencilde fanzines op de vloer lagen en versleten cassettebandjes doordat er onophoudelijke nieuwe opnames mee waren gemaakt, terwijl het behang op zijn beurt kapot was gegaan van de spijkers en naalden die ik gebruikte om de posters van Frankie Goes to Hollywood op te hangen die ik later verving door posters van de Residents en dan weer door die van de Ramones, die ik er ten slotte ook af trok om genoegen te nemen met een kamerwand die eindelijk de duistere en ontwrichte en magnetische dreiging uitstraalde van de stadsmuren aan het eind van een doodlopend steegje.

Ik spoelde de band nog eens terug om de minuten te herbeleven die Rachele en ik opgesloten in haar badkamer hadden doorgebracht. Een paar vertrekken verderop begon mijn vader tekenen van herstel te vertonen. Mijn moeder was boodschappen gaan doen. De leiders van de twee grootmachten hielden opnieuw topontmoetingen. De aandelenmarkt was door het dolle heen. De wereld denderde voort en sleurde met zijn reusachtige klauwen alles mee. Maar wij tweeën (Rachele en ik) hadden ons even aan dat alles onttrokken. Ik moest haar terugzien.

Maar niet bellen, nam ik me voor terwijl ik in bed lag. Geen uitnodiging voor een film of een pizza. Ik moest die verschrikkelijke hofmakerij vermijden die je ertoe bracht willekeurige onzinnigheden te debiteren die voldoende aardig en waardig en vals waren om het meer dan duidelijke doel van het afspraakje niet nog eens te verduidelijken, met als gevolg dat al die machinaties om dat doel te bereiken het juist om zeep hielpen nog voor het zover was. Ik moest haar *in de stad* tegenkomen, dacht ik. Want in de stad stond iets belangrijks te gebeuren. Een ondergrondse beweging deed een koude vonk in de ogen van de jongeren ontvlammen. Ik zou straten aflopen en feesten bezoeken, langs de wekelijks wisselende ontmoetingsplekken gaan van wekelijks wisselende groepjes, totdat het Lot (een verlangen waarvan ik dacht dat het wederzijds was, en dat ik die naam gaf) haar nog eens voor mij zou laten opduiken.

Ik keerde terug naar het raam. Ik drukte mijn blote buik tegen de ijzige wind, waarachter een wolkenband de januarihemel met een rouwband versierde.

'Ze hebben er nooit mee willen instemmen,' klaagde ik de volgende dag op school tegen Giuseppe. 'Onvoorstelbaar...' antwoordde hij verontwaardigd. 'Ik probeer het al jaren, maar hun vertaling van het begrip "tweetaktmotor" is altijd al geweest: *zelfmoord op twee wielen,*' vervolgde ik. 'Knettergek,' zei Giuseppe nog strenger.

Een paar banken verder was Vincenzo druk doende met zijn Castiglione-Mariotti. Hij bladerde door het woordenboek en probeerde de aandacht van onze klasgenoten van zich af te schudden. Zijn opvallende intrede in de villa van de kolonel had de geruchten over hem weer opgerakeld. Nu bekeken we hem met een spanning die je normaal gesproken voelt bij dreigingen. Giuseppe stootte me aan met zijn elleboog: 'Het is voor haar, hè?' grijnsde hij. Aan het einde van het vijfde lesuur stond zijn paarse PK Special voor me klaar op de speelplaats. Ik straalde. Giuseppe straalde. Het leek wel alsof hij míj dankbaar was omdat ik hem de kans had geboden van die scooter af te komen.

Ik verborg hem in een rotonde vol onkruid een paar straten van thuis. 's Middags, als mijn huiswerk af was, knielde ik erbij neer. Ik maakte het slot om de trommelremmen los en reed over de natte, spookachtige februariwegen. Ik rekende erop dat ze onverwachts zou opduiken in een van haar oogverblindende jurken, in een anachronistische sepiakleur, waardoor de rokjes en spijkerbroeken en jassen van de anderen onmiddellijk ouderwets zouden zijn. Maar in plaats van Rachele vond ik Giulia.

Op een loodgrijze, winderige dinsdag stond ik onafscheidelijk naast mijn geparkeerde Vespa en controleerde ik van een afstand de menigte voor Punto diVino, een wijnbar in de hoek van een anoniem plein dat in een paar weken tijd was veranderd in een razend drukke ontmoetingsplaats voor scholieren die er hele middagen doorbrachten. Uit de lawaaiige massa lijven maakte zich op een bepaald moment een macabere figuur los. Ze kwam naar me toe. Ik zoomde in op haar gezicht. Het waren de tijden van de grote veranderingen. Een toevallige ontmoeting met Robert Smith in de koptelefoon van een walkman was voor een chique modefreak die worstelde met zijn zelfbeeld genoeg om zich na een existentiële kwelling van een kwartiertje om te vormen tot een goth. Dus toen dat slanke meisje ineens voor me stond met een T-shirt van DEAD CAN DANCE, zwarte legging, getijgerde schoenen met stalen punten, netkousen over haar armen en een weelderige haardos die deed denken aan de vampiers van het Hollywood van de jaren dertig, had ik haar aanvankelijk niet herkend als de kappersdochter met wie Vincenzo het in de herfst van het vorige jaar had gedaan.

Ze had een fles Ceres in haar hand. Dat ze halfdronken was, weerhield haar er niet van het precaire evenwicht van haar x-benen een boodschap van corrupte verleidelijkheid mee te geven. Ze draaide met een vinger in de leegte. Toen zei ze: 'Ha! Hij hoeft je niet hierheen te sturen om de boel in de gaten te houden, hoor. Zoals je kunt zien, gaat het uit-ste-kend met me... Hij is degene...' Op dat moment lichtte haar gezicht om zo te zeggen op. 'Hij is degene die in de problemen zit.' En om definitief het ijs te breken, gaf ze me een klap op mijn rug.

We verhuisden naar het vale licht van de Paradiso, een bar daar vlakbij vol tafeltjes van gemarmerd plastic, waar je bij het aperitief een schotel ranzige hapjes kreeg. Het begon te regenen. Het grote BUDWEISER-uithangbord ging aan en uit, wat een intieme sfeer creëerde. Ik verzekerde het meisje ervan dat Vincenzo mij niet had gestuurd om wat dan ook maar in de gaten te houden. Ik concentreerde me op het syncretisme van de Egyptische en orthodoxe kruisen en hakenkruisen die om haar hals hingen. Ik zuchtte: 'Eigenlijk ben ik op zoek naar iemand.' Giulia deed alsof ze iets achter haar nek op zijn plaats stak. Ze zette een elleboog op tafel en legde haar kin op haar handpalm. Ze sloot en opende haar ogen.

Bij dronken mensen krijg je in het algemeen al niet makkelijk je zin, maar bij een meisje dat een lichte aangeschotenheid aangrijpt als voorwendsel voor een gedachtesprong, ben je helemaal nergens. Ik had het woord 'Vincenzo' uitgesproken, en dat was voor haar voldoende om een heel relaas te doen over de Zwarte Dame, de onbekende met wie hij op het feest was verschenen.

Ze bleek een getrouwde vrouw te zijn. Een getrouwde vrouw met een hoop problemen die Vincenzo had opgepikt in de buitengebieden achter het ijzeren gordijn van Japigia. 'Haar man...' zei Giulia in een poging zich een air van kennis van zaken te verlenen, alsof de aanwezigheid van een getrouwde vrouw in het leven van Vincenzo haar buiten competitie plaatste maar tegelijkertijd haar eigen leeftijd van vijftien jaar meer gewicht verleende. Ze vertelde me het verhaal over de man van de Zwarte Dame. Hij zou een waardeloze dealer zijn geweest, een meeloper die een jaar eerder na een treffen met een douanepatrouille op de Adriatische Zee was verdwenen. Zijn motorboot was twee kilometer voor de kust van Monopoli teruggevonden. Hij daarentegen was in het niets verdwenen. 'Misschien dood, misschien ervandoor met de stuff,' zei Giulia. Het was net een film. Het was duidelijk dat het meisje alles van horen zeggen had. Maar een verlaten minnares ontwikkelt op een bepaalde leeftijd de gevoeligheid van een radar en kan uit een paar flarden van gesprekken die de wind heeft meegevoerd nieuws plukken over het leven van iemand die onbereikbaar is. Er kon best iets van waarheid in schuilen. 'Moet je nagaan,' zei ze terwijl ze met een professioneel gebaar een haarlok achter haar oor schikte, 'zij is de vrouw... of liever *de weduwe* van een misdadiger, en Vincenzo kon niets beters vinden om...' – ze pauzeerde even – 'ik bedoel, het feit dat hij en zij nu...' Even was het alsof ze een klap in haar gezicht kreeg, alsof het beeld van Vincenzo die met de vrouw in bed lag even te zien was (en vervolgens werd gecensureerd) in de weerkaatsingen van de slechte rode wijn die we hadden besteld.

De regen kletterde steeds harder tegen het venster. Buiten begonnen de jongens op de hemel te foeteren. Ze sprongen allemaal op hun scooter of enduromotorfiets, of gingen tekeer op de starter van hun 50 cc. Een heterogene horde lichtjes ging ervandoor en verdween achter het op het asfalt neerklaterende watergordijn.

Ik vroeg: 'Hoe bedoel je, "hij kon niets beters vinden"?' Ze sperde haar ogen open: 'Snap je dat niet? Omwille van zijn vader!' riep ze uit. Er viel immers nauwelijks een doeltreffender provocatie te bedenken. 'Want het punt is altijd dat hij *hem haat!*' voegde ze eraan toe.

Toen werd ze iemand anders. Haar figuur kreeg plots een mooie gezwollenheid, en haar zwarte look was slechts een van de vele mogelijke travestieën. Ze bestelde meer wijn en begon te vertellen over toen Vincenzo haar bij zijn vader thuis te eten had gevraagd. Dat was een paar maanden eerder, tijdens de korte periode waarin Giannelli en ik ze in de bus hadden zien kussen. 'Luister,' siste ze enthousiast, 'hij is er zo eentje die je nooit vertelt wat je te wachten staat en brengt je zo in een lastig parket.' Ze vertelde hoe ze zich had voorbereid op dat zondagsmaal: ze had zich piekfijn uitgedost en zich om stipt kwart over één gemeld voor het grote penthouse met uitzicht op de jachthaven, met een brede glimlach op haar gezicht en een fles wijn voor Vincenzo's vader en een bos mooie witte lelies voor mevrouw. Voor haar had al dat vertoon niet gehoeven, maar zijn achternaam, die natuurlijk klonk als een klok ('Ik weet drommels goed wat de naam Lombardi hier in Bari betekent'), en het feit dat Vincenzo haar al na vier dagen tongzoenen aan zijn ouders wilde voorstellen, had haar de kracht gegeven van een spontane meid te veranderen in een hysterisch huppelkutje. Maar toen Vincenzo de deur opendeed, ontving hij haar met de sombere gelaatsuitdrukking van iemand die voor een vuurproef staat. Giulia moest haar hele kunstmatige enthousiasme ter discussie stellen. Maar kon niet zonder.

Alsof hij haar duistere voorgevoel loyaal wilde bevestigen, beperkte Vincenzo zijn begroeting tot twee vluchtige kusjes op haar wangen. Hij ging haar voor naar de woonkamer zonder de fles of de ruiker bloemen aan te nemen. Zij besteedde nauwelijks aandacht aan de twee eeuwen oude kast of aan de natuurstenen haard, want uit de verraste blik die Vincenzo's vader haar toewierp zodra ze de kamer binnen kwam en uit de voor drie personen gedekte tafel waarop een meid in gestreepte schort de glazen aan het schikken was, begreep ze dat Vincenzo niemand over haar bezoek had geïnformeerd. De advocaat nam de fles aan. Hij wierp een blik op het etiket, zette de fles op een kristallen tafeltje en stelde zich zonder glimlach voor. Giulia zocht steun bij Vincenzo, maar die keek de andere kant op. Het was een absurde situatie, maar het ergste moest nog komen. Giulia viel aan paniek ten prooi. In haar armen had ze nog het conventionele wapen van de in cellofaan gewikkelde lelies. Ze probeerde toch te blijven lachen en richtte zich tot Vincenzo: 'Die zijn voor je moeder. Als je me zegt waar...' Op dat moment verscheen een knappe jonge vrouw in een bloemetjesblouse, een groene minirok en zilveren sandalen ten tonele. Ze kon niet ouder dan vijfentwintig zijn geweest. Ze kuste de advocaat vol op de mond en nam de ruiker uit Giulia's armen. Ze was de vrouw van de advocaat, maar kon onmogelijk Vincenzo's moeder zijn. Ze zei 'bedankt' en gaf de bloemen onmiddellijk aan de meid.

Het plein was zo ver het oog reikte gevuld met plassen, die steeds groter werden. Als ze zo bleef drinken, dacht ik met een vluchtige blik op de regen, was ze dadelijk zo zat als een aap en zou ik voor haar moeten zorgen. Maar vooralsnog leek ze te worden gedragen door zo'n magisch moment waarop lichaamsvezels bestand blijken te zijn tegen elkaar opvolgende golven alcohol, en gedachten een verpulverende, bijna angstaanjagende schoonheid krijgen. 'Ik had ervandoor kunnen gaan, maar ik ben er de hele maaltijd gebleven,' zei ze terwijl ze me in de ogen keek. En die maaltijd, zei ze, was een ijzingwekkende eenakter, waarin de spanning te snijden was. 'Niemand zei een stom woord. Mijn god. Maar geloof me, gedurende die hele marteling voelde ik me geen moment echt aan mijn lot overgelaten.' Want, zei ze, na die eerste schok, had ze die hele toestand aan tafel eenvoudig in verband gebracht met de manier waarop Vincenzo haar nog maar een paar dagen eerder aan het eind van een volleybalwedstrijd op de speelplaats van de school had gekust. Hij had haar tegen het ijzeren hek aan de rand van de speelplaats geduwd en vervolgens zonder veel poespas zijn lippen tegen de hare gedrukt, en dat zonder de snoeverij die andere jongens tentoonspreidden om zich niet weerloos te voelen bij zo'n angstaanjagende uiting van lichamelijk contact. Integendeel: hij had de ernstige, ingehouden, onweerstaanbare blik van iemand die helemaal zichzelf is. Door die kracht liet Giulia zich tegen het ijzeren hek duwen, en toen pas, terwijl het volleybalveld een flikkering van waterlijnen werd en haar gekreukelde t-shirt bijna van haar rug gerukt werd, begreep ze dat Vincenzo haar, met alle eerlijkheid en wreedheid waartoe een zestienjarige in staat kan zijn, wilde zeggen dat wat ze aan het doen waren wel een ontdekking was maar geen belofte, want de enige belofte die waarde heeft, is de uitdaging die we ons persoonlijke lot in alle eenzaamheid voor de voeten werpen, en gek genoeg volstond dat om het meisje te laten voelen wat ze nog nooit in haar leven had gevoeld. Ze nam de geluiden en geuren rondom haar heen waar met een tot dan toe onvoorstelbare kracht. Het was alsof al haar zintuigen zich openstelden en haar onlosmakelijk van de kracht van de jongen ook iets lieten herkennen wat nog het meest weg had van een open wond, hoewel Vincenzo haar nooit ook maar iets had verteld over zijn vader of Sabrina of zijn moeder die levend was verbrand in een verkeersongeluk. Erover praten zou gelijkgestaan hebben aan datgene tot geklets reduceren wat moest worden getóónd. En dat was wat er dan ook gebeurde tijdens die eindeloze maaltijd. Hij had haar niet in een val gelokt... Niet één keer had hij onder de tafel haar hand vastgepakt om haar moed te geven, en hij had geen enkele moeite gedaan de spanning af te zwakken die van het voorgerecht tot het fruitdessert tussen hem en de twee volwassenen hing, maar alleen omdat een dergelijke zorgzaamheid een ondoorzichtige mantel van fatsoen zou hebben gelegd rond datgene wat hij haar nu aanbood met de scabreuze glans waarmee eenieders leven zou moeten worden getoond. Het wonder herhaalde zich: het meisje meende nog het geluid te kunnen waarnemen van een blad dat continenten verderop op de grond viel, en ze wist zeker dat Vincenzo's hele verhaal haar werd verteld zonder dat hij een woord had gesproken. 'En dat,' zei Giulia, 'was de mooiste liefdesverklaring die ik in mijn hele leven heb gekregen.'

Nu leek het alsof bar Paradiso het enige stukje aarde was dat tijdens een zondvloed aan het oppervlak kwam. Tegen de vensters spatten voortdurend waterdruppels, het BUDWEISER-bord bleef onze gezichten aan- en uitzetten, wat ons een illusie van exclusiviteit schonk, alsof we de enige mensen op de wereld waren die commentaar konden leveren bij het feit dat het regende op de huizen en de geparkeerde auto's en de reclameborden van Big Babol, en dat iedereen hollend zijn toevlucht had gezocht tot zijn eigen appartement, even voordat het water de voordeur wegbeukte en tonnen vlees in blik met zich meevoerde, gevolgd door brokstukken van de spaceshuttle, de Ferrari die Gilles Villeneuve aan flarden had gereden, de Juve-supporters die in vak z verpletterd waren... Zo zou het kadaver van de jaren tachtig de huizen van een heel continent overstromen terwijl de jaren tachtig pas op hun hoogtepunt waren, wat niet hoefde te verwonderen aangezien het om een decennium ging dat kort na zijn geboorte was vermoord, en zelfs als niemand echt verdronken was, zelfs als niemand ook maar één haar was gekrenkt, en als ze in feite in de geruststellende zoelte van een vieruurtje naar een aflevering van *Diff'rent Strokes* zaten te kijken, waren het meisje en ik de enigen die konden spreken over overstromingen en verdronkenen, alsof die hele situatie ons al met één been in de toekomst had gezet.

Maar ze was nog niet klaar met haar verhaal. Ze legde haar armen op de bartafel. Ze rekte zich uit. De kruisjes om haar hals rinkelden. Ze zei: 'Diezelfde middag, meteen na het eten, zijn we voor het eerst met elkaar naar bed gegaan.' Ik voelde een steek door mijn hart. Als dat onweer echt regendruppels uit de toekomst bracht, en als de toekomst een halve nachtmerrie was, dan had een onverwachte wolkenbeweging een smalle lichtkegel op Giulia moeten doen vallen, zodat ze erdoor werd beschermd en ze, gehuld in een gloed die boven de natuurwetten stond, onvergetelijk werd (wat klaarblijkelijk het geval was, aangezien ik me haar nog altijd herinner) zodat het ons in de loop der jaren steeds vaker zou overkomen dat we in een bar zaten met meisjes en later met vrouwen die ons hun erotische avonturen zouden komen vertellen, en dat op een steeds explicietere en dus minder onbedekte manier, niet om ons te provoceren maar om de bevestiging te krijgen dat ze nog niet uit de 'tijdgeest' waren gegooid, diezelfde Geest die hen evenwel tegenhield om ons het meest diepgaande en delicate facet van de hele zaak te openbaren: ze slaagden er niet meer in over deze dingen te communiceren, alsof een defect, een stille catastrofe die zich op een bepaald moment had voorgedaan in hun leven (in het leven van ons allemaal) hen op de een of andere manier had verminkt; en om de hoop te kunnen koesteren daaraan te ontkomen, zouden we ons een meisje met twee belachelijke netkousen over haar armen moeten herinneren, dat lang daarvoor, omgeven door haar eigen licht, had gezegd: 'En diezelfde middag, meteen na het eten, zijn we *onvermijdelijk* voor het eerst met elkaar naar bed gegaan.'

'Zoals misschien onvermijdelijk was…' voegde ze er, inmiddels uitgeput, aan toe, en ze boog het hoofd. Het was onvermijdelijk dat hij haar de volgende week had gedumpt, zei ze, en haar urenlang voor de schoolpoort had laten wachten, toen zij nog de illusie koesterde dat een paar gloednieuwe cowboylaarzen de loop van de gebeurtenissen kon tegenhouden. Het was in feite heel begrijpelijk dat Vincenzo zich overal met de Zwarte Dame vertoonde. Met die uitdaging aan het adres van zijn vader moest hij nieuwe grenzen overschrijden, en bovendien had die vrouw – zo gaf het meisje toe – iets definitiefs over zich dat Vincenzo weleens heel goed kon uitkomen.

Het regende nu niet meer zo hard. De Vespino werd opnieuw zichtbaar in het licht van de koplampen van de auto's die nu en dan passeerden. Giulia zei: 'Ik geloof dat ik maar eens naar huis moet.' Ze stond wankelend op. Om haar te ondersteunen, pakte ik haar heupen vast. Ze verstijfde. Toen liet ik haar gaan.

Ik zag haar te voet weggaan in de avondschemering. Ze werd steeds kleiner in het gele licht van de lantaarns. Ze slenterde zonder haast, alsof ze al het water over zich heen wilde krijgen dat er nog over was. Ik dacht opnieuw aan Rachele. Ik dacht aan Vincenzo. Ik dacht aan Giuseppe. De huizen waren kil en stil. Een opgevoerde Ritmo reed me voorbij, dwars door een plas. De modder op mijn broek kon me niet deren.

9

Zij sliep, Vincenzo stond voor het raam en ademde rustig. Dat was hun nacht.

Het appartementsgebouw telde vijftien verdiepingen en baadde in de stille februarikou. Achter de slaapkamer leidde een korte gang naar de woonkamer met keuken. Ertegenover was de badkamer met verroeste toilettafel, druppende kraan en aan het plafond grijze strepen waar zich de balken bevonden. Het geheel deed denken aan een oud ziekenhuis dat was bezweken onder de schokken van een epidemie die de fundamenten had aangetast na eerst de geest van de patiënten te hebben vernietigd en ten slotte na vele jaren was doorgedrongen tot de ingewanden van deze volkse woontoren aan de rand van de meest zuidelijke buitenwijk van Bari. Hij stak een sigaret op. Hij zag hoe de gloeiende tabak in het glas breder weerspiegeld werd en daarna weer kromp tot een rood puntje. De vrouw draaide zich om in bed.

Achter de ingang boorde de overloop zich door de trechter van het trappenhuis naar beneden. Een paar meter onder het straatniveau lag de grote sarcofaag van de parkeergarage, een glad, grijs parallellepipedum dat er nog naakter uitzag door het neonlicht en waar niemand nog iets bewaarde nadat er een paar drugsverslaafde zwervers levenloos op de achterbank van een Regata waren aangetroffen. Maar nu stond er niet één auto meer. Met als gevolg dat zelfs junks terugdeinsden als ze er even binnengluurden. Want zelfs in hun abstinentiecrises slaagden ze erin een precieze emotionele strategie te volgen. Door een gore omgeving lieten ze zich niet afschrikken, als er maar duidelijke tekenen van menselijke aanwezigheid waren. Hier leek het echter alsof zich tussen die muren de nachtmerrie afspeelde van iemand die er niet meer was, het product van een geest zonder lichaam, wat erin resulteerde dat ze hun spastische lichamen ergens anders naartoe sleepten.

Hetzelfde speelde zich af in de kelders van de andere slaaptorens die vanuit het raam zichtbaar waren. Ze waren allemaal even hoog en eenzaam, en allemaal in stilte gehuld.

Dat waren de indrukken die hij hier al drie maanden opdeed.

Namelijk sinds hij de Grijns had gedwongen hem iedere avond naar de straten van Japigia te brengen, waar hij inmiddels goed de weg wist tussen alle rondzwervende junks en uitgedroogde beekjes en de verwaarloosde sportinfrastructuur waaromheen groepjes schurftige honden liepen. Na een paar weken had hij de chauffeur achtergelaten en was hij alleen op verkenning gegaan. Hij had mensen leren kennen en geprobeerd om te begrijpen hoe de buurt functioneerde.

Nu wist hij bijvoorbeeld dat dagelijks om drie uur een man van middelbare leeftijd die Toquinho werd genoemd een ligstoel naar de binnenplaats sleepte van een klein flatgebouw tussen de Via Caldarola en de Via Peucetia. Hij ging onder de colonnade zitten en vroeg nog voor zijn klanten hun mond open konden doen bruusk: 'Hoeveel?' Hij wist dat achter de kerk, die in de vorm van een paddenstoelwolk was gebouwd, kinderen bleven voetballen, ook wanneer de lichtjes van de sacristie de strijd verloren tegen de oprukkende duisternis. De avond veroverde het voetbalveld, terwijl een groep huppelende schaduwen werd doorkruist door een langere, gebogen, langzaam schuifelende schaduw waar niemand enige aandacht aan schonk. Hij wist dat die schim in zijn eentje naar de Via Carabellese slenterde, waar de baas van de gelijknamige apotheek ieder gesprek lardeerde met het apodictische: 'Verrekte junks!' Zijn minachting werd niet getemperd door het besef dat de helft van zijn dagelijkse omzet bestond uit de verkoop van injectienaalden voor eenmalig gebruik. Hij wist dat de vele fabeltjes die over Japigia de ronde deden hoegenaamd niet waar waren, want in de wijk woonden vooral volkse gezinnen die een volstrekt normaal leven leidden. Maar hun gezag taande met iedere minuut dat de macht van een van de drukste openluchtmarkten voor heroïne van Zuid-Europa groeide.

Hij wist ten slotte ook dat als je achter de kerk de steeds dikker wordende laag dennennaalden volgde en naar de schaduwrijke plek liep waar de straat de spoorweg kruiste, op een bepaald moment de Jolly verscheen.

Het was het enige recreatiecentrum van de wijk. Een bar die geen bar was. Een grote kamer zonder uithangbord of tafeltjes, waar pakjes sigaretten en merkbieren recht uit de verpakkingskartons werden gehaald en aan de stamgasten werden gegeven, mannen en enkele vrouwen die praatten, rookten, weddenschappen afsloten of gewoon op de drempel van de zaak stonden, alsof ze altijd op iets of iemand wachtten. Zelf had hij een kleine maand eerder op een avond de Jolly verlaten in gezelschap van een grote vrouw met krullen die gekleed was als een gewezen televisiesoubrette die op het laatste moment was opgeroepen voor de hervatting van een oud programma. Hij had geprobeerd haar te benaderen nadat hij wekenlang had rondgehangen in de omliggende straten en er contacten had gelegd met individuen wier gezicht hem steeds minder exotisch voorkwam. Hij bleef er kilometers afleggen tot zijn hele lijf langzaam maar zeker van de sfeer in de wijk was doordrongen.

Hij wist dat ze Matilde heette. Hij wist dat ze de vrouw was geweest van een dealer die er na een treffen met een douanepatrouille met een aanzienlijke lading vandoor was gegaan. Het was niet duidelijk of de man verdronken was of van de gelegenheid gebruik had gemaakt om ieder spoor van zichzelf en van de hele lading uit te wissen. Als hij nog leefde, stond hij misschien nog in contact met de vrouw. Het was dus niet uitgesloten dat zij wist waar hij zich verschool.

Vincenzo had dus begrepen dat wanneer Matilde uit de Jolly naar buiten keek, ze het beeld voor ogen had van twee of drie mannen die met gebalde vuisten op haar af liepen – niet als iets waar ze zich ongerust over maakte, maar als een snapshot dat samen met andere foto's in de goochelbeker van de toekomst zat. Maar die mogelijkheid leek ze niet te vrezen, want haar lange, pezige hals en haar smalle lippen en de huid die over haar vergeelde uitstekende jukbeenderen gespannen was, waren een oude, beproefde boodschap van nachtelijke vrouwelijkheid die zei: *Kom, laten we ook vanavond met de goochelbeker spelen.*

Dat was wat hem had getroffen. Hij had haar vele avonden achter elkaar geobserveerd en nagedacht over het feit dat de vrouw zich in een benadeelde positie bevond ten opzichte van de andere stamgasten van de Jolly. Dat maakte haar zo solide. En haar zwakte was voor hem minstens even verleidelijk als haar kracht.

Matilde had Vincenzo's blikken beantwoord met een ernstige oogopslag. De ogen van de vrouw zeiden zonder knipperen: *Als je mij op deze manier aankijkt, moet er een reden zijn. Bekijk mij dan maar, en laat je bekijken...* Vincenzo voelde zich aanvankelijk niet op zijn gemak. Hij wist hoe hij de wanverhouding moest uitbuiten tussen realiteit en verwachtingen die meisjes van zijn leeftijd in al hun naïviteit met het woord 'liefde' omschreven, maar dit was een vrouw voor wie de realiteit al alle mogelijke plaats innam, aangezien illusies voor haar waarschijnlijk nooit enige betekenis hadden gehad. Hij had zich gedwongen gevoeld de blik af te wenden. Hij had zichzelf onderworpen aan nog een week rondzwerven. Toen hij op een dag door de Via Peucetia liep, voelde hij zich zelfverzekerd genoeg zich onder de colonnade te wagen, waar Toquinho zoals altijd op zijn ligstoel zat. Hij had hem gegroet. De man had gereageerd met de korte grom die hij voorbehield aan bekende gezichten, en hij had twee gram heroïne gekocht en zich daarvan ontdaan door de zakjes om de hoek in de vuilnisemmer te gooien.

Een paar avonden later was hij teruggekeerd naar de Jolly. Matilde leek zich in al die tijd niet te hebben verroerd. Hij had haar recht in het gezicht gekeken. Toen was hij naar voren gekomen.

Maar pas toen hij aan haar zijde door straten had gelopen waar elk moment de gebruikelijke avondklokstilte kon vallen, had hij in de beweging van Matilde, die het gewicht bij hem had gelegd door toe te geven aan zijn langzame poging haar te omhelzen, zodat de geur van een inferieure lak zijn neusgaten binnen drong, het gevoel gekregen dat hij echt kon delen in de onverwoestbare doodse kracht van die vrouw en van die wijk.

Daarna was hij in het bed van Matilde beland, waar zij zich aan hem had gegeven met een overrompelende inschikkelijkheid. En met een welwillendheid, een eis... de eis dat hij initiatief nam zoals zijn leeftijdgenotes het hem nooit hadden laten doen. Met leeftijdgenotes neuken stond altijd gelijk aan het overwinnen van een weerstand, zich een weg banen met een aantal slagen die de verdedigingslinie moesten ontwrichten van een nooit helemaal duidelijk omschreven deugdzaamheid. Wanneer ze in zijn armen begonnen te hijgen en de controle over zichzelf verloren, waren die trillende, hunkerende lichamen met hun stevige benen en hun harde tepels niets anders dan het andere gezicht van zijn inspanning, van zijn handigheid, soms zelfs van zijn intimidatie. Hij schonk hun een halfuurtje vrijheid. Daarom waren ze ook zo aan hem verknocht, en bleven ze dat ook nadat hij hen had verlaten. Nu deed zich het tegendeel voor. Matilde was een volwassen vrouw, en haar macht bestond erin dat ze hem gedurende de vereiste tijd macht gaf. Ze trok haar onderjurk uit en ging op het bed liggen wachten tot hij op haar kwam liggen. Op dat moment bevond hij zich op een speelveld waarvan de wettige eigenaar al alle hekken had neergehaald. Een nieuwe dimensie. En het geheim bestond erin Matildes lichaam te benaderen alsof er nooit een stilzwijgend voorafgaand akkoord was geweest, te doen alsof hij dat recht van leven en dood uitoefende op basis van een arbitraire beslissing, zodat hij haar nooit dankbaar moest zijn en haar niet kon teleurstellen. Daarvoor hoefde hij er alleen maar aan te denken dat hij nog niet half zo oud was als Matilde. Zij was sterk, maar hij was sterk en jong. Door die afstand streden ze met gelijke wapens.

Nadat ze zich van elkaar hadden losgemaakt en een paar minuten zonder een woord te zeggen naar het plafond hadden liggen staren, stond Matilde op en ging ze zich even afspoelen. Ze keerde terug naar de slaapkamer, waar ze in de kleerkast door haar kleren ging en de klerenhangers tegen elkaar liet tikken zonder de minste aandacht aan hem te besteden. En dat maakte dat Vincenzo haar met nog meer rust en bewondering gadesloeg: *Ze is niet verliefd op mij.* Nee, dat was ze niet. Ze was zelfs niet eventjes smoor op hem geweest. Als ze elkaar niets meer te zeggen hadden, uitgeneukt waren, of gewoon genoeg hadden van elkaars gezelschap, liet ze hem van het toneel verdwijnen zonder hem te missen. Nu en dan zei ze tegen hem: 'Maak je geen illusies, vroeg of laat kom je een meisje van je eigen leeftijd tegen,' alsof hij alles te verliezen had. Maar dat ging om retoriek, onzin om de tijd te doden. De belangrijkste dingen wist Vincenzo te vatten op momenten dat er niets gebeurde.

Hij had bijvoorbeeld begrepen dat Matilde niet wist waar haar man zich bevond. Wat er ook van hem geworden was (de resten van een kadaver op de zeebodem; de eigenaar van een mooi huis in Montenegro, waar hij de eerstvolgende aanslag op zijn leven afwachtte), ze voelde vooral afkeuring voor zijn levenswandel. Een kleine dealer met grootheidswaan, iemand die zo stom was de illusie te koesteren dat het leven hem vroeg of laat een kans op een nieuwe start zou geven. Op dezelfde manier minachtte ze de mannen die alleen maar wachtten tot ze zich voldoende gefrustreerd of zeker van hun eigen arrogantie voelden om zich tot haar te richten en via tussenpersonen hun geld op te eisen. Zouden ze haar hebben geslagen? Of erger nog? Ze had te doen met de heroïneverslaafden die dag na dag onder eenieders ogen lagen weg te rotten, en ze had in het algemeen te doen met de buurt waar ze geboren was. En toch geloofde ze dat alleen een plek vol zulke stomme, gewelddadige en wanhopige mannen een vrouw zoals zij kon voortbrengen.

Toen merkte ze dat Vincenzo haar met te veel nadruk aan het observeren was om gewoon een jongen te zijn die ziet hoe een vrouw haar slaapkamer opruimt. 'Waar kijk je naar?' vroeg ze terwijl ze een van haar typische goedkope jurken uittrok. Ze kwam poedelnaakt op hem af. 'Laat me zien, laat me zien hoe mooi je bent...' Ze liet haar handen over zijn heupen glijden en bleef het maar hebben over zijn schoonheid, waarmee ze bewees dat ze zich niet minder bewust was van hun leeftijdsverschil dan hij. Ze was er zich zelfs beter van bewust. Daarom liet ze zich niet domineren. Ze liet Vincenzo haar armen strelen, over het litteken naar boven. Hij drukte zijn hand op haar keel. Matilde glimlachte, en in haar onblote tanden meende Vincenzo een fonkelend gegrom te herkennen.

Soms bleef hij bij haar overnachten. De Grijns verzon wel een smoes voor hem bij zijn vader. Vincenzo kon zich dus rustig door de slaap laten overmannen terwijl Matilde al een kwartier naast hem lag te slapen. Hij sloot de ogen en het gedrup van de kraan klonk van steeds verder weg. Hij werd wakker in het holst van de nacht en ging een sigaret roken voor het raam. In het stille panorama van de wijk herkende hij datgene wat hij zojuist had gedroomd in een angstaanjagend tweegevecht.

Hij maakte zichzelf wijs dat Japigia iets had wat de mensen die door de straten van de wijk liepen hielp zichzelf te leren kennen. Het was alsof alles wat in het stadscentrum werd beladen met een laagje vernis en praatjes en nodeloze spiegeleffecten, in deze straten in een oerstadium bleef zweven. Dat was misschien wel zo omdat het principe waarop de wijk was gebouwd van een op zijn minst verblindend te noemen eenvoud was. Achter de hangbrug over de spoorweg werd deze eenvoud verpakt in een enorme geldstroom die iedere maand lintjes doorknipte van nieuwe restaurants, speelzalen, garages en klerenwinkels waarvan het maagdenvlies werd hersteld door de nog complexere evenwichtskunsten van advocatenkantoren. En zo keerde hij terug naar het centrum van de wereld, naar zijn vader... Hij dacht aan de gebroeders Terlizzi, die hij nooit had gezien, maar over wie iedereen praatte. De kranten publiceerden de wildste verhalen over hun onderduikadressen, terwijl het erop leek dat ze de wijk nooit hadden verlaten. Er werd gezegd dat ze er niet mee zaten zich in het openbaar te vertonen en dat de jongste broer hele ladingen vuurwerk afschoot op het terras van een appartementsgebouw aan de Via Gentile. Hij probeerde zich voor te stellen wat zijn vader gemeen had met twee van dat soort figuren. Zijn gedachten bleven keer op keer onbestemd. Het kon zijn dat de advocaat in een omgeving werkte die zo ver boven hen verheven was dat hij niet kopje-onder kón gaan in de donkere poel van de drugscriminaliteit, waarmee hij wel in verband kon worden gebracht, maar waarvan hij zich dankzij de ring van zuivere leegte ertussenin toch kon distantiëren. Maar Vincenzo was hier niet naartoe gekomen om zijn vader te pakken te krijgen of om bewijsmateriaal te verzamelen. Hij was hiernaartoe gekomen om zichzelf te leren kennen. Want hij had het gevoel dat hij in de eindeloze nacht op de straten van Japigia vroeg of laat het eigenlijke zaad van zijn haat zou vinden.

Hij maakte zijn sigaret uit en liep weg van het raam. Hij kroop weer in het bed. Tussen de lakens streelde hij de rug van de vrouw. Matilde ademde met haar hoofd in haar kussen genesteld. Alles was rustig en beheerst.

Mijn vader ontwaakte op een voorjaarszondag.

Het blauwe vlammetje onder de waterkoker vol gedroogde blaadjes maakte niet langer zijn energie vrij. Vlak na het ochtendgloren baadde de keuken in heldere rust en filterde mijn vader zijn kruidenthee. Hij lette erop niets naast het kopje te morsen. Hij ging naar de woonkamer, nam een slok en ging op de bank zitten. Hij nam de afstandsbediening en zette de gloednieuwe Panasonic aan. De nieuwsbeelden die over het scherm liepen, begonnen hem ogenblikkelijk te ergeren.

Duizenden betogers duwden vrachtwagens omver in de straten van Soweto en schreeuwden: 'Stop apartheid!' Er was midden in de nacht een bom ontploft in een buitenwijk van Beiroet. De lichamen van de slachtoffers lagen in het vluchtelingenkamp. Buiten beeld zei de journalist: 'De Kahan-commissie is door de Israëlische overheid gevraagd een onderzoek in te stellen naar...'

Hij zette het geluid af. Hij drukte op de toets met het rechthoekje en de vele horizontale lijntjes. De lijken verdwenen ogenblikkelijk en werden vervangen door de grote glasgroene veelhoeken van teletekst – en dat was de reden waarom hij dit televisietoestel had gekocht. Hij begon de cijfers te lezen.

De Nikkei-index kende een goed slot, plus 3,4 op de beurs van Milaan en een half puntje minder in Wall Street, dat er de laatste week lichtjes op vooruit was gegaan dankzij de technologie- en verzekeringsaandelen die de Dow Jones dat jaar naar de recordhoogte van 2000 punten hadden gebracht, terwijl beleggingsfondsen met fantasienamen als Anima (+12), Aberdeen (+2,2), Alleanza (-0,8), Merryl Lynch (+6,5) overal in de vrije wereld bleven stijgen of dalen... En of mijn vader nu had gewonnen of verloren (en dat laatste was slechts nu en dan het geval), de cijfertjes die met hun aandoenlijke fosforescerende gedaante op de televisie verschenen, hun ontwapenende cijfermatige eenvoud en de verbluffende complexiteit waarmee ze met elkaar verband hielden, kalmeerden hem.

Hij stond op van de bank. Hij liep op zijn tenen naar de slaapkamer. Hij kwam terug met een stapeltje kleren en een paar sportschoenen in zijn armen. Hij hees zich in de trainingsbroek van Sergio Tacchini die mijn moeder had gekocht om zijn garderobe te vernieuwen en die hij altijd al had geweigerd aan te trekken. Hij ging naar buiten en jogde het blok rond.

Hij liep door de verlaten zondagochtendstraten. Na de eerste opwarmingsrondjes breidde hij zijn actieradius uit, de hele wijk door. Voorbij de Via Turati. Voorbij de Giustino Fortunato. Hij onderdrukte een lichte pijn in zijn onderbuik. Hij schoot weg. Hij vertraagde en versnelde weer... Nu rende hij echt.

Hij ging niet gewoon lopen. De witte boorden van het World Trade Center gingen joggen in Central Park, de sterren van Hollywood gingen joggen langs het voetpad van Venice, de modereuzen van het Made in Italy blaakten van gezondheid in de handelsbuurten van Prato en Treviso. Ze zweetten en ontwikkelden hun kuiten, en stelden hun cholesterolspiegel net genoeg bij om te voldoen aan de verwachtingen van hun geluksster. En dus ging hij zelfs niet meer joggen omdat hij zich nu in het oog van de storm bevond, waar alles rustig en leeg en mooi en ongelooflijk gunstig was. En het resultaat van dat alles waren geen pijnlijke benen of een vreselijke scheut door zijn milt... Het resultaat was dat mijn vader eindelijk het leven aanvaardde! Hij was een succesvolle man geworden in een wereld die succes begon te beschouwen als de waarde waarvoor ieder facet van de samenleving kon worden ingeruild. Welke zin had het daar nog verzet tegen te bieden?

Hij versnelde. Zijn hart stond op ontploffen, en toen hij naar huis terugkeerde en met rood gezicht, zwetend en hijgend binnenkwam, zagen mijn moeder en ik voor ons de hongerige glimlach van voldoening van een man van vierenvijftig jaar. Hij schreeuwde 'goeiemorgen!' en dook onder de douche.

Hij verkocht de Fiorino en kocht een Iveco Passo Lungo turbo diesel. Hij leasde een Mercedes 500SEC. Hij veranderde van kapper. Hij maakte een afspraak met het ziekenhuis voor een check-up en schreef zich in voor fitness. Als hij de krant doorbladerde, waagde hij zich voorbij de herculeszuilen van de economiepagina's (maar een stemmetje in zijn achterhoofd bleef herhalen dat het lezen van artikelen als 'Basquiat, Keith Haring en straatkunst' tijdverlies was). Hij kocht vijf paar mocassins in gehamerd leer van Church's. Hij rookte minder sigaretten. En als hij vloog, vloog hij businessclass...

Natuurlijk ging hij weer naar kantoor, wat hij de hele maand februari hoogstens een paar keer per week had gedaan. Het duurde nog een week voordat hij de zaken weer in handen nam. En de zaken gingen goed, ze gingen bijzonder goed... Hij stelde Flora voor om verdienstelijke werknemers incentives te geven. Het commerciële hoofd grijnsde: 'Nou, jongen, goed zo, welkom in de moderne tijd.' Hij vroeg haar hem op de hoogte te brengen van de financiële toestand en Flora gaf hem een klein pakje netjes geniete velletjes papier. Hij begon die achter zijn bureau te lezen en ging er thuis mee door, tot diep in de nacht. De volgende dag, terug op kantoor, slaakte hij een diepe zucht en zei: 'Oké, Flora, even recapituleren. In het afgelopen jaar zijn wij drieënhalf keer zo groot geworden, terwijl hij er zelfs niet in is geslaagd...'

Dagenlang rinkelde onze telefoon op de meest onmogelijke tijden. Mijn vader keek met zijn armen over elkaar naar het toestel. Mijn moeder nam op: 'Hallo? Dag, Pasquale, ben jij het... Nee, ik weet niet of hij op kan... Nee, thuis is hij ook niet. Ik laat hem wel terugbellen, geen probleem.' Toen duidelijk werd dat Di Liso van geen opgeven wist, besloot mijn vader met hem te praten. Na een afmattend steekspel, waaruit duidelijk bleek dat Di Liso tot alles bereid was om zo'n grote klant niet te verliezen ('denk er nog eens goed over na, wil je...' – hoorde ik hem aan de andere kant van de lijn zeggen – 'alsjeblieft!' – smeekte hij op een bepaald moment – 'nu willen die klootzakken mij overplaatsen naar Noicattaro...'), wist mijn vader het gesprek zo af te ronden dat de vernedering van zijn vriend veranderde in iets wat nog erger was: 'Maar nee,' probeerde hij hem gerust te stellen, 'je zult zien, je zult zien dat we nog wel eens iets samen kunnen doen!'

Het was nog niet afgelopen. Een paar weken later klopte onverwachts iemand aan op de deur van ons appartement.

Het was bijna etenstijd. Mijn moeder was gaan winkelen. Mijn vader was terug van kantoor en zat al minstens een kwartier opgesloten in de badkamer. In de woonkamer flitste het scherm van de Panasonic zonder dat iemand ernaar keek. Michael J. Fox debiteerde als yuppie van het eerste uur in *Family Ties* een van zijn beroemde aforismes: *'People who have money don't need people.'* Lachband. Tweede poging: we werden overvallen door een lang aangehouden bel, gevolgd door een nauwelijks hoorbare bel, als een lomp blijk van ongeduld en het daaropvolgende berouw. Ik kwam uit mijn kamer en liep haastig naar de woonkamer. Ik deed de deur open, en dat alles (het eind van een middagje sitcom dat erom vroeg opgesloten te blijven in zijn cocon) verdween voor de aanblik van een man van middelbare leeftijd met een slappe hoed in zijn enorme handen die mij strak aankeek. Ik zei stomverbaasd: 'Dag...'

Mijn vader schreeuwde vanuit de badkamer: 'Momentje, ik kom eraan!'

Hij droeg een flanellen broek, een geruit overhemd en een grijze lakense jas van een in mijn ogen hartverscheurende keurigheid. Zijn oren waren grote kraakbenen schelpen waar het warme licht van de woonkamer doorheen scheen. Hij had een gezicht vol rimpels en kleine, vochtige ogen. Hij brabbelde iets over mijn vader, terwijl zijn verdere wezen met de kracht van een door hagelstormen verwoeste oogst uitschreeuwde: *diepe zuiden*. Ik had het nooit voor mogelijk gehouden dat zo iemand het tot de deur van ons huis zou redden. Nu bleef hij voor de deur staan.

Uiteindelijk zei een stem: 'Meneer Michele... Gaat u zitten, geneer u niet!' Ik draaide me om naar mijn vader. Zijn haar was nat en zijn goed geproportioneerde borstspieren bolden op onder zijn badjas. Op zijn gezicht verscheen een gegeneerde glimlach. De man kwam geen stap naar voren, dus liep mijn vader naar hem toe.

Ik maakte me uit de voeten. Pas toen ik weg was gegaan, rook ik zijn door het zweet verdunde en door de buitenlucht opgedroogde aftershave. Ik associeerde hem eerst met op een zacht vuurtje opgewarmde ragout, vervolgens met het aroma van een rijpere dame onder een katoenen werkschort. *De man van een van de borduursters van mijn vader*... besloot ik, een van die deelpachters of metselaars die ik nooit had gezien en wier afwezigheid als een verdrongen obstakel tastbaar was in de solidariteit die de vrouwen tijdens het borduren met elkaar verbond. Mijn vader was zeer beleefd in zijn discussie met de man. Op de Panasonic zei Michael J. Fox tegen zijn buurman: '*Skippy, remember when we were kids and I run you over with my bicycle?*' Skippy: '*Yes?*' Michael J. Fox: '*I have a car now...*' Mijn vader zei plechtstatig: 'Vergoe... vergoeding bij beëindiging van de handelsrelatie? Ja, natuurlijk, uiteraard...'

Het was nauwelijks denkbaar dat een van de grootste borduurbedrijven van de hele provincie zijn werk nog toevertrouwde aan groepjes vrouwen die langs bloedlijnen waren geworven. Ik kon me geen voorstelling maken van de gezichtsuitdrukking waarmee mijn vader elk van hun huizen was binnen gegaan met de woorden: 'Het spijt me, het is afgelopen.' Maar misschien had hij die taak wel toevertrouwd aan een van zijn medewerkers. In ieder geval, wat zich hier voor onze deur afspeelde, had iets dramatisch vreemds. Nooit zou een van de borduursters het hebben gewaagd zich te beroepen op een recht dat gebouwd was op het drijfzand van een wetgevende vergadering, want hun monnikenwerk respecteerde plechtige regels die zich niet verwaardigden af te dalen tot de geseculariseerde wanorde van de syndicale strijd. En nooit zou een van hun echtgenoten dat hebben gedaan. Maar nu had zo'n echtgenoot dus de ingeslapen vertrouwde orde van een dorpje als Ceglie of Mola of Sovereto achter zich gelaten en de stad doorkruist. Hij had aangebeld bij een andere man, die tot voor kort werd beschouwd als een onbenaderbare boodschapper van de goden, en had een opzeggingsvergoeding voor zijn vrouw gevraagd – een recht waarop trouwens geen van de borduursters aanspraak kon maken, aangezien geen van hen ooit een arbeidsovereenkomst had getekend. Mijn vader was echter maar al te bereid haar dat recht ogenblikkelijk te gunnen, om het geknars dat hij moet hebben gehoord in de krochten van zijn geweten om te zetten in een eenvoudige naschok.

Ik lette wat beter op de glimlach waarmee mijn vader sprak in zijn onderhoud met de bezoeker. Toen hij de man voor de deur had zien staan, moet hij gevreesd hebben dat die gekomen was om hem verwijten naar het hoofd te slingeren. Maar slecht geadviseerd door de barbier van zijn dorp, of erger nog door een pastoor of door een politicus op televisie, sprak deze man al de taal van mijn vader, hij stelde hem gerust. Als mijn vader al heiligschennis had gepleegd door alle borduursters in één keer te ontslaan, ontheiligde hij nu zichzelf en zijn vrouw en de collega's van zijn vrouw door het kleine tempeltje dat hen tot dan toe tegen de rest van de wereld had beschermd, met de grond gelijk te maken. En dus bevonden ze zich opnieuw allemaal op een gedeeld terrein – maar in tegenstelling tot hun vorige ongelijkheid had hun huidige ongelijkheid al iets ijzigs, iets onpersoonlijks, dat het de borduursters weldra mogelijk zou maken voor mensen zoals mijn vader gevoelens zoals vleierij, afgunst, zo niet ware haat te koesteren, en hem om voor het eerst minachtend op hen neer te kijken.

Deze veranderingen groeven een kuil voor de oude wereld, op zo'n manier dat de instorting ervan vaak geruisloos verliep. Zo veranderen mensen – een grimas, een tic, een woord in plaats van een ander woord – en op die manier zijn we van het ene moment op het andere niet langer onszelf. Daarom stierf in mijn ogen de zogenaamde 'kwestie van het zuiden' (dat residu van de wereldwijde kwestie die samengevat kan worden in de vraag: kent het heilige nog een duurzame ontwikkeling?) definitief op de dag dat de man van een borduurster gegeneerd naar ons huis kwam om een onbestaand recht op te eisen, en mijn vader besliste het hem te gunnen.

Rachele daarentegen zag ik begin april pas weer.

Ik had minstens twee maanden zonder enig resultaat haar schim nagejaagd. De kilometerteller op Giuseppes Vespa illustreerde mijn mislukking, maar ik wist hem te interpreteren als een bemoedigende kredietteller. Al die tijd had ik nooit de kracht gevonden mijn liefdesroes te ontdoen van de vreselijke schilleriaanse clichés waarin ik hem had opgesloten. Maar was het niet gewoon een uiting van lafheid, dat verlangen om haar *op straat* en *bij toeval* tegen te komen, om zelfs niet te proberen haar even te bellen, om aan de een of andere voorzienigheid de verantwoordelijkheid over te laten te voltooien wat we op wonderlijke wijze bij haar thuis waren begonnen?

Nu ik over alles wat luchtiger kan oordelen, besef ik dat een van de terreinen waar de creatieve interpretatie van de romantiek de grootste schade heeft opgelopen, dat was van het ego van al die westerse tieners die geboren zijn in een welgestelde familie. Veel tijd en veel geld hebben brengt met zich mee dat je gaat fantaseren over de mogelijkheid dat alles beheersbaar is zonder je handen vuil te maken, zelfs de verlangens en handelingen van een mooi meisje bij wie je je hebt veroorloofd haar gedurende meer dan zestig dagen niet eens op te zoeken.

De verlangens en handelingen van een mooi meisje? Maar ik was ervan overtuigd dat ik zelfs de tijd kon beheersen! Op een zonnige zondagmiddag wachtte ik tot mijn ouders het huis uit waren. Ik ging in kleermakerszit op de bank zitten kijken hoe het licht op de zoemende koelkast wegdeemsterde en goot mijn liefde voor Rachele in een zandloper zonder zand en zonder vernauwing, om mezelf ervan te overtuigen dat er sinds de avond van het feest bij haar thuis misschien maar een handvol minuten verlopen was. De afdruk van mijn lichaam op het hare was nog warm, en bijgevolg liep zij *uiteraaard* ergens in de stad te hopen dat ze op de volgende hoek mij tegen het lijf zou lopen.

Op het hoogtepunt van die meditaties stak ik een van de eerste sigaretten van mijn leven op. Ik rookte er nog een en de tijd begon weer te lopen. Ik ging het huis uit, stapte op de Vespa en ging naar haar op zoek.

Maar Bari was kleiner dan ik me toen inbeeldde. De trefpunten waren op de vingers van twee handen te tellen, en de waarschijnlijkheidsberekening moest mij op een bepaald moment wel tegemoetkomen.

Van die middag herinner ik me ook de precieze details. Ik bevond me in een grote kamer vol gekleurde doeken. De vloer was bezaaid met bekertjes en vuile bordjes en vele kussentjes rond het bed. Daarop lagen al even chaotisch verspreid: een nummer van de *Eternauta*, een krant met als kop *Michele Sindona overleden*, een onbepaalde hoeveelheid leren jassen, een tiental hoezen van lp's die nauwelijks waren beluisterd door Giuseppe, die nu de zoveelste lp oplegde ('*Bela Lugosi's Dead*, ken je dit?'), en de plaats waar we bivakkeerden was in ieder geval de slaapkamer van Luca Giovinazzo.

De ouders van Luca Giovinazzo werkten buiten Bari en kwamen pas in het weekend terug. De ouders van Luca Giovinazzo waren op reis. De ouders van Luca Giovinazzo kwamen weldra thuis, maar niet vandaag. '*Undead undead undead...*' bleef de stereo maar herhalen. De ouders van Luca Giovinazzo waren het soort ouders die er nooit zijn en van wie je nooit begrijpt waarom: ik wist het toen niet, ik weet het nu niet en ik zal het nooit weten, maar hun onbepaalde afwezigheid maakte van hun appartement (of liever, van de slaapkamer van Luca, waar we ons steeds weer opsloten, gehoorzamend aan een zelfopgelegd gevoel voor intimiteit) tot het einde van het voorjaar een van de belangrijkste tussenstations van de wijk Carrassi.

Vijf uur 's middags. Door de openstaande ramen kwam het duivelse gekwetter van de spreeuwen de kamer in. We hadden een uur eerder ons middagmaal afgesloten, terwijl de rest van de stad naar kantoor terugkeerde. Giuseppe had zich meester gemaakt van de stereo en zocht niet de bekendste maar de belangrijkste nummers van het moment uit: allemaal songs waarin het altijd leek alsof iets fundamenteels (een vage hoop, of misschien de toekomst in hoogsteigen persoon) de nek om was gedraaid maar om redenen van representativiteit tussen ons bleef rondwaren. Op een bepaald moment waren Romina en Vanessa aangekomen, de beste vriendinnen van Rachele. Ook jongens die ik nauwelijks kende, waren binnen komen waaien. Uiteindelijk was ook Vincenzo gekomen (een halfuur, daarna was hij weer vertrokken). Er werd nogmaals aangebeld.

Aangezien ik er bij ieder nieuw bezoek van overtuigd was dat zij het was (ik was er al weken van overtuigd, en bleef dat ook nu), overviel mij bij het horen van Racheles stem in de hal een absurd gevoel van vanzelfsprekendheid: we hadden telepathisch afgesproken, waarover moest ik me dus druk maken? Nog heel even en ze zou opnieuw voor mij verschijnen, mooi en knap, in een van de jurkjes die ik in haar kleerkast had gezien en die ik later in gedachten was blijven inventariseren... En daar was ze. Het meisje dat in de kamer haar opwachting maakte, sloeg het beeld dat ik zo zorgvuldig had gecultiveerd met één klap aan diggelen.

Ze keek stuurs en leek bovendien enigszins verward, wat haar nog begeerlijker maakte. Ze droeg een zwart t-shirt dat een paar maten te groot was, met om haar middel een smalle riem van gevlochten leer... Ze droeg dat t-shirt en *verder niets!* De rest bestond uit benen, benen en nog eens benen, die slank en uiterst bleek van een paar vingers onder haar billen tot aan twee laarsjes van hetzelfde leer als de riem liepen. Haar bleekheid leek niet opgelegd, maar een gemiste kans, en deed denken aan een meisje met een strand helemaal voor zich alleen dat alleen maar uit nonchalance nooit ging zonnen. Ze was verleidelijk maar niet banaal flirterig, ze reed niet op de golf van een magnetische sensualiteit, maar werd erdoor overspoeld. En dat was wat me ongerust maakte (*twee maanden... twee maanden verloren tijd!*), en me zelfs een afgunst en een competitiegeest bezorgde die ik tot dan toe niet had gekend. Het leek alsof een *caterpillar* over haar was gereden die haar niet had gedood maar op haar vroeger smetteloze lichaam de afdruk had achtergelaten van een bloedmooie vuile onvolmaaktheid.

Ze drukte Giuseppe twee kusjes op zijn wangen. Ze omhelsde haar vriendinnen en richtte zich tot de overige jongens door even met haar hand te zwaaien. Op het moment dat ik naar haar toe wilde gaan, voelde het alsof ik lood in mijn benen had.

Ook Rachele vertraagde, alsof de ontmoeting van onze blikken een onverwachte terugslag had veroorzaakt. Uiteindelijk begroetten we elkaar en kneep ze in mijn armen. En ze kneep hard, heel hard. Toen ik haar van dichtbij bekeek, zag ik onder haar ogen de bruinige sporen van uitputting van iemand die de laatste week hooguit vier uur heeft geslapen. Rachele loste haar greep. Ze zuchtte en zei: 'Ze zeiden dat je naar China vertrokken was.' En ik: 'Peking is walgelijk. Ik ben gisteren net teruggekeerd.' Ze wilde nog wat zeggen, maar deed dat uiteindelijk niet. Onze woordenwisseling was een relict dat onuitgesproken was gebleven sinds de tijd van ons heerlijke gesprek in de keuken bij haar thuis. Dat was nu begraven in de kuil van de humor, en we waren een nieuwe fase binnen getreden. Ze pakte zonder te lachen mijn hand en gebruikte mij als steun toen ze zich bij de anderen op de vloer liet zakken.

Een halfuur later zat de keuken vol mensen die elkaar afwisselden rond een enorme koffiepot. Rachele en ik bleven met vier of vijf anderen achter in de slaapkamer. We zaten dicht bij elkaar, bijna been tegen been. Ik legde mijn hand op haar rug en begon herhaaldelijk met mijn hoofd tegen haar schouder te duwen, aansluitend bij het aspect van onze band dat – hield ik mezelf voor – een dergelijke stap rechtvaardigde. Rachele liet me begaan en praatte ondertussen met de anderen, die ons aankeken en deden alsof ze niets merkten. Het was opwindend, maar ook slopend. Maar toen ik op het punt stond de grens te overschrijden tussen het katoen van haar T-shirt en de schitterende vlakte van haar naakte huid, hoorde ik haar kaakbeen kraken, verstarden haar spieren en pleegde ze dof verzet. Vanessa zei 'de koffie is klaar!' en ik haatte haar.

We dronken koffie. We dronken Bailey's en Cointreau. Er gingen joints rond. Op de binnenplaats beneden blafte een hond, zij het zonder boven de duivelse spreeuwen uit te komen. Naarmate ik dronk, voelde ik de vermoeidheid toenemen. De vogels hielden op met schreeuwen, de middag gleed af naar een donkergouden kleur en ik hield een ogenblik het glanzende licht vast dat buiten mijn blikveld al wegstierf op het haar van Rachele, die druk met haar vriendinnen zat te kletsen. Ik voelde mijn benen verslappen. Ik sloot mijn ogen, opende ze weer en liet me door de slaap overmannen.

Toen ik wakker werd, was de kamer bijna volledig in duisternis gehuld. Een bundel lichtschubben cirkelde over de muren, aangestuurd door de lampen van de auto's beneden. Ik hoorde het spoelen van de vaatwasser, maar verder maakte het huis een verlaten indruk. De anderen waren vertrokken, misschien was ook Luca Giovinazzo vertrokken, hadden ze me achtergelaten en zaten ze nu allemaal samen te drinken in deze of gene bar in het centrum. Ik voelde me ongemakkelijk. Ik maakte mijn wang los van de vloer en ging rechtop zitten. De verrassing vertroebelde mijn zicht. Toen begon ik de toestand in te schatten.

Rachele lag op het bed, haar handen losjes op het kussen en haar golvende haren voor de helft tegen de muur geplakt. Ze had nog altijd haar zwarte T-shirt aan. Alleen had ze inmiddels de riem afgedaan en de laarsjes uitgetrokken. Ze ademde diep en had een stuk laken tussen haar benen, dat haar bleke huid afwisselend liet zien en bedekte. Ik begreep niet of ze op mij had willen wachten, of eveneens als een blok in slaap was gevallen. Op dezelfde manier vroeg ik me af of onze vrienden geen aandacht aan ons hadden geschonken of ons met opzet alleen hadden achtergelaten. Ik kroop op mijn knieën naar het bed en ging naast haar zitten. Rachele geeuwde, kwam langzaam uit de lakens tevoorschijn en ging op het matras zitten, met de toppen van haar tenen op de grond en haar haren verward. Ze keek me aan. Terwijl haar slaperige blik niets uitstraalde, hadden haar samengedrukte knieën iets koppig bloots.

Ze keek me aan met een onzekere glimlach en zei: 'Hoi, het moet al laat zijn.' – 'Ja, het moet al laat zijn...' antwoordde ik. Zonder haar blik van me af te wenden, veegde ze met haar hand haar haren uit haar gezicht. 'Het is avond...' stelde ze vast. Ik nam haar gezicht in mijn handen en kuste haar. Rachele kwam naar voren en drukte haar blote voeten op de ijskoude vloer. Onze neuzen drukten elkaar plat. Ik duwde hard terug en rolde in het bed. We hielden even onze adem in, verrast en verlamd door onze eigen daden. Toen plooide Rachele haar knieën, stak haar benen lichtjes omhoog, met gekruiste enkels, en trok haar slipje uit. Ze boog zich naar voren, greep met haar nagels het laken vast en trok het over ons heen, maar niet zo snel dat ik niet de sterke, zure geur rook die zich in de lucht rond ons begon te verspreiden.

Een halfuur later lagen we naakt onder de lakens. Racheles rug lag op mijn verstijfde arm, en ik bedacht dat een sigaret de perfectie zou hebben geperfectioneerd. Maar ik kon mijn arm niet wegtrekken nadat ze zich zo genereus aan mij had gegeven en mij had ontmaagd, en nadat ze de maanden waarin we elkaar niet hadden gezien had gebruikt om zichzelf te veranderen, door zo doordacht de schaduw van een mysterieuze sensualiteit over haar honderdzeventig centimeter schoonheid te laten vallen. Ze stond op, nam een Philip Morris van het nachtkastje en stak die op. Ze blies zenuwachtig de rook uit en zei: 'Luister, ik heb iemand leren kennen, onlangs...'

Ik hield mijn adem in. Zij pakte mijn hand vast. Ze kneep er hard in en bleef praten.

'Rocco Splendore. Wat een belachelijke naam!' was de eerste reactie die ik kon uitbrengen.

Ik lag naakt naast haar en moest me een relaas aanhoren over een kerel die Rachele de hele maand maart bij haar thuis had ontvangen, tot hij in rook was opgegaan, maar niet dan nadat hij de halve villa had leeggehaald.

Hij was de zoon van een kleine traiteur met wie de kolonel het op een akkoordje had gegooid voor de bevoorrading van het Dertiende regiment veldartillerie. Dat er een jongen in haar villa rondliep in het gezelschap van een man met het brandende kruis van een zojuist verworven aanbesteding op zijn voorhoofd, was voor Rachele voldoende geweest om diep onder de indruk te zijn. 'Zijn rechter ooglid bleef knipperen als een gek, zonder dat hij er zelfs ook maar enige aandacht aan besteedde... Dat was het eerste wat me opviel,' zei ze.

Hij was negentien, groot, bruin en graatmager, en zat op de bank terwijl zijn vader voor de kolonel een lange lijst bereide maaltijden uitstalde. Rachele had hen alle drie met haar gebruikelijke knisperende intelligentie aangekeken. Ze was van de keuken naar de trap gelopen die naar de eerste verdieping leidde en vervolgens op haar schreden teruggekeerd, alsof ze vergeten was een brandje te doven dat op het fornuis was opgelaaid. Er was een vonk overgesprongen tussen de twee, want de volgende dagen vertoonde Rocco zich in zijn eentje voor de dreigende porfieren ommuring van de villa, zonder één middag over te slaan.

Rachele wist niet hoe hij al die dagen naar haar huis kwam: met de bus, te voet of liftend. Maar hij wekte altijd de indruk kilometers te hebben gelopen, en keek dan tussen de tralies van het hek door met de blik van iemand die aan een fysieke proef wordt onderworpen om iets te verdienen. Ze liet hem binnen en ging thee voor hem zetten. Racheles broer hield hen een tijdje achterdochtig in de gaten, maar haar moeder keek liefdevol. Zij zag het dansende ooglid van de jongen niet en maakte zich al evenmin zorgen over de spannende T-shirts waarmee hij de koude trotseerde, noch over zijn verkoolde All-Stars. 'En weet je waarom?' vroeg Rachele met een spottende blik waartoe ik haar niet in staat had geacht. 'Ze merkte niets omdat hij het bijproduct was van een miljoenenovereenkomst.' Zo zou de kolonel het hebben genoemd, vertelde ze, terwijl voor haar moeder, die zelfs een handtekening op een cheque al vulgair vond, dat alles werd vertaald in tafellampen en achttiende-eeuws antiek en bossen schitterende, verse orchideeën op het tafeltje in de hal. Wat kon er dus fout zijn aan deze wat vreemde jongen, die het symbool bleef van die dagelijkse verse bloemen?

Racheles moeder toonde zich vooral nooit verrast of geërgerd als Rocco zonder haar te groeten het huis binnen kwam. Hij sloeg de plichtplegingen over waarmee jongens de moeders van hun veroveringen proberen gerust te stellen en met hun wapperende manen een alliantie sluiten, gevaarlijk dicht in de buurt van de gerontofilie. Als zij de deur voor hem openmaakte, beperkte hij zich tot een 'Rachele', met de laconieke soberheid waarmee hij een pakje sigaretten zou hebben besteld. Ergerde mevrouw zich? Of rook ze onraad? Mevrouw vond deze pose als een man van weinig woorden *heerlijk*. Ze antwoordde: 'Ik roep haar even voor je.' Het enige wat er nog aan ontbrak, was een knipoog.

Maar meestal was Racheles moeder niet thuis, en haar broer ook niet. Zij en de jongen waren dus alleen in de villa. (Terwijl Rachele begon uit te weiden over de kaartspelletjes die ze speelden in het tuinprieel, en ze intussen haar borsten met het laken bedekte – wat me het knagende gevoel bezorgde dat ze dat deed om de herinnering aan haar vriend niet te besmeuren – spookte er maar één vraag door mijn hoofd: wat zouden twee jongeren die elkaar leuk vinden na hun kaartspelletjes doen in een villa die ze helemaal voor zich alleen hebben?) 'Als een machinegeweer...' zei Rachele. Ze gaf me kostbare informatie over de spreeksnelheid van Rocco, die vlugger praatte dan de briljantste geest kan denken. Hij slikte de helft van zijn woorden in, zei ze, en sprak zo snel dat hij het slot van bepaalde redeneringen reduceerde tot een mengelmoes van klanken waaruit je toch – zei ze met grote stelligheid – meer nuances, flitsende denkbeelden en intuïtie kon afleiden dan ooit vervat konden zijn in een afgerond discours. 'Het was fantastisch, soms begreep je er helemaal niets van!' besloot ze

'Goed, maar afgezien van dat kaarten... Wat deden jullie nog meer?'

Ik spande me in om mijn vraag te ontdoen van alle verdriet, alle wrok, alle scherpe jaloezie, zodat ze me eerlijk zou antwoorden. Rachele wendde haar blik af en keek verdrietig naar het plafond: 'Hij had voortdurend kritiek; op mij, maar vooral op mijn ouders.' – 'Hij bekritiseerde je ouders?' – 'Genadeloos.'

Volgens haar beperkte Rocco zich niet tot het ventileren van twijfels over wie haar had verwekt. Hij beukte nog veel harder op haar in. Even daarvoor was hij nog de sympathieke jongen die half Bari te voet had doorkruist om haar te komen opzoeken. Vervolgens fronste hij zijn wenkbrauwen in de damp die van de thee kringelde die Rachele zo toegewijd had gezet, keek om zich heen en gaf zijn vernietigende oordeel: 'Hoe kun jij op deze kloteplek leven?'

'Zei hij dat zo?' vroeg ik stomverbaasd. 'Zoiets, ja. Hij kon plots uithalen. Echt onvoorspelbaar...' Op al even *onvoorspelbare* wijze, zonder eromheen te draaien, vertelde hij haar... vroeg hij haar... dwóng hij haar zich af te vragen welk bijzonder soort idiotie twee volwassenen ertoe kon aanzetten hun huis te vullen met eretekens en gefotografeerde herinneringen aan de afstotelijkste figuren, en dat alleen maar om indruk te maken. Haar moeder! Had ze nooit gemerkt hoe stom haar moeder was? Haar plechtstatigheid, al die hysterische lachjes waardoor hij zich telkens weer in moest houden om haar geen oplawaai te verkopen... Wat kon Rachele in zestien jaar ooit hebben geleerd van die vrouw, als ze al niet de aandrang had gevoeld een adoptieaanvraag in te dienen? 'En jij? Hoe reageerde jij?' vroeg ik, terwijl ik me jammerlijk solidair voelde met de vrouw van de kolonel. 'Nou ja, ik zei het al, hij was razendsnel... Ik was nog bezig met een repliek, en dan was Rocco al bezig mijn vader met de grond gelijk te maken.' Hij merkte het maar al te goed, wat er dagelijks bij hen binnenkwam: vleeswaren in industriële hoeveelheden, hele schijven parmigiano reggiano, dure wijnen in dozen van tien, twintig, *vijftig flessen!* De kolonel beheerde de aanbestedingen voor de bevoorrading van de hele kazerne. Zijn handtekening op een stukje papier volstond om de eigenaar van een slagerij naar een andere financiële planeet te katapulteren. Kon Rachele dan geen enkel verband leggen? Begreep ze waar al die geschenken vandaan kwamen of niet?

'En toen?' vroeg ik.

'Toen gebeurde er iets heel vreemds,' zei Rachele terwijl ze op het nachtkastje nog een sigaret pakte. 'Hij versomberde en hield op met praten. Hij voelde zich beledigd.' – 'Hij voelde zich beledigd? Híj voelde zich beledigd?'

Niet alleen voelde hij zich beledigd. Hij sprak ook geen woord meer met haar. Die 'bizarre', 'onvoorspelbare', 'razendsnelle' jongen leek ineens een zenuwinzinking nabij. Hij begon te zweten. Zijn handen beefden. 'Het was alsof mijn aanwezigheid... zijn aanwezigheid in mijn huis hem ertoe dwong onder ogen te zien hoe walgelijk de wereld was. En het feit dat ik de situatie niet doorhad, deed hem in die neurose belanden. Een paar keren vreesde ik dat hij op zulke momenten uit woede van het balkon zou springen. Dus voelde ik me verplicht hem tot bedaren te brengen.'

'En hoe... op welke manier dan?' Haar tastende vingers vonden nu ook de aansteker. 'Tja, door het allemaal wat af te zwakken. Ik zei domme dingen zoals: "Wat wil je, mijn vader is een militair. Je weet hoe militairen zijn..."' Op dat moment flitsten Rocco's ogen van woede: 'Een militair? Jouw vader is een regelrechte fascist.' En Rachele: 'Ja, die is goed!' En Rocco: 'Sorry, je weet toch hoe je heet?' En Rachele: 'Ik heb geen idee waar je naartoe wilt.' En de jongen: 'Naar de plek waar jouw onwetendheid is gestopt. Jij heet Rachele en je broer heet Romano. En Rachele en Romano waren de vrouw en de zoon van Benito Mussolini, en dat kan *verdomme* geen toeval zijn!' Op dat punt kwam Rocco – híj, niet zij – met een sprong overeind en ging de tuin in om af te koelen. Uiteraard voegde Rachele zich buiten adem bij hem.

'Maar jij,' zei ik terwijl Rachele een eerste trekje van haar Philip Morris nam, 'wat dacht jij tijdens die ruzies?' Ze blies de rook uit en stak met haar andere hand haar haar op. Het laken gleed naar beneden en ik werd verblind door haar melkkleurige kleine borstjes: 'Dat hij gelijk had, dat hij bijna over de hele linie gelijk had.'

Ik had nog maar net liggen vrijen met het meisje van mijn dromen. Maar zonder mij zelfs maar de tijd te gunnen me erop te beroemen, kwam de razende Nemesis me ter compensatie al straffen met het verhaal over het sujet op wie Rachele tot een maand daarvoor verliefd was geweest (Was ze nog steeds verliefd? En vooral: *hadden ze het gedaan?*). Met chirurgische precisie en met de brutaliteit van de betere minnaars had hij haar een trits ziekelijke leugens opgedist, die zij maar af en toe als zodanig had herkend ('Precies zo,' zei ze tegen me, 'het was alsof ik die dingen altijd al had geweten. Maar nu zag ik ze ook!').

De Nemesis? Waarom eigenlijk de Nemesis en niet een banale grap van het lot? Omdat ik die dingen zelf ook wist, moest ik toegeven. Had ik wel of niet begrepen dat de kolonel de groteske figuur was die Rocco van hem maakte? Was ik wel of niet in staat – door het eenvoudige feit dat ik tijdens dat feest door de kamers van de villa was gelopen – om de ontmoedigende psychologische toestand van de eigenaars in te schatten? In feite had ik me diep in mijn hart al een definitief oordeel gevormd... Maar waarom had ik het dan niet tegen háár gezegd? Waarom had ík het haar niet gezegd? Wat een scrupules toch, op mijn zestiende al! Om welke reden had ik er de voorkeur aan gegeven te verdwijnen en de taak van de verovering over te laten aan... aan wat? 'En toen begonnen de diefstallen,' zei Rachele terwijl ze het bed gladstreek.

Dat Rocco Splendore niet een gewone, nog maar net meerderjarige, nerveuze Savonarola was, besefte Rachele toen uit de villa waardevolle voorwerpen begonnen te verdwijnen. Op een avond was de vrouw van de kolonel in haar laden aan het woelen, op zoek naar oorringen, armbanden en andere juwelen. Dat het echt om diefstal ging, besefte ze toen haar moeder haar vroeg of ze haar Cartier had gezien, een horloge uit de Trinity-reeks waar ooit een prijskaartje van bijna vijf miljoen lire aan had gehangen. Rachele dacht van wel: de dag ervoor had Rocco het almaar door zijn handen laten gaan. 'En heb je, heb je het...' zei ik, en ik moest me bedwingen om niet het woord 'aangegeven' uit mijn mond te laten komen. 'Of ik het mijn moeder heb verteld? Ik wilde er liever eerst met hem over praten...' En eigenlijk, voegde ze eraan toe, had haar moeder die diefstallen gewoon verdiend: nadat ze er eerst het hele gezin mee had lastiggevallen, kwam de vrouw op een bepaald moment toch op het idee Rocco als een van de mogelijke verdachten te beschouwen. Toch durfde ze die beschuldiging nooit in de mond te nemen, zelfs niet in bedekte termen, want... Uiteindelijk was zij het eerste slachtoffer van de plechtstatige hypocrisie waarover Rocco het had. Verdiende ze het dan wel of niet dat iemand haar Cartier-horloge stal?

Rocco begon minder vaak langs te komen. Als hij haar kwam opzoeken, was hij nog onhandelbaarder dan voorheen: 'Hij leek zich zorgen te maken over iets. Hoe dan ook, zijn kleren... Die waren ten slotte de druppel.' – 'Zijn kleren?' Rachele zuchtte: 'Ze begonnen te *stinken*.'

Het waren niet langer T-shirt en spijkerbroek waarmee hij

heroïsch de maartse koude trotseerde, maar een broek die stijf stond van het vuil. En om hem heen… Rachele merkte het niet meteen, ze wilde niet inzien dat die geur van bedorven ontsmettingsmiddelen afkomstig was *van hem*. Niet alleen van zijn kleren, maar ook van zijn adem, zijn oksels, zijn lijf! Híj was het die stonk. Het kostte haar een paar kostbare dagen voor ze die conclusie toeliet. Ze had nog maar pas aanvaard dat hij een dief was, maar dit aanvaarden kostte haar meer moeite. 'Het is niet te geloven, maar wat ik ook van plan was, hij was me altijd een stap voor.'

En toen hadden ze elkaar voor het laatst gezien.

'Het duurde alles bij elkaar maar een paar minuten,' zei Rachele.

Ik beeldde me al in dat ze bereid was geweest om de familiekluis voor hem te openen en er samen met hem vandoor te gaan. Maar die middag verliep vreemder dan anders. Rachele besefte dat toen ze Rocco het pad op zag komen lopen. Nog voor zijn gefronste blik en zijn vuile kleren… 'Je schoenen,' wist ze nog net uit te brengen toen hij voor haar stond.

Uit de gerafelde zomen van zijn spijkerbroek staken zijn voeten. Twee blote, vervaarlijk uitziende voeten. Zijn nagels waren gekloofd, de huid op zijn hielen was aangevreten, en op zijn enkels zaten donkere strepen die modder of gestold bloed konden zijn. Het waren de voeten van iemand die zijn schoenen heeft uitgetrokken en in een aanval van waanzin kilometers heeft gelopen. 'Je schoenen,' stamelde Rachele, 'waar zijn je schoenen…'

Maar niet alleen was hij die dag blootsvoets gekomen en stonk hij, hij was *verward*. Hij liep met zijn schouder tegen de deur. Zonder enige uitleg liep hij door de gang. Zij liep achter hem aan en volgde het lawaai dat hij in de ene kamer na de andere maakte. *Bam bam bam!* De laden. Dat was hij aan het doen. Hij keerde ze als een dolleman ondersteboven, maar niet zoals een dief zou doen. Hij leek wel een buitenaards wezen dat van iemand te horen had gekregen dat zijn mentale gezondheid verborgen zat in een van de laden van de villa. Rachele was verbijsterd: 'Wat doe je? Maar zeg dan verdomme wat je aan het doen bent? *Alsjeblieft!*' Rocco gromde tegen haar: 'Geef op dat geld.'

Ze stond perplex. Een onzichtbare hand duwde haar de trap op en dwong haar in haar kamer om haar agenda te pakken en er drie briefjes van vijftigduizend lire uit te halen. Ze liep terug naar Rocco. Hij griste het geld uit haar handen en stak het in zijn zak. Even kruiste zijn blik die van Rachele. Hij zei niet 'bedankt'. Hij zei helemaal niets. Hij draaide zich om en verdween.

Diezelfde avond, terwijl zij zich in haar kamer had opgesloten om de shock te verwerken, viel de vader van de jongen in het gezelschap van de kolonel en zijn vrouw de villa binnen. Ze spraken met stemverheffing en leken alle drie kwaad. Ze riepen haar naar de woonkamer. Ze vroegen haar wanneer ze Rocco voor het laatst had gezien, en bleven tegelijkertijd ruziën (De kolonel riep: 'En waarom nu pas!' De vader van Rocco probeerde zich te verdedigen: 'Ik zei toch dat ik het niet wist. Ik wist niet dat mijn zoon hier iedere…').

'Vanmiddag,' onderbrak Rachele hem. 'Vanmiddag heb ik hem voor het laatst gezien.'

Het bleek dat Rocco's ouders al minstens een week het spoor van hun zoon bijster waren. Hij was thuis weggelopen. Of, zoals de traiteur verduidelijkte: 'Zijn probleem had hem van zijn familie doen vervreemden.' Hij was aan de drugs, een heroïnejunk in de eerste weken van zijn verslaving. Hadden ze dat niet gemerkt? Hij zat trouwens al diep in de problemen toen hij voor het eerst voet in het huis van Rachele had gezet. ('Ik nam hem overal met me mee omdat ik hoopte dat hij door mij aan het werk te zien,' – zei Rocco's vader defensief, 'nou ja... Het is toch door het goede voorbeeld te krijgen dat we leren onze vergissingen recht te zetten, nietwaar?') De chaotische discussie duurde nog wel een uur: de kolonel probeerde zijn kaken niet helemaal stuk te bijten bij de gedachte dat hij een junk in huis had gehad, zijn vrouw keek hem verbijsterd aan. En wat de vader van Rocco betreft, van hem was op een bepaald moment niet duidelijk of hij informatie probeerde te verzamelen over de jongen of probeerde uit te zoeken of het woord 'drugsverslaafde' in combinatie met een afstammeling in rechte lijn voldoende grond was voor het annuleren van een contract met de overheid.

'En dat is alles,' zei Rachele terwijl ze naar een dode zone op het bed staarde.

'Heb je hem nog teruggezien?' vroeg ik, in een poging de afstand te verkleinen die ons van elkaar scheidde. 'Nee.' Haar stem beefde.

Op dat moment gebeurde er iets heel vreemds: ik omhelsde haar. Het was een spontaan gebaar, en ik vroeg me niet af waar het vandaan kwam. Wilde ik haar troosten omdat ze een vriendje had verloren dat van mij een zielige tweede keus maakte? Wilde ik mezelf troosten? Of was ik ten prooi gevallen aan een onbeheersbare vreugde omdat ik zonder een vinger te verroeren verlost was van een gevaarlijke concurrent? In ieder geval lag ze nu in mijn armen. Vreemder nog was dat Rachele mijn omhelzing niet interpreteerde als een poging om haar te helpen bij het verwerken van haar rouw. Haar hoofd schoot naar voren. Onze voorhoofden botsten. Ze beet instinctief in mijn bovenlip. Ik was half verlamd door de verrassing. Een paar minuten later lagen we opnieuw te vrijen in het bed van Luca Giovinazzo.

Zo begon onze relatie. We zagen elkaar bijna dagelijks en zwierven door de stad. Rachele zei niets meer over Rocco. Ze zag hem niet meer, ze ging niet naar hem op zoek, ze ondernam niets om te weten te komen wat er van hem was geworden, of als ze dat al deed, wist ik er in ieder geval niets van af.

Ik van mijn kant keek wel uit om vragen te stellen. Ik was ervan overtuigd dat mijn terughoudendheid hielp bij het opbergen van het onderwerp in de geheime kamers waarnaar zij het had verbannen, al was het maar om er niet meer aan te denken. Ik probeerde zelfs geen vragen te stellen over hun eventuele seksuele relatie, hoewel dat nu juist het onderwerp was dat me minstens een paar uur per dag kwelde. Ik vreesde dat het gevaar bestond dat ik de betovering zou verbreken, dat ik het deksel van de doos van Pandora zou halen.

Ik vergiste me. Rachele was veel beter dan ik twintig jaar geleden kon geloven. Ze bezat toen al een soort wijsheid dat velen zelfs als volwassene met moeite verwerven: ze kende haar eigen grenzen. Hij was te voor haar, en dat besef raadde haar af hem terug te zien. Toegegeven, hij had haar 'de ogen geopend', maar op de lange duur had hij haar kapot kunnen maken. Of hij zou er slechter zijn afgekomen dan hij er al aan toe was. Dat maakte haar beslissing om hem niet op te zoeken pijnlijker en waardiger en volwassener dan ik me toen ooit had kunnen voorstellen.

Ondanks de simplificerende paranoia die mij als zestienjarige kenmerkte, geloof ik niet dat ik tweede keus voor haar was. Rachele dacht niet in die termen. Het was de manier waarop ík redeneerde. Dat ze voor mij openstond, was het gevolg van iets anders: ik was een jongen die zich, net zoals zij, een heleboel vragen stelde over de wereld die ons omringde. Er was iets fout, in onze wereld – en een onbehagen delen, betekent op een bepaalde leeftijd ook alle andere dingen kunnen delen.

En dus reden we op sommige middagen eind april met de scooter de hele stad door. We lieten de straten van het centrum

achter ons en reden door buitenwijken waar de appartementsgebouwen steeds verder van elkaar weken. We passeerden
rijksweg 16 en dwaalden rond tot het monsterlijke profiel van
het industriegebied verscheen, tegen een achtergrond als die
van de dag des oordeels. Daarna keerden we naar huis terug.
Op televisie werd gezegd: 'De giftige wolk verplaatst zich naar
West-Europa. In de gebieden rond de plaats van de ramp is de
straling naar schatting vijfduizend keer sterker dan de maxi-
mumwaarde van de momenteel beschikbare meetinstrumen-
ten...'

11

De gevolgen van de ontploffing van reactor nummer vier voor de inwoners van Bari verschilden al naargelang wie besmet werd.

Voor ons jongeren was het een flits die een gevoel bevestigde van een ramp-in-wording dat we al maanden hadden. Maar voor de volwassenen... Ik herinner me taferelen uit het gezinsleven die in het geheugen van al mijn leeftijdsgenoten gegrift bleven. Ik zag mijn moeder naar huis terugkeren met een kofferbak propvol vijfkiloverpakkingen pasta. Ze deed dat ook de volgende dagen, en waagde zich aan gevaarlijke inhaal- en achteruitrijmanoeuvres door de tot de nok opgestapelde rantsoenen, en die haar in geen tijd daar hadden kunnen doen eindigen waar isotopen jaren over zouden hebben gedaan. Ik hoorde haar zeggen: 'Waag het niet één enkel slablad aan te raken!' En melk: alleen gepasteuriseerde. Ze legde mijn vader uit dat vanaf 1991 'hoogstwaarschijnlijk' niemand nog in zijn hele leven een hap spaghetti zou kunnen eten: het graan dat daarvoor werd gebruikt, kon vijf jaar worden bewaard, terwijl de halveringstijd van uranium volgens haar bijna honderd jaar bedroeg. En ten slotte de communisten. En niets was absurder dan uit haar mond het woord 'bolsjewieken' te horen.

Ik had haar nooit eerder over politiek horen praten. Ik had *niemand* er ooit over horen praten. De enige ideologie waarvoor Zuid-Italië ooit enige interesse had betoond, was de noodzaak een eigentijdse manier te vinden om zichzelf in stand te houden. Ik kan me uit mijn jeugd geen ongerustheid herinneren over de paarden van de Kozakken die uit de fonteinen voor de Sint-Pieter zouden drinken. Maar mijn moeder en de boekhouders van mijn vader en de krantenverkoper vlak bij ons huis en alle mogelijke verwanten en kennissen voor wie de enige dirigistische bedreiging altijd al was geweest dat de vierjaarlijkse cyclus van fiscale amnestie onderbroken zou worden, vervloekten nu allemaal Chroesjtsjov (die al in 1964 overleden was), de Communistische Internationale (die haar laatste congres had gehouden toen Iran nog Perzië heette), de Oktoberrevolutie en uiteraard de Kozakken, die – hoewel ze al bijna een halve eeuw in de goelags begraven waren – weer tot leven kwamen en galoppeerden over de dromerige horizon van Apulië.

Mijn moeder was niet méér geïnteresseerd in het lot van Solidarno dan in de ontcijfering van Maya-handschriften. Haar overbezorgdheid was dus niet *politiek*. Maar het was ook geen overbezorgdheid. Het waren bevliegingen van een vrouw met verantwoordelijkheidsbesef die optimistisch van aard was en haar mannetje stond zonder ooit de moed te verliezen, tenzij er geen sprake was van een échte catastrofe. Het was dus vreemd dat ze zich nu druk maakte over een gevaar dat zo ongrijpbaar was als die toxische wolk uit Oekraïne. Haar angst had in mijn ogen iets absurds.

Ik wist nog niet dat als schijnbaar onbegrijpelijke problemen volwassenen nerveus maken, dat vaak betekent dat ze zich zorgen maken over iets heel anders, dat wél zeer begrijpelijk is. Waarover maakte mijn moeder zich dan echt zorgen? De ingrijpende veranderingen van de laatste tijd? Was de onstuimigheid van onze opgang misschien omgeven door iets wat even duister, vaag en bedreigend was als de stralingen uit Tsjernobyl? Waarschijnlijk was mijn moeder niet erg geneigd een verklaring te formuleren voor een reeks nieuwe zorgen die knaagden aan haar bestaan, en zocht ze die liever in het Grote Niets uit het oosten.

Mijn vader daarentegen maakte tijdig gebruik van de ramp. Zijn financieel adviseurs hadden hem al maanden aangeraden meer diversiteit aan te brengen: 'Gelooft u ons, een uitzet is niet alles in het leven.' Vanaf mei zag ik hem optrekken met een zekere Nicola Bellomo.

Het was zo'n vijftiger die al zijn hele leven alle mogelijke beroepen had uitgeoefend, en die van het transport overschakelde op de bouw met dezelfde flair en nonchalance als waarmee hij het gerechtsgebouw binnen liep om met een ring vol briljanten een tegen hem gedeponeerd bezwaarschrift weg te masseren. Nadat hij de halve Golf van Tarente had gesloopt voor een toeristisch complex, geïnspireerd op *Doornroosje* van de gebroeders Grimm, kwam Bellomo op het lumineuze idee dat een goede oplossing voor de problemen met sovjetcentrales erin bestond om – in het centrum van Bari – appartementen met een atoomkelder te slijten. 'Ik overdrijf niet,' zei Bellomo tegen mijn vader, 'we hoeven maar een paar van die gebouwen aan de man te brengen voordat de paniek weer verdwijnt, en wij kunnen Nieuwjaar vieren met een flink vuurwerk.' In een paar weken tijd wisten ze tientallen potentiële kopers naar hun kantoor te lokken: burgers met veel geld die de ontwerpen van keldertjes mochten keuren. Het waren eenvoudige vertrekken waarvan de muren voorzien waren van gewapend beton, wat ze de status verleende van 'schuilkelder gehomologeerd door het IAEA'. Sommige van deze bemiddelde mensen waren niet zozeer geïnteresseerd vanwege het spookbeeld van mogelijke schildklierkanker, maar vanwege het idee dat dergelijke optrekjes, met een aanschafwaarde die twintig procent hoger lag dan de geldende marktprijs, iets chics hadden.

'Een bescheiden zaak, maar heel winstgevend. En geef toe, het idee is geniaal,' zei mijn vader toen hij tijdens het eten werd geconfronteerd met mijn moeders ongeloof. 'Als het ons nou maar zou lukken een derde vennoot te vinden...' En hij probeerde de ene zaak al binnen de andere te bepleiten.

'Maar ho!' zei hij, terwijl hij met zijn vuist op tafel sloeg en zich plots naar mij keerde. 'Ho, ho, ho,' herhaalde hij, en hij probeerde me met een glimlach voor zich te winnen. 'Waarom vertel je het de vader van je vriend niet? Hoe heet hij? Kom, hoe heet hij ook alweer...' Hij wist best hoe hij heette, dacht ik, hij koesterde hem obsessief, al sinds de vorige winter. Ik zweeg. 'Je weet toch wie ik bedoel?' vroeg hij, en uit zijn glimlach sprak enige ontgoocheling, alsof mijn geheugenverlies opzettelijk was, om hem dwars te zitten (en inderdaad, het was gespeeld). 'Ja, natuurlijk wel!' besloot hij met een zucht van het genre *hoe is het toch mogelijk dat ik in dit kloteleven toch altijd alles zelf moet doen?* – 'Natuurlijk wel! Mario Lombardi! Meester Mario Lombardi. Waarom zeg je het niet tegen de vader van je vriend?'

Dat was de duivelse macht van mijn vader: hij kon één glimlach beladen met een hele reeks betekenissen, boven op het eenvoudige verzoek om Vincenzo's vader erop te wijzen dat hij en een vastgoedpief met een reeks processen aan zijn broek vennoten zochten voor een atoomvrij project (meester Lombardi kon er alleen maar beter van worden, suggereerde de glimlach van mijn vader, en Vincenzo dus ook, en als ik een echte vriend was, kon ik hem dat dus niet ontzeggen; dat kon allemaal besloten liggen in een eenvoudige samentrekking van een paar aangezichtsspieren van mijn verwekker).

Als het nog de tijd van Long John Silver was geweest, zou ik waarschijnlijk zijn bezweken voor die chantage, ondanks de nodige innerlijke twijfels. Maar er was inmiddels zoveel veranderd. En ik had veel respect voor Vincenzo's haat voor zijn vader. En ik hield van een meisje dat verblind was geweest door een junk die haar had laten zien wat er schuilgaat achter de coulissen van een normaal gezinstheater. Ik trotseerde mijn vader met een glimlach nog breder dan de zijne: 'Het nummer van het kantoor Lombardi staat in de Gouden Gids. Bel hem zelf maar op. Vincenzo's vader zal jullie graag van dienst zijn.'

Ik liet deze scène achter me en ging met de scooter Rachele afhalen.

Ik geloof niet dat ik ooit door een stad heb getoerd als die lente. De brandstof voor onze omzwervingen was een intens gevoel van vijandigheid voor al het 'officiële' rondom ons. We verachtten onze ouders. We begonnen de school te verachten. We haatten de televisie, waarvan we in die tijd alleen de filmpjes over de spooksteden rond Kiev leuk vonden, in de overtuiging dat de verwoeste aanblik van Tsjernobyl een thermometer was waaraan we op een afstand van vijftienhonderd kilometer de spirituele intoxicatie van ónze steden konden afmeten. We verachtten alle Italiaanse politici, en als we een krant in handen kregen met een voorpagina over een altijd wel analyseerbaar conflict tussen de Democrazia Cristiana en de PCI, verachtten we de slaafse houding van de krantenredacties.

Die gevoelens trokken ons (wij en de Vespino) als een magneet naar de plekken in de stad waar ze konden worden gedeeld. En zulke plekken waren in Bari destijds als paddenstoelen uit de grond gekomen: kroegen die dienstdeden als concertzaal, een paar meter onder het straatniveau, waar deathmetalgroepen gratis optraden voor een publiek van twintig, dertig, soms zelfs vijftig personen die als gekken stonden te pogoën. En als het die kroegen niet waren, waren het platenzaken met importmuziek of kleine clubs die hun eigen identiteit etaleerden in de fanzines die op de toonbank lagen.

We reageerden de spanning die zich in ons lichaam opstapelde af door samen met de anderen te pogoën of bij mij thuis te neuken. En zo lagen we naakt en uitgeput maar vreemd genoeg nog altijd *gespannen* in mijn eenpersoonsbed. Om de resterende nervositeit te temperen sprongen we opnieuw op de motorfiets en reden ver weg, naar een plaats waar niemand ons kon vinden, in volle vaart naar het industriegebied, met uitzicht op de enorme slakkenhuizen van de elektrische turbines en de monsterlijke hoogovens en gietvormen.

We keerden terug naar de stad, parkeerden en zaten in de tuintjes van de Piazza Umberto, waar we de junks telden die voor ons langs liepen. Ze vielen Rachele en mij nu pas op, maar deze jongeren waren er altijd al geweest, met hun koude zweet en hun puisten, hun sjofele kleren en hun aandrang altijd ergens anders te zijn dan waar ze waren. Op die momenten moest ik onvermijdelijk aan Rocco denken. Ik keek naar Rachele, die naast me zat, en ik vroeg me bang af of zij ook *aan hem dacht*. Ik slaakte een zucht, probeerde tot rust te komen en vertelde mezelf dat onze belangstelling voor junks van een heel andere aard was. Zij gingen niet meer naar deathmetalconcerten. Misschien werden ze zelfs niet meer verliefd, neukten ze niet meer, waren ze niet geïnteresseerd in het uitdelen van een petitie tegen reaganomics omdat ze van hun eigen lichaam een protest en een levend schandaal hadden gemaakt. Waren zij onze moderne martelaren? Waren het *heiligen*?

En terwijl die sombere vragen door ons hoofd spookten, keerden we naar huis terug.

En vreemd genoeg kwamen we op onze zwerftochten niet zelden dezelfde twee bekenden tegen, aan een bartafeltje of ook zij aan de wandel door de straten van de stad.

Het voorjaar van 1986 was ook de periode waarin Vincenzo en Giuseppe met elkaar begonnen om te gaan met een intensiteit die er sinds de dag van hun vechtpartij op de speelplaats niet meer was geweest.

De corpulente zestienjarige die nooit kon vermoeden dat

zijn wereld dreigde in te storten bij de eerste foute zet, en de moederloze wiens leven werd bepaald door wrok; de jongen voor wie de wereld een pretpark was en de jongen die iedere avond uit een achterbuurt tevoorschijn kwam... En toch, zodra ze een ogenblik vrij waren, zochten ze elkaar zo snel mogelijk op. Dat wil zeggen, als Giuseppe zijn tijd niet doorbracht met het lezen van *Motociclismo* in een ligstoel bij het zwembad. En als Vincenzo zich niet verscholen hield in de reusachtige schemerzone van Japigia. Ze spraken af in het stadspark en brachten samen de rest van de dag door.

Maar wat zeiden ze tegen elkaar tijdens die lange middagen waarvan wij uitgesloten waren? Want een ander kenmerk van hun omgang was dat hun publieke intimiteit ondoordringbaar was. We zagen ze samen op straat. We waren op de hoogte van hun onverwachte toenadering, waardoor ze gedurende enkele maanden onafscheidelijk waren. Maar de kern van hun relatie was ons een raadsel.

'Je zult het niet geloven,' vertelde Giuseppe me twintig jaar later, 'maar we hadden het eigenlijk nergens over. Vincenzo kwam er niet toe mij te vertellen wat hij over mijn familie wist. En ik wist de bewondering die ik voor hem voelde niet onder woorden te brengen. Toen we samen begonnen uit te gaan (toen Vincenzo ervoor zorgde dat dit gebeurde, want híj zocht mij als eerste op), beschouwde ik dat als een enorm voorrecht. Aan zijn zijde rondlopen maakte meer indruk dan met de Lamborghini naar school komen. Maar vertrouwelijkheden, bekentenissen, geheimen... niets van dat alles. We gingen samen uit en dat was het. Als we openhartig ergens over hadden gepraat, en onszelf hadden verplicht expliciet te zijn, zou de intensiteit van onze uitjes verdwenen zijn. Juist door die terughoudendheid konden we naast elkaar lopen, alsof ons brein voortdurend openstond. En in die zin zeiden we dus álles tegen elkaar.'

En in die zin zeiden ze dus alles tegen elkaar. En in die zin besliste Vincenzo, in een subtiele bevlieging van altruïsme, Giuseppe te ridderen door hem op sleeptouw te nemen, zoals in een verhaal van Fred Uhlman. Uiteraard kon dat niet de ware toedracht zijn.

Veel later werd me een eerste tipje van de sluier opgelicht door de inmiddels vierendertigjarige Emilio Giannelli, die naar Sassuolo verhuisd was en er als ingenieur werkte bij een bedrijf dat verkeersborden maakte. De krampachtige jovialiteit waarmee hij me ontving, leek al het overige tot zijn juiste proporties te reduceren – bijvoorbeeld de begrijpelijke verrassing (die hij niet liet blijken) vanwege het feit dat een gewezen klasgenoot die hij al twintig jaar niet meer had gezien bij hem thuis binnenviel om informatie te verzamelen over twee andere gewezen klasgenoten die eveneens uit beeld waren verdwenen. Giannelli leek niet alleen volstrekt ongeïnteresseerd te zijn in mijn lot, maar ook in dat van Vincenzo en Giuseppe. Toch had hij er in de loop der jaren wel over nagedacht.

Nadat hij er al om zes uur op had aangedrongen samen met hem een tweede Ballantine's te drinken, zei hij: 'Sorry, maar heb je hun toenadering tot elkaar nooit in verband gebracht met het feit dat Vincenzo in die periode in de problemen kwam?' – 'In de problemen? Vincenzo?' – 'Ja, weet je nog hoe hij in de klas al die kranten doorbladerde? En wel *als een gek*.' – 'Hij bladerde kranten door...' – 'Inderdaad.' – 'Je hebt gelijk, hij bladerde kranten door in de klas. Maar ik begrijp niet waar je naartoe wilt.' – 'Je begrijpt het niet omdat je nog een glaasje nodig hebt.' – 'Emilio, ik denk niet dat ik me op dit uur ga bedrinken...'

Op dat moment gebeurde er iets heel vreemds, een van de vele absurditeiten waarvan ik getuige mocht zijn toen ik mijn oude vrienden opzocht. Emilio sprong zichtbaar aangeschoten overeind. Hij maakte een weids gebaar met zijn armen, alsof hij de hele woonkamer met alle snuisterijen en gestoffeerde banken wilde omvatten en zei met blinkende ogen: 'Luister! Je bent toch niet helemaal hierheen gekomen om me te vragen of ik me waardeloos voel nu mijn vrouw ervandoor is gegaan, hè?' – 'Het spijt me...' Hij onderbrak me: 'Laat maar zitten! Alsof ik het over die slet wil hebben. Je bent niet gekomen om me iets over haar te vragen. Je bent gekomen om me iets over hen te vragen. Blijkbaar houdt het hele geval je bezig. Het boeit je. *Je kunt er niet van slapen.* Omdat ook jij je waardeloos voelt, mijn beste. Geef het maar toe.' Hij ging op zoek naar de stoel waaruit hij net was opgesprongen. 'Als je nog altijd bezeten bent van die twee, vertel mij dan eens waarom je er niet in slaagt de stukjes van de puzzel in elkaar te passen, en ik wel? Vincenzo. De kranten in de klas. Zijn vader. De *plaatselijke* kranten. Wat stond er in die flutkranten in het voorjaar van 1986? Kom, denk eens even na...'

Giannelli's versie werd bevestigd door twee andere bronnen. En deze keer ging het om oude vrienden die lichamelijk en geestelijk wel in orde waren.

In de kranten van die periode stonden inderdaad, na de pagina's gewijd aan de vertraging waarmee de Sovjetoverheid het nieuws over de ramp bekend had gemaakt, na de binnenlandse politiek en de beursindexen, de spraakmakende nieuwtjes van onze stad, met in de eerste plaats gedurende vele weken de aankondiging van een mogelijk krachtig optreden tegen de clan van de gebroeders Terlizzi.

We lazen hoe Giovanni Terlizzi, de jongste van de twee, tijdens de voetbalwedstrijd Bari-Inter in het oude Stadio della Vittoria was gearresteerd. Volgens de verslaggevers zat Terlizzi junior doodgemoedereerd op de tribune, waar hij aan het eind van de wedstrijd ongehinderd ook weer zou zijn weggegaan, als het eerste en enige doelpunt van de thuisploeg (in de eenenveertigste minuut van de eerste helft van een wedstrijd die vervolgens met 1-3 werd verloren) hem er niet toe had aangezet om 'overmand door onbedwingbare vreugde' twee pistoolschoten te lossen.

Volgens Giannelli en de andere mensen die ik sprak, hield de zorgvuldigheid waarmee Vincenzo inderdaad (*inderdaad* pas nu ik erover nadacht) op de laatste rij kranten zat te lezen verband met het verlangen de naam van zijn vader daarin te zien opduiken. 'Hij verwachtte het,' gromde Giannelli. 'Ze hadden een boss gearresteerd, en dus moesten ze wel uitkomen bij het groepje notabelen, bestuurders en lagere politici zonder wie de gebroeders Terlizzi het nooit verder zouden hebben gebracht dan sigarettensmokkel.' Maar afgezien van een tiental arrestaties van kleine en heel kleine dealers, gebeurde er niets. En hoe meer de ballon leegliep, des te meer verlustigden de kranten zich in details over de folkloristische arrestatie in het Stadio della Vittoria. Geen grote namen. En natuurlijk niet de minste verwijzing naar meester Mario Lombardi.

Vincenzo kwam dus 'in de problemen'?

'Je moet er ook rekening mee houden dat zijn relatie met de Zwarte Dame verbroken werd,' zeiden twee vroegere leerlinges van het Cesare Baronio onafhankelijk van elkaar. Zij zouden er destijds alles voor over hebben gehad Vincenzo in bed te krijgen. Ze hadden vanuit de hoogte van hun respectabele huwelijk duidelijk veel tijd verdaan met piekeren over de meest fascinerende jongen die ze in hun hele leven meenden te hebben ontmoet. Schuldeisers van haar man hadden de Zwarte Dame volgens de nostalgische dames het bloed onder de nagels vandaan gehaald. Volgens hen joeg de arrestatie van Giovanni Terlizzi een schokgolf door heel Japigia. Iedereen werd er nerveus, en 'die criminelen' besloten dat de man van de Zwarte Dame niet alleen nog in leven was, maar ook dat zij wist waar hij zich destijds ophield.

Miriam (5C) wist me met grote stelligheid te melden dat Vincenzo het nieuws had vernomen in de Jolly en dat hij op alle mogelijke manieren contact probeerde op te nemen met de vrouw, maar tevergeefs. Naast dat trieste plaatje was er ook het onwaarschijnlijke tafereel dat Mara (F) aanhaalde. Zij had het over een Vincenzo die voor de gesloten deur van Matilde zat te jammeren. Die zou zich niet aan hem hebben willen vertonen, nu ze zo was toegetakeld ('haar gezicht was zo gezwollen als een meloen'). Bovendien – en toen gaf Mara blijk van een zekere perversie – blies de Zwarte Dame volgens haar de bruggen met Vincenzo op wegens een klassenverschil dat door het voorval onherstelbaar aan het licht kwam: 'Zij hoorde bij Japigia, ze hoorde *zelfs bij die blauwe plekken*. Dan begrijp je toch dat ze hem niet kon terugzien?'

Beide vrouwen bevestigden me overigens dat Vincenzo in datzelfde voorjaar van 1986 contacten begon te onderhouden met Santo Petruzzelli, de dubieuze baas van een van de bekendste drugshuizen van Japigia.

Ik besefte heel goed dat de glimmende dames van de rijke burgerij van Bari hun fantasie (en een zekere romantiek) de vrije loop lieten om niet te worden opgeslokt in de diepten der verveling, die doorgaans werd bezworen door het tot wanhoop drijven van psychoanalysten met nationale bekendheid. Ik nam de verhalen van Miriam en Mara dus met een korreltje zout. En toch, aangezien niemand vanaf dat moment nog iets over de Zwarte Dame vernam, en aangezien Enrico Portoghese (D, tegenwoordig deskundige bij een verzekeringsmaatschappij, een uiterst trieste figuur, maar gelukkig niet begiftigd met een op hol slaande verbeelding) een versie van de gebeurtenissen formuleerde die nauwelijks van de hunne afweek, concludeerde ik dat er een kern van waarheid in moest schuilen.

Dat was dus de verklaring voor zijn toenadering tot Giuseppe? Zijn frustratie? Zijn gevoel van onmacht?

'Zijn behoefte om het iemand anders betaald te zetten, verdorie. De boosaardigheid van dat hoerenjong!' zei Giannelli alvorens me eruit te gooien. 'Denk toch eens even na. Vanaf dat moment ging het met Giuseppe snel bergafwaarts,' (zei Miriam, terwijl ze in een koffiehuis aan de Via Sparano met haar ogen knipperde). In ieder geval waren ze het er allemaal – Giannelli, Mara, Miriam, zelfs de wereldvreemde Enrico Portoghese – over eens dat het contact tussen Vincenzo en Giuseppe niet zo zwijgzaam was als ik misschien had gedacht. En ze waren het zelfs eens over het gespreksonderwerp van de twee.

'Momentje,' zei ik tegen Giuseppe toen ik hem terugzag. 'Hoe zit het dan met dat verhaal dat Vincenzo je voortdurend zou hebben aangeraden om *eindelijk een vriendinnetje aan te schaffen*?' Op het gehavende gezicht van Giuseppe verscheen een bijzonder vreemde glimlach: 'Ging ik het nog wel over hebben...' zei hij aan de rand van het inmiddels stinkende zwembad. 'Ik weet dat jullie zouden hebben gezworen dat hij superieur was. In feite ging het er anders aan toe. Vincenzo's fascinatie voor mij was minstens zo hevig als de mijne voor hem. Ik bewonderde de zichtbare facetten van zijn persoonlijkheid. Vincenzo beneed mij misschien om mijn meer verborgen aspecten, die hij nog beter aanvoelde dan ikzelf. Hij wist hoe ik in bepaalde omstandigheden veel verder kon gaan dan hij. Verder dan jullie allemaal, trouwens. En god weet wat ik er nu voor over zou hebben als dat niet zo was geweest.'

Volgens Giuseppe was het dus een relatie op basis van gelijkwaardigheid.

Donatella. Dat waren de gevolgen.

Donatella Lattanzi of Donatella Lattanzio? Ik twijfelde al toen ik Bari nog maar net had verlaten, en bleef dat jarenlang doen, totdat ik de behoefte voelde ook haar op te zoeken. Ik liet mijn wijsvinger dus over de bijna honderdvijftig *Lattanzi's* en de ruim driehonderd *Lattanzio's* glijden in het telefoonboek van de provincie Bari. Lattanzi... Donatella Lattanzi. 'Ja, dat ben ik. U bent?' Ah, om zo haar stem terug te horen...

Over dit meisje valt te vertellen dat ze in 1986 zestien was, dat ze de oudste dochter was van een gepensioneerde onderwijzeres en van de stuurse eigenaar van een meubelwinkel, en de mogelijkheden van edelgassen als verleidingsmiddel overschatte. Maandenlang had ze in alle middagdiscotheken indruk proberen te maken door in een rode, geplastificeerde jurk *Who's That Girl* te dansen. Aan de schouderbandjes had ze vier (vier!) felgekleurde, met helium gevulde ballonnetjes bevestigd. 'Wie is die idioot?' vroegen de jongens. Ze was er pas recentelijk in geslaagd een zekere geloofwaardigheid op te bouwen toen ze op het verjaardagsfeest van haar catechismusjuf stomdronken in elkaar was gezakt en daarbij een kristallen tafeltje had versplinterd. Was je een onooglijk rood puntje tussen de draden van het stedelijk web maar gebeurde er plots iets opvallends, dan had je eindelijk een naam.

We merkten dat Donatella nu waar dat ook maar enigszins kon, probeerde op te vallen. Afgezien van haar zatheid probeerde ze op de voorkant van onze imaginaire schandaalkrant te komen door het roken van Rothmans Blue en het dragen van een zwarte leren broek, in combinatie met allerlei ongelooflijke kanten blouses in psychedelische kleuren. Ze was nauwelijks een meter achtenvijftig, maar haar petroleumkleurige pony, haar lepe ronde gezicht en haar ronduit weelderige boezem maakten van haar een feest van rondingen en brachten iedere toevallig passerende Helmut Newton, op weg om in zonnige speeltuinen mollige kindjes te fotograferen, van het rechte pad. Afhankelijk van de invalshoek waaruit je haar grimassen bekeek, kreeg je zin een karaf sinaasappelsap over haar rug te gieten of haar op een bed vast te binden.

Als je op eclatante wijze wilde laten zien dat je 'een vriendinnetje kon versieren', dan was zij het aangewezen slachtoffer. Giuseppe begon achter haar aan te zitten. Maar Donatella had alles om het iedereen die niet op veilige afstand bleef moeilijk te maken. Zij *leefde*. Dat had Giuseppe al ontdekt toen hij haar op een avond bij de uitgang van de bioscoop van haar vriendinnen afzonderde door naar haar te wijzen: 'Hé, jij daar! Was jij dat niet, die bij die catechismusjuf de boel kort en klein...' Daarop volgde er een groteske beginselverklaring om het meisje te verzekeren dat ze 'heel gauw' de zijne zou worden. Donatella fronste de wenkbrauwen met de glanzende vijandigheid waarop iedereen werd onthaald die haar het grote genoegen deed haar op straat te herkennen. 'O ja?' zei ze met een sceptisch lachje. Giuseppe krabbelde terug, en deed zijn best om te blijven grijnzen: 'Gauw... Maar niet nu. Nu heb ik wat anders te doen.' Hij sprong op zijn Zündapp en maakte een wheelie op het korte stuk asfalt voor Cinema Galleria.

Destijds volgde ik met enige welwillendheid wat je 'Giuseppes pogingen om het aan te leggen met Donatella' zou kunnen noemen, maar wat in feite niet meer was dan een reeks tot mislukken gedoemde schertsvertoningen.

Giuseppe had niet het minste besef van hoe hij een meisje het hof moest maken. Hij kon geld uitgeven, maar niet verleiden. Hij kon *schenken*, maar niet *veroveren*. Alles wat in serie werd geproduceerd had voor hem nauwelijks geheimen, en misschien werd zijn libido in feite duidelijker gestimuleerd door het laatste model van KTM dan door de aanblik van het onstuimige meisje waarmee hij zijn viriliteit hoopte te bewijzen. Zijn psychologie kan misschien worden verklaard door de hardnekkigheid waarmee hij ons keer op keer probeerde mee te krijgen naar de film *Ghostbusters*: 'Kom, jongens,' smeekte hij, 'nog een keertje!' Dat betekende vooral 'nog eens die scène'.

De scène waarom het ging – een verrassende vonk van zelfbewustzijn, die oversprong door toedoen van de perfecte benevelingsmachine die het Hollywood van de jaren tachtig was – zat aan het eind van de film, als Gozer, een Sumerische god die na een paar millennia in New York weer tot leven is gekomen, tussen het gedonder zijn grafstem laat weerklinken en tegen de geestenjagers op de top van het Empire State Building zegt dat de eerste gedachte die bij hen opkomt werkelijkheid zal worden en de stad met de grond gelijk zal maken. De vier mannen in hun witte overalls proberen dus geen gedachten te hebben. Ze zeggen tegen elkaar: 'Laten we aan niets denken!' Een paar ogenblikken later worden de straten van Central Park West door elkaar geschud door een oorverdovend lawaai. Er verschijnt een reusachtige witte pop in een matrozenpakje tussen de wolkenkrabbers, klaar om dood en vernieling te zaaien. Dan Aykroyd bekent: 'Het is niet mijn schuld, het kwam vanzelf. Ik kon er niet níét aan denken!' En wanneer Bill Murray hem vraagt: 'Maar waaraan dacht je dan wel?' zegt hij ontsteld: 'Aan... aan de reclamepop van de marshmallows die ik als kind altijd at.'

Terwijl de marshmallowpop auto's platwalste en voorbijgangers het uitschreeuwden van schrik, sprong Giuseppe op van zijn stoel. Hij maakte ons duidelijk hoe – nog voor onze eerste erotische fantasieën opdoken – de krochten van ons bewustzijn werden bevolkt door de reclamefiguren uit onze kindertijd. Lieve, grappige, schattige spoken, die jaren later de gedaante aannamen van iets reëels en *monsters* werden.

De vier spokenjagers wisten de marshmallowpop uit te schakelen. Giuseppe droogde zijn tranen. Hij was gegalvaniseerd door een vreemde, nieuwe agressiviteit, en daardoor kon hij zich zo aanstellen in scènes als die waarin hij na afloop van de film naar Donatella wees: 'Hé, jij daar!'

Hoeveel 'hé, jij daar!'s volgden er niet, nog voor de zomer begon? Giuseppe maakte Donatella niet het hof, hij *viel haar lastig*, waar hij haar ook tegenkwam. Hij maakte gebruik van de enige scenario's waarover hij beschikte, meestal ontleend aan blockbusters waarin jongens met buitengewoon ontwikkelde kaken hun leeftijdsgenotes benaderen op het niveau van een minderbegaafde. Maar die meisjes – die gewoonlijk voor hun kluisje in de schoolgang stonden – *vonden dat leuk*. Na ieder vulgair epitheton en na iedere platte poging om haar waar iedereen bij was te kussen (in feite waren het geen echte pogingen, maar wanhopige waarschuwingen, smeekbedes om te worden geneutraliseerd), noemde Donatella hem een idioot en zocht ze haar toevlucht bij haar vriendinnen.

In andere omstandigheden zou ze zich niet hebben verzet. Als Giuseppe eenvoudigweg tijdens de pauze bij Donatella's school was opgedoken en haar in een van de duistere, met eterniet beklede gangen van dat prefabgebouw apart had genomen, was een simpel 'ik vind je leuk' al voldoende geweest om samen met haar de toiletten met schuifdeur in te duiken waarover het Enrico Fermi-lyceum beschikte voor hormonale uitbarstingen en de consumptie van softdrugs. Maar in plaats van zo'n eenvoudige aanpak verkoos Giuseppe het publieke forum.

Donatella zag zich iedere keer weer genoodzaakt hem af te wijzen. Aanvankelijk had ze zich uiteraard afgevraagd wat ze had kunnen zien in iemand die zo dwaas was zichzelf op die manier schaakmat te zetten. Maar later moet ze zijn gaan vermoeden dat dat precies Giuseppes bedoeling was: haar vragen om een keuze te maken terwijl hij haar in een situatie bracht waarin ze geen keuze had. Beiden gevangen in de kooi van die paradox werd de manier waarop Giuseppe probeerde haar publiekelijk belachelijk te maken, uiteindelijk het breekijzer waarmee hij zich toegang wist te verschaffen tot de persoonlijke, ontoegankelijke band die op een bepaald moment tussen hen tweeën ook werkelijk ontstond. Donatella was een heel eenvoudig meisje, en ze wilde graag geloven dat de wereld dat ook was. Maar in een jongen zoals hij, die haar eerst als een patser versierde en vervolgens alles in het belachelijke trok, moest ze noodgedwongen ook iets anders herkennen. Dat raakte aan een dermate diepgaand en heikel aspect van de hele toestand, dat ze gedwongen werd onmiddellijk terug naar het oppervlak te komen.

De dingen moesten worden genormaliseerd. En wat was er normaler dan de tafereeltjes waarin de *pink ladies* klaagden over hun aanbidders? 'Wat een lul! Ik kan hem gewoon niet uitstaan!' zei Donatella keer op keer tegen haar vriendinnen. Maar het was een oppervlakkige haat, even ondoordringbaar als een ijsvlakte, waaronder ze heftige stromen van angst en verwarring voelde stromen. Van alle tegenstrijdige nuances waarmee verliefdheid getint kan zijn, was dat voor Giuseppe een tweede keus die veel beter was dan de eerste.

De ontknoping volgde begin juli.

Het conclaaf van het Cesare Baronio had besloten me over te laten gaan met een gemiddelde van zes komma zoveel (een uitkomst die me heel voorspelbaar leek, aangezien ik de drie maanden ervoor minstens drie kwartier per dag over mijn studieboeken gebogen had gezeten). Vincenzo behaalde het resultaat van een Sovjetatleet op de Olympische Spelen. Giuseppe kreeg drie herexamens – een zeer milde beslissing, die ertoe leidde dat zijn moeder minstens een kwartier als een razende fulmineerde tegen de vooringenomenheid van het lerarenkorps. Dat kleine incident weerhield de familie Rubino er niet van om de poorten van hun villa open te zetten voor iedereen die daarvan gebruik wilde maken.

En dus diende zich van eind juni tot begin augustus bij Giuseppe dagelijks een schare nauwelijks te tellen tieners aan met zwemkleren, zonnebril en strandzeilen in rugzakken die al uitpuilden van de pareo's, zonneolie en make-uptasjes. Veelal waren het klasgenoten van ons, maar er kwamen ook volstrekt onbekenden, die onverhoeds blootsvoets over het gras liepen, geïmproviseerde zwemwedstrijden hielden en telkens een retorisch bewonderend 'oôôôôh!' lieten horen als Giuseppe de truc met de mechanische parkeertoren demonstreerde. We bewogen ons in een sfeer van lawaaierige straffeloosheid, en werden welwillend begroet door metselaars, kokkinnen en elektriciens die deze buitensporigheden met een draai om de oren hadden bestraft als hun eigen kinderen zich zo hadden gedragen. De enige die ons afkeurend opnam, was Vittoria, een oud familielid dat door Giuseppes ouders was geadopteerd nadat ze alleen was achtergebleven in de bergen van Basilicata, en die nu haar dagen sleet in een schommelstoel voor de veranda. Met een blik op de schimmen die door de waas van haar cataract bewogen, meende Vittoria met name in het enthousiasme van de passanten ook een soort spot aan het adres van de heer des huizes te ontwaren. Vol van de ondankbaarheid, mensen eigen die een gratis gunst krijgen, beschouwden ze Giuseppe als een idioot die geen grens wist te trekken tussen zijn eigen privileges en die van de rest van de wereld, aangezien hij halve onbekenden (henzelf dus) toeliet tussen de standbeelden en duikplanken van zijn kitschparadijs.

De oude tante doorzag dat, schudde het hoofd en bleef ons in de gaten houden.

Op die dag in juli zaten we zoals gewoonlijk rond het zwembad.

Donatella had niets anders gedaan dan in de felle, scherpe vroege zomerzon uren liggen bakken aan de rand van het zwembad, tussen andere tieners die uiterst hoog opgesneden bikinibroekjes combineerden met een zebramontuur in de stijl van Jayne Mansfield. Om aan haar onbekende concurrentes duidelijk te maken welke positie zij in die kleine wereld bekleedde, stond ze rond het middaguur op en dook het water in. Ze zwom soeverein het zwembad over – en kliefde dus door het water met de heerlijke vermoeidheid waarmee een aartshertogin door haar salon waart. Toen ze weer aan het oppervlak verscheen, klom ze op het laddertje van de duikplank en ging languit op haar rug naast de plank liggen. Haar pikzwarte badpak parelde van de blinkende druppeltjes en ze liet een been in het ijle hangen.

Op dat moment begonnen Giuseppes gebruikelijke plagerijen: waterspatten, pathetische aanzoeken en een paar pogingen haar te betasten terwijl hij zich half aan het laddertje vastklampte. Donatella schreeuwde: 'Lul! Pas op of ik zeg het tegen je moeder!' Maar toen ze zich bijna helemaal weer aangekleed in de woonkamer aandiende in het gezelschap van twee poppetjes in tutu en lycra legging, reageerde mevrouw Rubino op het felle beklag over de liefdeskwellingen van haar zoon met dezelfde verstrooidheid die ze aan de dag zou hebben gelegd als we haar hadden verteld dat er iemand van ons door een overdosis met een hartstilstand uit het zwembad was gevist: 'Kom, jongens... flink zijn, niet ruziemaken!'

Na zonsondergang waren we moe en zongebrand naar Giuseppes kamer verhuisd. We keken naar de paarsige strepen waarmee de avond probeerde toch nog een verhaal te schrijven aan een hemel die tot dan toe een blanco blad van zomerpracht was geweest. We waren hoogstens met zijn tienen. Rachele en ik hadden besloten onze zwerftochten een dagje te onderbreken. We waren lijkbleek, en waren daar ook trots op, en we zaten lepeltje lepeltje. Giuseppe discussieerde met Giannelli over de mysterieuze seksoperatie van Amanda Lear en Donatella zat aan de overkant met een zakje chips in de hand. De anderen waren verspreid over het huis. Ze ontkurkten flessen, gebruikten de telefoon voor dure interzonale gesprekken, en zetten de grote stereo aan en uit.

Uit dat tumult kwam op een gegeven moment Vincenzo tevoorschijn. We hoorden hem de trap niet op lopen. Hij kwam met een halfleeg glas in zijn hand de kamer binnen, ging op de rand van het bed zitten en groette ons met een vriendelijke glimlach. Hij droeg een wit linnen hemd en een bandplooibroek. Giuseppe en hij keken elkaar aan. Giannelli probeerde het gesprek weer op gang te brengen. Toen richtte Vincenzo zich tot de heer des huizes: 'Lekkere wijn. Mag ik er nog wat nemen?'

Alsof Vincenzo iets *volstrekt* anders had gezegd, stond Giuseppe van de vloer op met een zelfverzekerdheid die die van zijn vriend had kunnen zijn. Hij richtte zich tot Donatella en zei met een wrange glimlach: 'Nu ga jij me kussen. Je kust me of ik maak er een eind aan.'

Iemand schaterde het uit. Vincenzo's gelaatsuitdrukking bleef onveranderd. Donatella, die in een hoek zat, moest voor de zoveelste keer haar refreintje opdreunen: 'Je maakt er een eind aan? Eindelijk!' En toen keek ze Giuseppe aan met een gezicht dat niet echt in overeenstemming was met de zojuist uitgesproken woorden. Hij liep door de openstaande deur naar het balkon, over het beton, klom over de balustrade en begon, terwijl hij de dunne metalen balk vasthield, boven de diepte heen en weer te wiegen.

Hij hield zich in evenwicht. Hij liet de balustrade los, viel achterover en greep, nadat hij een boog had beschreven waarvan de dramatische dwaasheid iedere keer groter werd, opnieuw de onderkant vast. Het was niet duidelijk of hij een spelletje speelde of zich echt te pletter wilde laten vallen. Zijn doel was niet dat Donatella (die nu de chips tussen haar vingers fijnwreef) echt geschrokken zou reageren of dat wij de bezorgdheid zouden vertonen die ons ertoe dwong onze armen uit te steken, op zoek naar een onzichtbare lijn om hem terug naar binnen te trekken. Hij richtte zich niet tot diegenen die hem al alle aandacht schonken, maar tot Vincenzo, die het tafereel maar bleef volgen terwijl hij zonder een woord te zeggen op het bed zat. Giuseppe liet de balustrade los, gooide zijn hoofd naar achteren en leek zich naar iets definitiefs te gooien. Donatella sprong overeind en schreeuwde: 'Stop, stop!' Ze liep met haar ogen vol tranen naar het balkon. In minder dan een flits sprong Giuseppe weer terug naar binnen, net op tijd om haar in zijn armen te sluiten. Donatella (die verslagen en verward en eindelijk vrij was) kon niet anders dan meteen zijn lippen beroeren om hem in een mix van adrenaline, chips en stinkende adem te kussen. Toen ze hem op haar tong proefde, kreeg ze een duidelijk beeld van alles wat ze tijdens de afmattende weken van hun hofmakerij al had vermoed, wat haar zo mogelijk nog verwarder maakte. Maar uit ons enthousiaste applaus begreep ze ook dat haar vrienden hun instemming betuigden, en ze bleef hem kussen.

We bleven nog een paar uur en in een sfeer opgeroepen door talloze lampjes en een tuintafel overladen met bekers koude sangria, voetbalden we tussen de heggen, luisterden we naar muziek en kletsten we uitgestrekt op ligstoelen nog wat met elkaar. Er werd getoost op het nieuwe stel. Giuseppe moest op zijn stoel gaan staan, in een absurde imitatie van hoe dat gaat op een bedrijfsfeest. Pippa sprong in haar nertsmanteltje als een gek op en neer, terwijl er jubelende kreten weerklonken en flessen werden ontkurkt. Donatella sloeg het tafereel gade terwijl ze probeerde de onbeschaamdheid terug te vinden waarmee ze uiteindelijk bereikte waar ze al jaren naar had gestreefd, de voorpagina van de *Bari Confidential*, zij het op een andere manier dan ze zich had voorgesteld. Meteen daarna begonnen Giuseppe en zij elkaar weer te kussen, zoals de proefperiode van nieuwe stelletjes voorschrijft.

Die toestand van teruggevonden harmonie had ook zijdelingse gevolgen. Rond elf uur 's avonds meenden een paar nieuwe gasten (twee jongens die we nooit eerder hadden gezien) Giuseppes succes te mogen afmeten aan de normen waarmee krediet wordt verleend. Ze vonden namelijk dat de heer des huizes ook hun iets verschuldigd was – boven op zijn gastvrijheid, de leeggehaalde koelkasten en de steeds brutaler afgetroggelde telefoontjes. Ze zonderden zich af van de overige aanwezigen, liepen het huis binnen en de trappen op. Ze braken heimelijk Giuseppes kamer binnen, waar – tussen de hopen lp's en videospelletjes en rondgestrooide gespen van El Charro – alles te vinden was wat een minderjarige zich in die dagen kon wensen. Ze aanschouwden de schatkamer, dachten aan de wettige eigenaar en trokken hun rugzakken open. Ze propten er alles in wat ze maar konden vinden, en toen de rugzakken vol waren, vulden ze ook hun broekzakken. Ze gingen de trap weer af, met lp's die ze nergens anders meer kwijt konden onder hun arm, richting hek. Ze liepen de tuin door, en deden geen enkele moeite om buiten het blikveld te blijven van Giuseppe (die er niet aan zou hebben gedacht Donatella achter te laten om erachteraan te gaan) of van diens moeder (die van de vrienden van haar zoon om het even welk gedrag tolereerde). Ze besteedden zelfs geen aandacht aan de aanwezigheid van Domenico Rubino. Die was doodmoe en met een somber gezicht van zijn werk teruggekeerd, en stond nu in zijn eentje naar een prachtig begoniaperk te kijken alsof de bloemen al een eeuw dood waren.

Toen ze ook Giuseppes vader voorbij waren, versnelden ze hun pas. Maar een paar meter voor de vrijheid ging er een ranke, blonde jongen voor hen staan. Zijn hemd was onbetamelijk ver losgeknoopt en hij had een dreigende zwarte rouwband om de arm. Hij lachte kil en wees naar de hoes van een van de platen: '*Siberia* van Diaframma? Prima keuze,' zei hij terwijl hij over zijn gezicht wreef. 'En nu gaan we terug naar boven en kunnen jullie hem helemaal beluisteren.' Een van de jongens probeerde te sjacheren: 'Luister, als jij er ook wat van wilt…' – 'Stelletje dieven,' onderbrak Vincenzo hem. De twee wisselden een snelle blik en besloten dat het niet de moeite waard was hun avond te verpesten door de confrontatie aan te gaan met iemand op wiens gezicht niet het broze licht van de rechtvaardigheid blonk, maar iets wat duisterder en concreter was, en dus ook veel gevaarlijker.

De diefjes keerden op hun schreden terug. Ze liepen terug

naar de villa en probeerden zo onopvallend mogelijk weer binnen te komen. Vincenzo hield hen in het oog totdat ze aan de achterkant uit het zicht verdwenen. Toen ze het huis binnen liepen, hoorden ze een stem van de veranda komen – waar Vittoria tussen bloeiende geraniums en muren behangen met porseleinen borden haar dood afwachtte.

De oude bleef haar korte litanie herhalen. Ze droeg een zwarte blouse en een zwarte rok, waaruit twee magere benen staken die voor een tachtigjarige buitengewoon glad waren. Ze zat in zichzelf te praten en bewoog haar hoofd nauwelijks, haartjes op haar jukbeenderen, zijdezacht als die van een knaagdiertje, glommen in het maanlicht, en haar ogen bleven gericht op een onbestemd punt in de verte. De familie Rubino had haar uit de bergen van Castelmezzano hierheen gebracht. Ze sliep in een klein kamertje van de villa en sloeg voor het overige in haar schommelstoel de opeenvolging van de seizoenen gade zonder dat de andere vrouwen haar stoorden of het waagden haar te vragen te helpen met het huishouden. Ze beschouwden haar waarschijnlijk als iets onbruikbaars en tegelijk heiligs, alsof Vittoria met haar tweeëntachtig jaar zelfs boven de negentigjarige grootmoeder van Giuseppe stond toen die met een klein legertje verpleegsters haar intrek nam in de villa. En hoewel ze geen flauw benul had van langspeelplaten, begreep de oude tante zodra ze de diefjes zag voorbijlopen (zonder ooit haar blik af te wenden van haar eeuwige ontsporing) alles wat er te begrijpen viel en begon ze te jammeren. Haar jammerklacht was bedoeld voor Giuseppe. Dat weet ik nu, maar ik had er toen slechts een verontrust gevoel over. Ik stond verlamd voor de veranda, en had net mijn handen onder Racheles T-shirt vandaan gehaald. 'Arme jongen, arme jongen,' herhaalde Vittoria. Haar repetitieve jammerklacht bood geen enkele troost en werd ondersteund door de krekels die meedogenloos waren beginnen te sjirpen: 'Arme… arme… arme jongen…'

Rachele zei: 'Kom, we gaan.' Iemand smeet Pippa in het zwembad. Iemand anders struikelde over het karretje met sterkedrank en gooide een stuk of zes glazen aan diggelen. Domenico Rubino liet de begonia's voor wat ze waren en bewoog zich langzaam naar het huis. Giuseppe maakte zich los van Donatella en riep: 'De watermeloenen! We gaan de watermeloenen halen!'

12

Er is altijd iets fout met het opsporen van oude vrienden. En toen Donatella's zwaardere maar daarom niet minder aantrekkelijke figuur onder het verlichte uithangbord MEUBELEN LATTANZI voor mijn ogen verscheen, had haar gefronste blik het al gewonnen van alle moeite die ik me wilde getroosten hartelijk te blijven – het belangrijkste resultaat van de volwassenwording.

Tien minuten eerder was ze nog druk doende geweest met een verloofd stel dat ze op sleeptouw had genomen langs de vijftig parketstalen die aan mobiele wanden hingen. Ze had hen laten plaatsnemen voor een bureau en was begonnen prijsopgaven af te drukken. Vervolgens had ze omgekeken en gemerkt dat ik haar via de etalage gadesloeg. De blik waarmee ze de twee klanten had veroverd, veranderde in een verwrongen glimlach – iets in haar moet hebben gehoopt dat er van onze telefonische afspraak nooit sprake was geweest. Maar daar stond ik. En Donatella had al spijt dat ze mij had laten komen.

Ze gaf de verloofden een hand. Ze liet zich vervangen door het meisje dat een kleine toonzaalkeuken stond op te poetsen en haastte zich naar de uitgang. Het witte licht van het uithangbord viel genadeloos op haar gezicht, waarop een *fond de teint* van een goed merk probeerde de sporen van een enigszins vervroegde veroudering af te vlakken. Maar voor mij was het alsof ze zojuist uit het zwembad van Giuseppe was opgedoken. Twee decennia waren in een oogwenk verdwenen, want niet in haar voorspelbaar uitgezette buik, die werd ingesnoerd door een gesp van D&G, noch in de rimpels op haar gezicht, maar in de twee kuiltjes die, ondanks haar verdriet, guitig met haar bolle wangen meebewogen, herkende ik de Donatella van weleer. En dat, dacht ik, is de enige beloning waarop we kunnen hopen: erin te slagen in een ruimte die jaar na jaar steeds beperkter wordt, het levendige en ongewijzigde deel te treffen van wat we ooit in overvloed hebben gezien in mensen die we wel mochten. We omhelsden elkaar. Toen zei Donatella: 'We kunnen in een cafeetje hier vlakbij iets gaan drinken.'

De hele vorige dag had ik doorgebracht in het huis van mijn moeder. Met het telefoonboek opengeslagen op mijn benen bleef ik maar 'neemt u me niet kwalijk' herhalen, telkens als een mannenstem die van de echtgenoot van Donatella had kunnen zijn of een vrouwenstem die de hare niet was me zei dat ik verkeerd verbonden was.

Ik wist inmiddels welk soort verrassingen het gevolg konden zijn van een ontmoeting tussen mensen die jarenlang niet de behoefte hadden gevoeld elkaar op te zoeken en – vooral in het geval van mensen die hun eigen leven stevig in handen hadden, zoals naar ik aannam inmiddels ook Donatella – ik kon me voorstellen hoe onaangenaam zelfs een eenvoudig telefoontje van een oude kennis kon zijn. Maar mijn behoefte om de versie te horen van de vrouw die de officiële vriendin van Giuseppe was geweest, en de al even officiële minnares van Vincenzo (zo hield ik mezelf voor als ik alweer een volgend nummer intoetste) had intenser en tegelijk rustiger, kortom *krachtiger* moeten zijn dan haar mogelijke ergernis.

Nu zaten we tegenover elkaar in een kroeg vlak bij de oude stad. Donatella had twee minuten met de eigenaar van de zaak gesproken en was naar tafeltjes achter in de zaak gelopen. We hadden in stilte onze eerste slokken witte wijn gedronken. Even dacht ik dat ik daar niet hoorde. Ik voelde me gegeneerd. Maar toen hief Donatella haar glas en stak van wal: 'Een miljard en achthonderd miljoen stommiteiten... Dat was mijn echte erfenis.'

Ze doorliep de tussenstappen van een verhaal waarvan ik de afloop al voor me zag: een gezicht waarop niet één teken van veroudering losstond van een aangegane en gewonnen strijd. Ze vertelde me hoe haar vader een paar weken voor haar twintigste verjaardag was geveld door een infarct. 'Het derde. Het derde en verrekte laatste bedrijf.' – 'Verrekte?' vroeg ik. 'Vier pakjes sigaretten per dag als je al twee bypasses hebt, da's een soort zelfmoordpoging,' zei ze. 'Maar als de belangrijkste bron van inkomsten van een gezin van vijf een meubelzaak is die op de rand van de afgrond staat, dan is het een meervoudige moordpoging.'

Een tijdbom. Dat waren de laatste beschikkingen van haar vader geweest: een zaak die in het vorige decennium had geschitterd, maar die – in het begin van de zo minimalistische jaren negentig, die op zo hypocriete wijze onthouding huldigden – inmiddels een opeenstapeling van pretentieuze barokke vulgariteiten was geworden. 'Schoonmoeders...' zei ze. Alleen een schoonmoeder die haar wraak gestalte gaf door een bank met tropische bloemmotieven te kopen om die cadeau te doen aan haar eigen schoondochter, alleen dat soort haat bracht in het begin van de jaren negentig nog klanten naar de zaak. Dat fenomeen was voor zijn eerste bypass nog niet begonnen, het kreeg pas vorm toen haar vader met de rekeningen in zijn hand voor een loket van het postkantoor in elkaar zakte en werd pas echt tastbaar een jaar na zijn begrafenis, toen uit de omzet bleek dat de zaak onafwendbaar op een bankroet af stevende. 'Het probleem waren niet de zitbanken van palissanderhout die in de etalage stof stonden te verzamelen. Het probleem was de koopwaar ter waarde van een miljard en achthonderd miljoen lire die stond opgeslagen in het magazijn: slingerklokken, hoekkastjes en reiskoffers die goed waren voor het platteland van Abessinië, wereldbollen met de dierenriem, dressoirs in neobourbonstijl, presse-papiers in de vorm van een ooievaar... Honderden artikelen die haar vader ooit zorgvuldig had geselecteerd toen hij nog in goede lichamelijke en geestelijke gezondheid verkeerde, maar die hij de laatste jaren vrijwel ongeremd had verzameld, alsof hij zijn dood voelde naderen en hij die ordergewijs wilde tarten. 'Of erger nog, omdat hij voor ons een verstikkende aanwezigheid wilde blijven. Geen herinnering blijft levendiger dan een die nabestaanden tot in lengte van jaren angst aanjaagt. Mannen van zijn generatie waren onvoorstelbaar arrogant.' Of misschien, bedacht ik, was hij een van de vele ondernemers die zich in de jaren tachtig handig en leep hadden getoond zodat de successen zich hadden opgestapeld, maar die in het volgende decennium begonnen door te draaien. 'Feit is dat ik de hele boel heb mogen opruimen.'

Ze had de mouwen opgestroopt en de zaak van haar vader binnenstebuiten gekeerd. Ze was bereid geweest jarenlang niet meer dan vier uur per nacht te slapen, had schuldenputten gegraven en weer gedempt, was in heel Italië op zoek gegaan naar handelaren aan wie ze onder de prijs die gruwel van mahonie en massief notenhout kon doorverkopen. Ze smeerde toekomstige bezoekers van pandjeshuizen rommel aan en liet zich vervolgens vernederen door leveranciers voor wie ze niet meer was dan de wanhopige dochter van een man die zijn verstand had verloren. Maar ze was erin geslaagd zelfs hún respect te verdienen. Ze had evenveel overtuigingskracht gekregen als een man, méér overtuigingskracht dan een man zelfs, ze had geleerd in haar blik de principes van iedere goede handelsovereenkomst – verleidelijkheid en dominantie – te laten schitteren, zodat die leveranciers hadden toegegeven en ze de witte vlag hadden gehesen voor deze natuurkracht met brede riem en hoge hakken. Nu moest ze alleen nog afrekenen met de directeur van een financieringsmaatschappij.

'En zo heb ik alles op orde gebracht,' zei ze toen we al een halfuur in de kroeg zaten.

Waarom verspilde ze zo veel tijd? Vanwaar die behoefte zo hard van stapel te lopen en me haar hele leven te vertellen zonder dat ik erom had gevraagd? *Afstand nemen...* Daarom dus. Door me te vertellen over de moeilijke tijden die ze had meegemaakt, wilde ze me misschien duidelijk maken hoe verschillend de problemen waren geweest, hoe anders de hindernissen die ze had moeten overwinnen, en dat allemaal *nadat* we elkaar uit het oog waren verloren. De rest kon ik zelf ook wel zien: een innemende, zelfverzekerde vrouw, niet knap, maar zelfs niet zo gehard dat ze niet oprecht aantrekkelijk kon zijn voor een bepaald soort mannen. Haar lege ringvinger deed me veronderstellen dat ze nooit getrouwd was, of toch zeker al gescheiden. Op een bepaald moment was ik er zeker van dat ze met een wagen met zware motor reed, een danscursus volgde en geen huisdieren had, en dat een van haar vriendinnen een touroperator was die iedere zomer een reis naar Phuket of Havana voor haar regelde. En ook dat leek me heel aanvaardbaar: dat was allemaal gebeurd in de jaren negentig en daarna, maar zeker niet eerder.

Maar toen greep ze de hals van de fles beet en goot wijn in mijn glas. Ze slaakte een diepe zucht en vroeg: 'Heb je nieuws over hem?'

Die *hem* was Giuseppe. Dat wist ik zonder dat ze het verder hoefde te verduidelijken. Dus antwoordde ik: 'Ja, ik heb nieuws over hem.' Ik zag Donatella veranderen in het meisje dat ze ooit was geweest. Ik genoot ervan de ergernis op haar gezicht te zien, omdat ze tegen haar wil al te vertrouwelijk had gekeken toen ik eraan toevoegde: 'Hém ga ik over twee dagen opzoeken.'

Tijdens ons telefoongesprek, voordat ik haar in haar zaak mocht komen opzoeken, waren er een paar momenten van absolute stilte gevallen. Tijdens die pauzes was ik er zeker van dat Donatella voelde wat voor mij de reden was om bij haar langs te gaan. Daarom zei ze: 'Vincenzo', nog voordat ik uitgesproken was. Ze had willen antwoorden: *Hoe dan, ga je over twee dagen Giuseppe opzoeken?* Maar om te bewijzen dat ze de toestand onder controle had, zei ze: 'Vincenzo... Is hij ook een halte op je pelgrimstocht?'

'Vincenzo heb ik een paar maanden geleden al gezien,' antwoordde ik. Het was mijn tweede stoot onder haar gordel.

Toch lachte Donatella. Haar mondhoeken krulden naar boven en ze liet met een afkeurend hikje haar tanden zien. Ze schudde het hoofd, alsof ze wilde zeggen: *Hoe is het toch mogelijk dat wij nooit lessen trekken uit het verleden? Waarom moeten wij hier nog zitten, waarom nog altijd wij, nog altijd samen?* En dus liet ze zich gaan. We waren niet langer twee halve vreemden en we aanvaardden de natuurwet die stelt dat twee mensen die iets belangrijks hebben gedeeld voorgoed met elkaar verbonden zijn. Er is een knop waarop ze elk willekeurig moment kunnen drukken om elkaar te chanteren, om elkaar te kwetsen, om de ander tot praten te dwingen. Er was op die knop gedrukt, en wat konden wij doen? We lieten ons neerhalen. 'Dat wil je weten?' vroeg Donatella, nog steeds met diezelfde smalende glimlach. Ik nam een slok. 'Nou, ik wil alles weten wat ik nog niet weet.' – 'Oké dan, de eerste keer dat ik...'

Op dat moment voelde ik fysiek iets onder ons lichaam in beweging komen – een kleine schokgolf voerde ons terug naar die tijd. De Eurythmics stonden weer in de top tien, *Dirty Dancing* stond weer op affiches, er was weer een IJzeren Gordijn, en Thatcher werd voor de derde keer verkozen, en... we waren terug in 1987.

'De eerste keer dat ik met Vincenzo naar bed ging, was in de lente van 1987, minder dan een jaar na de avond waarop ik praktisch gedwongen was de vriendin van Giuseppe te worden. Ik weet het nog, dat het lente was, omdat de wereld diezelfde week in rep en roer was omdat die jongen op het Rode Plein was geland. Herinner je je dat knotsgekke verhaal?'

De jongen met de Cessna, herinnerde ik me, de Duitse student die een eenmotorig vliegtuig had gehuurd en in Helsinki was opgestegen nadat hij een fictief vluchtplan op de luchthaven had achtergelaten. Hij zette zijn radio uit, week af van zijn route, en toen ze in de controletoren 'wat gebeurt er?' begonnen te herhalen, vloog hij al op lage hoogte tussen Helsinki en Moskou. Die eenentwintigjarige die op het Rode Plein was geland om voor de wereldvrede te ijveren, had ervoor gezorgd dat tweeduizend officieren werden ontslagen en dat tweehonderd anderen werden veroordeeld tot dwangarbeid in Siberië. Die vermagerde half amateuristische piloot was, nadat hij was vrijgelaten, net op tijd terug in Duitsland om in een hevige mediastorm te belanden (is hij een held? een gek? een waaghals? een bedreiging voor de wereldvrede?). De jongen stond al op de rand van een zenuwinzinking en werd na al die media-aandacht echt gek. Later werd hij gearresteerd voor een poging tot moord, voor een poging tot oplichting en voor de diefstal van een kasjmiertrui in een supermarkt. De al niet meer zo jonge dertiger die de wereld in twee blokken verdeelde, is niet meer, en zijn daad uit 1987 heeft op geen enkele manier bijgedragen aan de ontzagwekkende veranderingen die die wereld sindsdien heeft beleefd. Wat komen moest dat kwam, en zijn landing van tien jaar eerder werd nog wel in de kranten herdacht, maar het bericht verhuisde van de politieke pagina's naar die over faits divers en zo naar de roddelrubriek en de pagina met dwaze weetjes... Zijn stunt heeft niets concreets opgeleverd, of het moest zijn dat het leven van tweeduizendtweehonderd voormalige Sovjetburgers kapot was gemaakt en dat Mathias Rust steeds meer blijken gaf van onevenwichtigheid. En niet de mythe van papier-maché die op het Rode Plein was geland, maar de jongen Mathias Rust die stilletjes in zijn bed zat te huilen... Niet de 6-3, 6-3, 6-4 waarmee Ivan Lendl dat jaar op de US Open McEnroe versloeg, maar Donatella die zich weer aankleedde terwijl Vincenzo nog languit op bed lag... Zelfs niet de Geschiedenis, die doorstoomt als een pantserkruiser waarop eenieders nagels een steeds vager wordend spoor achterlieten dat ten slotte helemaal onzichtbaar wordt, maar het leven van de mensen over wie niemand ooit iets te weten komt.

'Maar eerst was er het einde van 1986 en het begin van het volgende jaar,' zei Donatella. En toen vertelde ze me wat iedereen al had geraden, maar wat nu pas officieel werd uitgesproken: haar relatie met Giuseppe bleek vanaf de eerste dagen een fiasco. 'Wat een ramp!' zei ze, en ze schonk me nog wat wijn in.

Ze vertelde me hoe hun intieme leven beperkt bleef tot een paar kussen die ze voor het merendeel in het openbaar uitwisselden. Ze vertrouwden elkaar nauwelijks iets toe. Ze verveelden zich urenlang te pletter in de villa van de familie Rubino, gevolgd door nog saaiere uitjes in de stad, waar ze hand in hand gingen shoppen. De seks dan. 'Negen maanden!' zei Donatella. Bijna driehonderd dagen gingen ze met elkaar om en wist hij het probleem steeds weer te omzeilen.

Donatella's ervaring op dit gebied was beperkt tot het feit dat ze zich voordat ze Giuseppe leerde kennen meer dan eens had laten meetronen naar de vestiaire van een middagdiscotheek. 'Maar Giuseppe deed alles wat in zijn macht lag om die minimale ervaring te doen omslaan in absolute paniek.' Giuseppe *verplaatste zich*. Het gebeurde dat toen ze alleen in zijn kamer zaten ('Ik weet zelfs niet meer hoe, maar op een bepaald moment kon ik hem zelfs kussen als we alleen waren'), Donatella zijn been probeerde te strelen en langzaam opschoof naar de knoop van zijn Levi's 501. Op dat moment ('Jezus!' lachte ze, 'hij leek wel de sjamaan van de gemiste wip: hij kon die verrassingen écht oproepen!') ging de telefoon of viel zijn moeder de kamer binnen met haar gebruikelijke grapefruitsapjes, of hoorden ze aan de deur krabben: 'Dat kuthondje met zijn nertsmanteltje.' En als er geen onverwachte ontwikkelingen waren? 'Tja. Dan ging Giuseppe op de rand van het bed in zijn telefoonboekje zitten bladeren. Het schoot hem te binnen dat híj iemand moest bellen. Dan zorgde hij er zelf wel voor dat er iets fout liep.'

'Hij was bang,' probeerde ik het te vergoelijken. 'Je snapt het echt niet.' Ze staarde me meewarig aan. 'Het had niets te maken met angst. Zelfs niet met het feit dat Giuseppe alleen maar mijn vriendje was omdat híj hem had aangespoord tot een initiatief dat voor hemzelf hoegenaamd niet hoefde. Hij wilde gewoon niet. Hij had begrepen in welke wereld we opgroeiden. Wie kon dat beter inzien dan de eigenaar van een hond in een nertsmanteltje? Hoe paradoxaal het ook mag lijken, maar Giuseppe was zuiver. Een idioot, van top tot teen. De zuiverste mens die ik mijn hele leven ben tegengekomen.' Ze klemde haar kaken op elkaar. 'En daarom ben ik op een bepaald moment verliefd op hem geworden.' Omdat het haar gelukt was, bedacht ik, de in een kassa verborgen Parsifal te ontwaren die achter Giuseppe stond. Maar al het overige dreef haar tot wanhoop: 'Ik keek hem aan en had zin om hem een oplawaai te verkopen. *Waarom knoopt hij mijn blouse niet los? Waarom kunnen we verdorie niet doen zoals alle anderen?*'

'Ik denk dat ik het heel goed snap,' probeerde ik het verloren terrein terug te winnen.

'Iedere avond bracht hij me met zijn Zündapp naar huis,' ging ze verder zonder op mijn woorden te reageren. 'Hij leek wel gek. Herinner je je die plattelandsmeisjes die thuis opgesloten zaten en op een bepaald moment als gekken op straat begonnen te dansen? Nou, ik keerde naar huis terug en zette de radio loeihard aan. En weet je wat je toen te horen kreeg als je de radio aanzette? *Boys* van Sabrina Salerno!' Toen begon ze te lachen.

'En andere jongens? Was er dan niemand anders, toen, die in jou geïnteresseerd was?'

Donatella richtte haar hoofd een beetje op, zodat ik haar hals beter kon zien, en onder die hals haar grote boezem, ingesnoerd in een fuchsia topje met gouden kettinkjes erop. 'Kijk...' zei ze, 'en bedenk even hoe ik er op mijn zeventiende uitzag.'

Toen ze zeventien was, kon je inderdaad je ogen niet van haar afhouden. Je kon nauwelijks je *handen* van haar afhouden. En toch, zo vertelde ze, papte van juli tot de daaropvolgende lente niemand met haar aan. Ze was gewend geraakt aan de hongerige blikken en knipoogjes van mannen, en als het spottende blikken waren (zoals toen ze die belachelijke ballonnetjes aan haar schouderbandjes had bevestigd), sprak er toch een gegeneerde begeerte uit. Maar toen niets meer, stop, afgelopen. Die toestand bracht haar aanvankelijk van haar stuk. Niet omdat ze naar die blikken smachtte, maar omdat ze het nu eenmaal gewend was. 'Hij...' Ze fronste haar wenkbrauwen. 'Het is me pas later duidelijk geworden, maar híj was het. Het kwam door Vincenzo dat niemand toen een woord met me wisselde.'

'Wil je me wijsmaken dat Vincenzo aan de jongens van onze groep vroeg om jou niet te versieren?' – '*Vragen?* Het was een bevel!' – 'En hoe dan wel?' vroeg ik sarcastisch. 'Elk apart, of riep hij iedereen samen in de sportzaal?' – 'Dat is wat hij deed, en daarmee uit.' – 'En waarom dan wel? Om je in de lente makkelijker zelf in bed te kunnen krijgen?'

Donatella bestelde nog een fles. Ze zuchtte geërgerd en zei: 'Je bent het spoor bijster. Je stelt je alles absoluut te eenvoudig voor. Als ik je nou vertel dat Vincenzo voor Giuseppe gevoelens koesterde die minstens dubbelzinnig te noemen waren, begrijp je dan wat ik bedoel? Als ik je vertel dat hij hem wilde beschermen, dat hij nooit zou hebben toegestaan dat iemand anders het vriendinnetje van zijn vriend veroverde. Als ik je vertel dat hij ervan droomde hem kapot te maken, dat hij hem zelfs door zijn verraad had willen beschermen. Vincenzo was de vastberadenheid in hoogsteigen persoon, maar Giuseppe was op zijn manier integer, wat veel meer waard is dan gewoon vastberaden zijn. Bedenk eens hoe Vincenzo zo iemand kon beminnen en benijden. En denk vervolgens eens aan Giuseppe. Hij had het tegen mij *voortdurend* over Vincenzo. Hij verafgoodde hem niet alleen, maar eiste dat ik dat ook deed. Terwijl ik hem toen natuurlijk haatte. Ik haatte ze allebei. En toen was er dat feest in de buurt van de Camelot... Herinner je je dat nog?'

De Camelot was een alternatieve discotheek aan de rand van de stad. De Ozric Tentacles hebben er opgetreden. De Fuzztones ook. En uiteraard de Litfiba met op drums Ringo De Palma, die toen nog leefde. Het echte trefpunt van de fanatieke liefhebbers van de ten dode opgeschreven rockmuziek. Maar het feest *in de buurt van* de Camelot... Zelfs de precieze locatie was niet duidelijk. Het ging om een verlaten villa te midden van de velden. Die avond werden er generatoren naartoe gebracht, en Marshall-versterkers die op elkaar werden gestapeld tot één grote geluidsmuur. Het was een soort raveparty avant la lettre, een heksenketel waarin honderden jongeren dansten op de bonkende ritmes van de eerste techno. Ze waren ontketend en schreeuwden. Sommigen stopten zich vol met pillen en verloren liters zweet. En tot slot viel de politie er binnen.

En op een bepaald moment stond Donatella als een bezetene op een van de versterkers te dansen.

'Eerst was ik pisnijdig. Maar toen klom ik op die versterker en begon te dansen.' Ze legde uit dat ze alvorens naar het feest te gaan een zoveelste middag bij Giuseppe thuis had doorgebracht zonder dat er iets van gekomen was. Ze kwam samen met hem in de villa aan toen de binnenplaats al propvol mensen stond. Ze liet zijn hand los, begaf zich bij de eerste de beste gelegenheid onder de menigte en wurmde zich toen tussen tientallen bezwete lichamen. Die enorme drukte, dat geschreeuw en gegil, die *energie*. Haar frustratie veranderde in iets bevrijdends, en dus klom ze op de versterker en begon te dansen. Met haar heupen maakte ze steeds sensuelere bewegingen en ze trok de aandacht van iedereen die haar met open mond vanuit de diepte stond te bekijken. Ze stak haar armen omhoog en sloot haar ogen en draaide met haar hoofd alsof ze het eerste echte orgasme van haar leven nabij was. Maar voordat iemand naar voren kon komen – en een van de kerels met opengesperde pupillen zou zeker naar voren zijn gekomen – opende ze haar ogen weer en zag ze hoe de ranke Vincenzo haar verwijtend aankeek.

'Ongelooflijk hoe die jongen je in elkaar kon doen krimpen. Twee seconden eerder stond ik me op die versterker aan te stellen. Hij zei: 'Kom naar beneden.' En ik volgde hem braaf en gedwee naar buiten...'

Of ik het me herinnerde? Of ik me het feest in de verlaten villa herinnerde? Rachele en ik waren die nacht helemaal ontketend. We dansten tot we erbij neervielen en probeerden al het onbehagen dat we de maanden ervoor hadden opgekropt van ons af te schudden, toen duidelijk werd dat fanzines en concerten en scootertochtjes geen oplossing waren voor onze problemen. Nou en of ik het me herinnerde... Ik herinnerde me vooral dat ik een paar uur eerder de Vespa bij het station had geparkeerd en snel door de perkjes op de Piazza Umberto was gelopen. Rachele wachtte me op bij de Piazza Garibaldi. Ik moest dus dwars door de menigte op de Via Sparano, de geloofwaardige goedkopere plaatselijke versie van de Milanese Via Montenapoleone, waar alle dames van Bari heen en weer liepen en graag de tijd namen voor een ijsje alvorens hun tocht te vervolgen langs de dure modezaken.

Ik weet niet hoe ik het in al die drukte heb kunnen zien. Ons fotografisch geheugen moet iets bovennatuurlijks bezitten (het onmiddellijke vermogen om de herinnering aan een volledig beeld in verband te brengen met het vluchtige passeren van een fragment ervan), want voor die juwelierszaak zag ik talloze hoofden, en meer dan het dubbele zag ik op straat langskomen, en zelf had ik er aan de overkant op het trottoir stevig de pas in. En toch bleef ik staan. Ik bleef staan en keek beter. Ik dacht dat ik me vergiste en had alweer een paar stappen gezet toen ik besefte dat ik me hoegenaamd niet had vergist.

Gekleed in een tailleur tot aan de knie boven een paar gelakte schoenen wees mijn moeder iets aan in de etalage. Naast haar stond een scherpere, slankere gedaante, een meisje dat misschien niet zo chic gekleed was, maar wel begiftigd met een agressiviteit die haar lange luipaardjas geloofwaardig maakte. Een lenteavond zoals zovele andere: mijn moeder en de vrouw van Vincenzo's vader die samen aan het winkelen waren. *De lerarenkamer… giste ik, het centrum van alle buitenschoolse intriges van het Cesare Baronio*! Daar moest mijn moeder haar hebben aangeklampt. Of aangezien ik had geweigerd zijn medeplichtige te worden, had mijn vader haar wellicht op verkenning gestuurd. Hoe lang gingen ze al met elkaar om? En in welk stadium waren de hoofdrolspelers in deze komedie inmiddels aanbeland? Mijn vader en meester Lombardi: hadden ze elkaar al de hand geschud? Waren ze al samen uit eten geweest?

Ik sloeg het tafereel stomverbaasd gade, totdat de twee vrouwen de etalage lieten voor wat die was en opgingen in de menigte midden op straat. Ik zag de benen van mijn moeder tussen andere benen bewegen, vervolgens haar lakschoenen, en toen niets meer. Ik had haar nog liever op overspel betrapt.

Ik ging Rachele oppikken. Een paar uur later kwamen we aan op het feest. We gaven niets om techno. We gaven al evenmin iets om rock. En de studs die op de jassen van punkers zaten, vond je inmiddels kant-en-klaar in klerenwinkels. Die punkers trokken trouwens 's avonds netjes hun boots uit en sliepen tussen versgewassen lakens. Hun moeders beschikten over een arsenaal glimlachen die de dreigende garderobe van hun kinderen en de waanzinnige slogans die hun walkmans uitbraakten reduceerden tot het equivalent van een waterpistool. Die moeders stapten resoluut in hun maatpakjes de lerarenkamer binnen om er met succes diplomatieke missies voor rekening van hun echtgenoot tot een goed einde te brengen. Onze ouders schitterden in het felle licht van hun welstand, maar wij voelden ons waardeloos. En terwijl Rachele en ik voor elkaar stonden te springen om ons af te reageren, zagen we op een bepaald moment Donatella op de versterker iedereen zo ongeveer uitnodigen om haar levend te verslinden.

'Hij dwong me van die Marshall af te komen en samen liepen we naar buiten.' Donatella had zich een weg gebaand tussen de menigte. Ze volgde Vincenzo door haar voet op de imaginaire lichtvakjes te zetten die oplichtten net voordat ze een andere richting uit kon gaan. Ze liepen een paar minuten door de velden. De muziek veranderde in een verre geluidsbrij. Vincenzo legde zijn hand op haar schouder en toen pas besefte Donatella dat ze altijd al had geweten dat een dergelijk tafereel vroeg of laat stond te gebeuren.

'En zo werd ik zijn minnares,' zei ze om tien uur 's avonds, toen de zaak rustig was leeggelopen en vervolgens weer door andere mensen was gevuld.

Ze bevestigde wat we bijna een jaar lang hadden vermoed. Ze was de vriendin van Giuseppe en ze neukte met Vincenzo. Ze zat urenlang opgesloten in de kamer van Giuseppe, waar hij haar maar bleef onderwerpen aan platen die hij sneller hamsterde dan het menselijk oor aankon. En dus kon Donatella, terwijl ze hem toch wel mocht, eindelijk denken: *ik haat hem.* Ze haatte hem, de platen, dat huis, de mobiele parkeergarage... Dat weerhield Giuseppe er niet van de Bangles van de platenspeler te halen en er *It's My Life* van Talk Talk op te leggen. Hij nam Talk Talk eraf en legde er Depeche Mode op, daarna Cindy Lauper, daarna Luis Miguel, en niet omdat hij niet zag hoezeer hij zijn vriendinnetje daarmee ergerde. 'Het was alsof hij integendeel mijn ergernis wilde voeden. Hij maakte de zaak compleet. Hij versloeg mijn schuldgevoel.' Hij gaf haar de kracht een uitvlucht te verzinnen en zich naar Vincenzo te haasten.

'Het was duidelijk dat Giuseppe die uitvluchten niet geloofde. Het waren bijna altijd verzinsels, absurde leugens. Maar ik moest me inbeelden dat ik er wel in geloofde, anders was ik gedwongen geweest na te denken over het feit dat ik deel uitmaakte van een spel waarin ik niet eens een pion was. Ik zou hebben gedacht dat hij, Giuseppe, me in de armen van zijn vriend dreef.' – 'Waar zagen jij en Vincenzo elkaar?' – 'O, gewoon, bij hem thuis,' zei ze nadat ze tevergeefs had geprobeerd de ober te laten komen voor de rekening.

Als de advocaat en Sabrina niet thuis waren, zagen ze elkaar in die heldere kamers met uitzicht op de jachthaven. Donatella snelde naar de bovenste verdieping, en voelde tot in de lift de impuls die haar uit de villa van Giuseppe had verdreven. 'Naar het schijnt zou dit soort bedrog vooral diegenen die het plegen kwetsen.' Ze zweeg even. 'Vroeg of laat, misschien.' Ze zei dat ze zich, toen ze het penthouse binnen stapte, overvallen voelde door een lichtzinnigheid en een snelheid die haar het gevoel gaven zich in het centrum van de menselijke onbekommerdheid te bevinden. Vincenzo liet de deur op een kier staan nadat hij aan de deurtelefoon 'kom maar' had gezegd. Hij ging in de eetkamer zitten, zodat zij hem daar aantrof, aan tafel met twee kopjes nog dampende koffie. Ze groetten elkaar, dronken koffie en gingen neuken.

'Hoe hij was? Wil je ook dat weten? Nou, het was zoals neuken met een lijk,' zei ze. Ik stond versteld.

Niet toen hij haar armen begon te strelen. Niet toen ze hun kleren uittrokken en in bed doken. 'Later, even voordat ik zijn bekken voelde trillen. Toen keek ik hem in de ogen en: *niets,* – dacht ik – *in deze jongen zit niets.*' Maar daarvoor zag ze andere dingen. In het oprechte enthousiasme waarmee Vincenzo bij haar binnenkwam, vond ze bijvoorbeeld gedurende een ogenblik Giuseppe terug. 'Toen kwam zijn vader thuis...' zei ze. Haar verhaal ging eindeloos veel verder dan ik nog maar een paar uur eerder had durven denken. 'In feite waren we aan het neuken in het penthouse van de advocaat, en niet één snuisterij, niet één stuk bestek in dat huis kon los worden gezien van de man die hij haatte.' Donatella vertelde me hoe ze dit zo menselijke gevoel, zo vol onmacht, onder zijn oogleden voelde trillen, ze voelde een haat die nog niet het kwade was, die er misschien op alludeerde, die misschien naar het kwade zocht, die het kwade *verlangde,* maar die veroordeeld was het niet te kunnen bereiken. Op het hoogtepunt van hun middagseks, toen ze verwachtte dat de echte Vincenzo zich zou blootgeven, keek ze hem in het gezicht. 'De leegte,' zei ze droogjes. 'Het was alsof de mens genaamd Vincenzo Lombardi nooit geboren was.' Nu hield ze de ober staande en vroeg de rekening.

'Weet je,' zei ze toen ze voor ons allebei had betaald, 'ik geloof dat Vincenzo in die periode een heleboel dingen begon in te zien. Over zijn vader, in de eerste plaats. Het zou hem nooit lukken. En over die vrouw in Japigia. Hij was haar kwijt.' – 'In welke zin?' vroeg ik. – 'Hij heeft me er nooit iets over verteld. Er is iets gebeurd. Iets onaangenaams, veronderstel ik. Hij kon het zelf ook niet helpen dat hij haar kwijtraakte.' – 'En welke gevolgen had dat volgens jou allemaal?' – 'O...' zei ze resoluut, 'dát had hem boosaardig gemaakt. Kun je je voorstellen wat het met iemand doet die zo vol is van zichzelf als hij op een bepaald moment met zijn hoofd tegen de muur van de realiteit loopt? Dáárom heeft hij ons allemaal meegesleept naar Japigia. Naar het appartement van Santo Petruzzelli... Aan hem hadden we die rottijd te danken. We hebben het aan de zoon van meester Lombardi te danken dat het met Giuseppe zo is afgelopen. Wat niets afdoet aan mijn eigen verantwoordelijkheid.' – 'Bedoel je...' opperde ik sarcastisch, terwijl ik met mijn enige bluf van de hele avond gevoelens op Donatella projecteerde die ikzelf al een jaar of tien met me meedroeg, 'bedoel je dat Vincenzo ons naar Japigia bracht met de uitdrukkelijke bedoeling ons pijn te doen?' – 'Luister!' Ze liet me mijn zin niet afmaken. 'Dit is het laatste wat ik erover zeg, en dan kunnen we geloof ik maar beter afscheid nemen.' Ze stond op en pakte haar handtas 'Ik bedoel niet dat hij een uitgewerkt gemeen plan voor ogen had of zo. Maar is het je in je leven nooit overkomen dat je een resultaat had bereikt – laten we zeggen een rampzalig resultaat – en dat je als je erop terugkeek, moest toegeven dat alles in jou naar die afloop had gestreefd, zonder dat je het echt wilde, zonder dat je er ooit in detail over had nagedacht? Het is al laat,' zei ze zonder op haar horloge te kijken.

Uiteraard herinnerde ik me Japigia en het appartement van Santo Petruzzelli. Ik herinnerde me die rottijd en vooral de manier waarop Rachele en ik dagelijks over de hangbrug boven de spoorweg reden die naar die wijk leidde, in de overtuiging dat we een toevluchtsoord hadden gevonden om te ontsnappen aan de grote tijdsgolf die vanuit het centrum van de stad geleidelijk iedereen begon te overspoelen, en het individu dat hij was geweest veranderde in niet meer dan een herinnering, een stuk historie. Maar Giannelli stak die brug nooit over, Puglisi ook niet, Vanessa en Romina evenmin. Zij werden in mijn ogen in het najaar van 1987 al wat ze nu nog altijd zijn. Maar Rachele, Vincenzo, Giuseppe, Donatella en ik... Wij leefden voorgoed op die manier door. En hoewel Donatella nu afscheid van me wilde nemen, voor altijd wilde verdwijnen, en me misschien ook wel wilde zeggen dat haar huidige leven niets te maken had met dat van toen, me nu op de stoep voor de kroeg de hand schudde, en me de rug toekeerde, die avond in Bari in 2008, en hoewel de vrouw die ze was geworden nu in een auto stapte waarvan ik het merk en de motorinhoud niet kende, was het meisje nog altijd daar. Ik hoefde de knop maar om te zetten en ze was er, ik hoefde maar een herinnering aan haar op te roepen en ze zat nog steeds in de val. Nog altijd daar, nog altijd wij, nog altijd samen.

De eerste keer – bedacht ik – *de eerste keer dat Vincenzo ons naar het huis van Santo Petruzzelli bracht.*

13

We waren nooit eerder in een drugshuis geweest. Het was ons vooral nooit gebeurd dat we een hele wijk doorkruisten waar de gregoriaanse kalender vervangen was door de schema's van de dealers. We hadden talloze verhalen gehoord over Japigia, maar er een voet binnen zetten was andere koek.

We kwamen er aan op een herfstmiddag. Rachele en ik zaten op de Vespa, en we volgden de Zündapp waarmee Giuseppe en Donatella ronkend de brughelling op reden. Het was alsof we een diepe kloof tussen twee werelden overstaken. We reden de kerk in de vorm van een paddenstoelwolk voorbij. We sloegen links af, langs de zogenaamde 'laagbouw', een reeks van huizen die eruitzagen als konijnenhokken, bekleed met een laag gewapend beton. We reden door de Via Caldarola en lieten de wrakken van twee uitgebrande auto's achter ons. De eerste volkse woontorens kwamen in zicht, achter steeds bredere, stille rijbanen, terwijl de volstrekt heldere septemberhemel boven ons hoofd een ware titanenstrijd uitvocht met de horizon. Op dat moment waren we al doordrenkt van het gevoel dat we duizenden kilometers van huis waren.

Toen hij ons zag, sprong Vincenzo van het stenen muurtje waarop hij ons zat op te wachten. We volgden hem over de binnenplaats van een tien verdiepingen hoog appartementsgebouw dat eenzaam in een uithoek stond. We liepen door de ingang en gingen acht trappen naar boven. Ik wist niet – en vroeg me niet af – wat Vincenzo tegen Giuseppe kon hebben gezegd om hem ertoe over te halen met een kleine delegatie naar deze uithoek te komen. Achteraf bekeken had er tussen ons ook een zekere spanning moeten heersen: Donatella ging al een paar maanden met Vincenzo naar bed, en Rachele en ik waren op de hoogte van wat overal werd verteld. Maar er was geen spanning, en we liepen alle vijf zonder wrevel de trap op.

Santo Petruzzelli ontving ons bij de deur in wat – zo zouden we later begrijpen – zijn vaste uniform was: gestreepte kamerjas, pyjamabroek en slippers van badstof met Hello Kitty erop. Hij was misschien vijfentwintig en straalde niet alleen een uitgesproken seksuele ambiguïteit uit, maar had ook een magisch aura van nonchalance. Zelfs het ergste van alle problemen zou van hem af glijden. Hij was vrij groot, graatmager en zag eruit als een vulkaan, met uitstaande haren die op zijn schedeldak een kleine kuif vormden. Zijn tot grafietpuntjes gereduceerde wenkbrauwen maakten het plaatje compleet. Ik herinner me dat ik hem aankeek met het ontzag dat volwassen staatshoofden betonen. Hij begroette alleen Vincenzo, wierp een vlugge blik op de rest van de groep en liep zonder ons verder een blik waardig te keuren naar de gang, terwijl de wapperende slippen van zijn kamerjas de vloer schoonveegden.

Behalve uit de slaapkamer, die altijd op slot was, bestond zijn appartement uit een opeenvolging van kale vertrekken die niet langer hun oorspronkelijke functie hadden. De keuken was alleen nog als zodanig herkenbaar omdat er een elektrisch kooktoestel stond. Ernaast bevonden zich twee grote kamers vol stoelen en ook slaapzakken en matrassen die lukraak op de vloer lagen. Er hing rook en de riolering werkte duidelijk niet naar behoren. In de grote kamers zat een tiental jongeren, en hoewel die middag slechts drie van hen boven aluminiumfolie heroïnerook zaten te inhaleren, liet de hele sfeer vermoeden dat we in een wereld waren beland die werd beheerst door regels die ons geheel onbekend waren. Verlaagde plafonds die instorten of water dat naar binnen sijpelt, fenomenen die de emotionele stabiliteit van de mensensoorten die wij kenden wekenlang zouden verstoren, zouden hier niet het minste effect hebben gehad. Ik legde een arm om Racheles heup, en zij liet zich gaan. We waren opgewonden. We bevonden ons op een plek die geen van onze klasgenoten zich had kunnen voorstellen, die onze leraren meenden te kennen op basis van de beschrijvingen van de meest fanatieke journalisten (dezelfden die over kleine abcesjes aan de binnenkant van de wang bazelden om aan te tonen dat hiv door kussen kon worden overgedragen) en waarvan onze ouders een glimp opvingen tijdens hun schermnachtmerries, die werden bevolkt door huilende moeders in een televisiestudio. Onze ouders! Die zouden in zwijm zijn gevallen als ze wisten dat wij hierbinnen zaten... Maar ook dit soort euforie vervaagde in het besef dat we ons daar tussen mensen bevonden die er trots op waren lak te hebben aan het oordeel van de buitenwereld. En dus dachten Rachele en ik niet eens meer aan onze ouders. We hielden elkaars hand vast en ontspanden.

Maar meer dan wij leek vooral Giuseppe zich op zijn gemak te voelen. Al zijn onhandigheid, zijn opdringerige uitbundigheid waren ineens verdwenen. Hij was ernstig, ontspannen, en had vrede met zichzelf. Hij zat in het midden van de kamer, met de triomfantelijke verdwazing van een schipbreukeling die net thuis is gekomen. Hij keek welwillend naar Vincenzo en Donatella. Donatella staarde hem aan als op die avond toen hij had gedreigd zich van het balkon te gooien. Giuseppe zocht deze keer geen excuus om op zijn schreden terug te keren. Hij keerde hun beiden de rug toe en ging tussen drie jongens zitten die bezig waren een nieuwe dosis klaar te maken. Een paar uur later, toen de avondlijke stilte de hele wijk in haar greep kreeg, lag hij alleen op een matras. Zijn pupillen waren gereduceerd tot twee speldenknopjes. Zeven maanden... Als ze een aangestoken lont waren, zou ik zeggen dat dat de tijd was die ons scheidde van het einde van onze adolescentie.

De volgende dagen gingen Rachele en ik steeds vaker terug naar het huis van Santo Petruzzelli. We gingen terug met Giuseppe en Donatella. We gingen terug met Vincenzo. Later waren we zeker genoeg van onszelf om er alleen met ons tweetjes naartoe te gaan. Iedere ochtend opgesloten zitten in een klaslokaal was tijdverlies, en ook naar de bioscoop gaan of samen met andere jongeren voor een bar of discotheek staan vonden we steeds zinlozer. De uren die we doorbrachten met het opsnuiven van de sfeer in Japigia ging ten koste van de tijd die we aan andere dingen konden besteden.

In luttele weken hadden we vriendschap gesloten met de meeste bezoekers van het huis. Maar zodra je iemand wat beter leerde kennen, verschenen er alweer nieuwe gezichten. Ze kwamen uit de naburige straten. Ze kwamen op ieder willekeurig uur uit Poggiofranco, uit Carrassi, uit de luxeappartementen van de Borgo Murattiano. Soms kochten ze wat en zag je hen nooit meer terug. Anderen bivakkeerden er dagenlang. Ze sliepen op de matrassen die in de hoeken tegen de muur lagen. Ze zaten in de slaapzakken. Ze rookten heroïne, anderen spoten die in hun aderen en zaten de hele middag naar de punten van hun schoenen te staren. Sommigen waren thuis weggelopen en hadden het voortdurend over hun ouders, terwijl anderen hun familie al zo lang niet meer hadden gezien dat je het nauwelijks meer als weglopen kon bestempelen. Voor hen was dit appartement slechts een van de vele plaatsen waar ze de laatste jaren de nacht hadden doorgebracht.

Over Santo Petruzzelli wisten we maar weinig. We hadden geen idee of hij de eigenaar van het huis was of het huurde, en we konden ons ook niet voorstellen welke relaties hij buitenshuis onderhield. Zijn enige ambitie leek te zijn zo lang mogelijk te blijven waar hij was. Hij verdeelde de dope tussen de bezoekers van het huis en incasseerde het geld met dezelfde afstandelijkheid als waarmee hij zonder verpinken iedereen negeerde die hem zenuwachtig drentelend om krediet smeekte. Uitzondering op de regel waren de jongens die zo nu en dan zijn slaapkamer in verdwenen. Maar die kwamen soms – toen ze hun privileges waren kwijtgeraakt omdat ze niet langer zijn minnaar waren – in opstand, ten prooi aan echte aanvallen van hysterie. Ze noemden hem een judas. Ze tierden, huilden en haalden hun gezicht open. Santo trok alleen maar zijn wenkbrauwen op, als een actrice in een stomme film, en gehuld in zijn onafscheidelijke kamerjas bekeek hij hen alsof ze een onverstaanbare taal spraken.

Ik werd gefascineerd door de manier waarop hij zo veel gezag kon uitstralen, terwijl hij toch zo was toegetakeld. Soms stelde ik me voor dat hij een reeks vreselijke beproevingen had doorstaan. Maar het kon ook zijn dat zijn rustige onverstoorbaarheid het natuurlijke resultaat was van het feit dat hij alle schepen achter zich had verbrand. Als ook hij ergens een vader en een moeder had, voelde hij hun druk in ieder geval niet meer. En wat betreft zijn gebrek aan interesse om het huis uit te gaan: wat heeft het voor zin de buitenwereld te trotseren als die buitenwereld naar jou toe komt?

Japigia was een onbekende wereld voor iedereen die zijn kennis over wat er buiten zijn eigen kantoor gebeurde louter baseerde op de televisie, of vooral wat bekendstond als het 'eldorado der alkaloïden' voor het heterogene, ondergrondse maar zeer goed geïnformeerde legertje harddrugsgebruikers overal in Italië. En junks waren er in die tijd bij de vleet. Op sommige dagen hoefde je je hoofd maar buiten de deur te steken om in de brede straten van de wijk een onweerstaanbare aantrekkingskracht te *ruiken* die honderden kilometers ver haar uitwerking niet miste. Iedereen die in welk provinciegat dan ook na de arrestatie van zijn eigen dealer om dope verlegen zag, wist dat Japigia een bloeiende en betrouwbare openluchtbazaar was. Vierentwintig uur per dag geopend. Concurrerende prijzen. Dus kwamen ze uit Brindisi, uit Lecce en uit de onuitputtelijke rekruteringsbasis voor drugsverslaafden die het gebied rond Foggia was. Maar er kwamen ook mensen uit Campobasso, Pescara, Lucca en Vercelli. Na een razzia van de politie in de straten van hun eigen stad schraapten ze wat geld bij elkaar en sprongen op een trein naar het zuiden.

Huizen als dat van Santo werden in Japigia doorvoercentra voor jongeren uit alle uithoeken van Italië. Er zaten kinderen van arbeiders, van werklozen, van professoren, van spoorwegwerkers, en telgen van rijke industriëlenfamilies die de kans op een overdosis verkozen boven een zoveelste zeiltochtje op de Middellandse Zee. Een verscheidenheid aan accenten en bevolkingslagen die geen enkele openbare of privéschool ooit had kunnen bieden.

Rachele en ik begonnen in die wereld prima te aarden. We hoefden het appartement maar binnen te lopen om ons thuis te voelen. We liepen tussen de asbakken vol gedoofde peuken door en luisterden naar de verhalen van de nieuwste bezoekers. Vervolgens gaf iemand ons wat te roken. We hadden nog nooit zo veel solidariteit en saamhorigheid gevoeld en misschien geloofden we wel dat we nooit gelukkiger konden zijn dan door op die manier te leven. En we hadden nooit de behoefte om iets te expliciteren: als we allebei *hier* waren, wilde dat zeggen dat we eindelijk op geloofwaardige wijze minachting voelden voor *daar*. Het huis van Santo Petruzzelli werd de garantie voor onze liefde en voor onze herhaalde vrijpartijen.

In later jaren is het appartement opgeknapt en verscheidene keren van eigenaar verwisseld. Maar als plaatsen een geheugen hebben, overleven de afdrukken van onze omhelzingen nog altijd in een salon ingericht met Markör-tafeltjes en ander Ikea-meubilair. En dus leeft ook nog altijd die middag voort toen Rosamaria – een dertiger uit de Libertà-wijk, die daar al dagenlang bivakkeerde en iedereen ziek maakte met de herinneringen aan haar ongelukkige jeugd – het halve huis ondersteboven keerde, op zoek naar een biljet van vijftigduizend lire dat er misschien wel nooit was geweest, terwijl Rachele en ik, aan de blik van de aanwezigen onttrokken door een dunne laag nylon, lagen te knuffelen in de warme cocon van een slaapzak.

En de keuken? Welke bestemming dat vertrek tegenwoordig ook heeft, ook daar leven de sporen van onze aanwezigheid voort: op een avond toen het huis bijna helemaal leeg was, stond Rachele met haar rug naar mij toe iets te bakken in een pan. De heerlijke lachjes op de vouwen in haar benen, onder de korte wollen rok waarmee ze de winter wilde tarten, waren niet verleidelijker dan de duidelijke boodschap tussen haar lippen en ogen waarmee ze mij naar zich toe riep toen ze haar hoofd had omgedraaid. De anderen waren naar buiten gegaan, en de gebruikelijke avondlijke stilte steeg van de straten op als een uitnodiging om die tijdelijke leegte op te vullen. Ik ging naar haar toe en legde mijn hand tussen haar benen. Ik voelde iets warms en plakkerigs. Meteen daarna liepen twee streepjes bloed over mijn onderarm, terwijl zij haar ogen sloot in een triomfantelijke overgave die tien jaar schoolplicht en evenveel liefdadigheidsmaaltijden van de officierenclub haar niet hadden kunnen ontnemen.

En er waren natuurlijk ook drugs. Daarbinnen moest je wel gebruiken. We inhaleerden de blauw krinkelende gasvormige heroïne en tuimelden over elkaar heen.

Als ik de momenten die de strenge winterse wake scheidden van de dichte opiatenwolken waarin ik meteen daarna wegzonk, moest ontleden in kleine stukjes, zou ik zeggen dat mijn schuldgevoel op de voet werd gevolgd door de vrees voor een beproeving waartegen onze relatie niet bestand zou blijken. Ik werd gegrepen door de angst dat Rachele – van wie ik me inbeeldde dat de heroïne op haar het effect kon hebben van een waarheidsserum – mij zomaar had kunnen bekennen dat ze helemaal niet om mij gaf. Ik vreesde dat ze me kwam vertellen dat ze nog altijd verliefd was op Rocco, of dat een van haar recentere fantasieën was dat ze seks wilde hebben met een van de jongens die het appartement aandeden.

Maar in werkelijkheid had de drug zijn normale effect: tragere hartslag, zweetuitbarstingen... Even (een ander van die minuscule stukjes) had ik de indruk dat we één stap verwijderd waren van een scheiding met onderlinge toestemming – onze liefde was wederzijds, dat stond eindelijk vast, maar Rachele en ik hadden besloten ieder voor zich een lange reis naar verre einders te ondernemen. Ik voelde me in mezelf wegzinken, totdat ik het tegendeel ervoer van me te verliezen tussen dat schrale meubilair, alsof er geen enkel verschil bestond tussen mijn lichaam en het naar verschaald bier stinkende matras waarop ik lag, alsof ik plots de onvermoede *waardigheid* van dat matras herkende, de waardigheid van de bank, van de muren, en zelfs de waardigheid van de crackers waarmee de vloer bezaaid was, en daaruit bleek dat alles wat bestaat eeuwig en gelijkwaardig is. De laatste, extatische facetten van mij die nog aan de werkelijke wereld krabden, wensten toen dat mijn vader en mijn moeder en alle mensen die door hun eigen ambities in aanmerking kwamen voor het rijk der ziekten, zich zouden onderwerpen aan een pijnstillende heroïnetherapie. En vervolgens was zelfs voor zulke gedachten geen plaats meer. De act zelf van het bedenken van ideeën werd overbodig, en wat daarna gebeurde, valt niet onder woorden te brengen.

Ik vond Rachele terug aan mijn zij: uitgemergeld, uitgeput, met gezwollen ogen en een onpeilbaar verslagen glimlach op de lippen.

Ons ontwaken had altijd iets traumatisch. Ik keek om me heen. De drukte om ons heen had alleen nog iets smerigs. Ik zag verwildering, verwoesting op het gezicht van de jongeren in het huis, en op de golven van die emotionele ommekeer ging ik vermoeden dat de plaats waar we onze dagen doorbrachten, toch niet het schitterende paradijs van vrijheid was dat ik een paar uur eerder meende te hebben veroverd. De menselijke misère had het eenvoudigweg niet meer nodig zich te verbergen tussen de gecompliceerde mechanismen van een carrière of om te blijven steken tussen familiebanden – de kern van de verhouding tussen dominante en gedomineerde geesten dreigde echter wel dezelfde te blijven: was het charisma van Santo Petruzzelli uiteindelijk niet terug te voeren op het feit dat hij het heft in handen had?

Ik keek naar Rachele. Ook zij leek verdrietig en moedeloos. Ze keek me aan met een boos gezicht dat niet veel goeds voorspelde. Als we nu met elkaar hadden gesproken, als we nu hadden geprobeerd de loden sfeer te verdrijven die ons allebei terneerdrukte, zij het op een verschillende manier, dan hadden we elkaar wellicht niet begrepen en ruziegemaakt. Dus gingen we een wandelingetje maken.

We verlieten het appartement en probeerden onze onaangename gevoelens te verdrijven door suf over straat te lopen. We stelden ons zonder mopperen bloot aan de ijzige wind die door die enorme straten zonder winkels of reclameborden waaide. Uit de avondlijke stilte zagen we de silhouetten van de echte heroïnejunks opduiken. Het waren junks die al terminaal waren en die huizen als dat van Santo niet meer in kwamen omdat niemand hen nog vertrouwde. Ze waren dolende spoken die hun dagen vulden met eindeloze zwerftochten door de wijken van de stad, waar ze onvermengde maatschappelijke haat in al zijn gradaties het hoofd moesten bieden. Ze werden uitgescholden, gemeden en soms zelfs mishandeld door de voorbijgangers aan wie ze wat wisselgeld vroegen. Ze hadden een grens overschreden en toonden geen respect meer voor de wereld of voor zichzelf, ze trokken zich ook van elkaar niets meer aan en voelden daar geen wroeging over. Heel binnenkort zouden ze dood zijn. Of zouden ze terugkeren, het hele helse parcours van het afkicken afleggen en zich ingraven met een familie, een baan en een anoniem leven. En jaren later zouden ze bij vrienden aan tafel zeggen: 'Dat was de verschrikkelijkste periode van mijn hele leven...' Ze zouden publiekelijk hun dank betuigen aan de god van methadon en dwangbuis, en verraden worden door hun suffe blik van ex-junk – een lederen membraan dat onderhuids overleeft en het spectrum van beschikbare gelaatsuitdrukkingen beperkt, als getuigenis van hoe gruwelijk en schrijnend hun leven destijds was geweest en hoe leeg en fout en even onzichtbaar hun huidige leven.

Nu en dan kwamen we Giuseppe en Donatella op straat tegen. Twee met houtskool getekende silhouetten staken af tegen het roerloze panorama. Ze traden uit de schaduw van een appartementsgebouw en kwamen naar ons toe. Ze waren er erger aan toe dan wij. Donatella was een toonbeeld van totale verwarring: bleek, zenuwachtig en slonzig. Ze keek voortdurend zonder reden achterom. Giuseppe straalde uitgeputte zelfbeheersing uit. Hij staarde me aan met een lege, kille blik. Een onvrijwillige blik. Op die momenten realiseerde ik me dat Giuseppe en Donatella zonder dat ik het had gemerkt door de wijk waren opgeslokt. Wat ze deden, waar ze heen gingen, met wie ze omgingen... Ik wist er niets van. Er was iets wat het ons onmogelijk maakte hoogte te krijgen van de toestand. Misschien waren ook Rachele en ik vreselijk verward. We verloren ons besef van tijd en ruimte. Drie weken, drie dagen, een maand? Hoe lang precies waren we nu al in de wijk verankerd?

Maar meestal kwamen Rachele en ik op onze wandelingen helemaal niemand tegen. Vergezeld door het verre ronken van de auto's liepen we naar het zuiden, langs het half verlaten gebied waar jaren later de sporthal zou worden gebouwd. Een paar meter van ons vandaan verrees een kleine heuvel die spontaan was gegroeid uit een illegale stortplaats. We liepen de helling op en baanden ons een weg tussen struiken die overal op het grijze, zompige terrein groeiden. In de verte zagen we een verlichte B, A en N. We klommen verder zonder dat we goed en wel wakker waren. Een paar minuten later zagen we de hele stad voor ons – de stad waarin we geboren waren, met haar fonkelende woud van lichtjes, verlichte reclameborden van Bankamericard en Amaro Lucano, de lange files naar het centrum, de aanhangwagens van broodjeszaken langs de kustweg, de blinkende jachten die het ruime sop kozen. En toen werden we overvallen door het desolate gevoel van een tragedie in wording. De stad leek ten onder te gaan aan haar verlangen ons tegemoet te komen en te overspoelen, ondanks ons verzet, om ons te verzwelgen in dat concert van kleuren, waarin het zelfs niet meer mogelijk zou zijn ook maar de idee van een afwijkende tint te bevroeden.

Ik had iets willen zeggen tegen Rachele – iets wat enige orde kon brengen, wat ons in een dimensie van teruggevonden harmonie kon brengen. Maar er kwam geen woord over mijn lippen.

Twee van de vijf avonden sliepen we thuis.

Ik weet niet welke uitvluchten Rachele bedacht om te rechtvaardigen dat ze zo veel nachten buiten haar eigen kamertje doorbracht. De gebruikelijke wederzijdse afspraken met bereidwillige vriendinnen, vermoed ik. Ze was in ieder geval een heel knap meisje – en sommige meisjes van goede komaf ontwikkelen samen met hun lange benen ook een bescheiden neiging tot liegen, die ze met hun zoete mondjes een geur van heiligheid weten te verlenen.

Ik weet nog wel welke voorwendsels ikzelf moest verzinnen. Geen. Ik bracht minstens twintig nachten per maand buitenshuis door, en niemand vroeg me ooit om rekenschap af te leggen over mijn voortdurende afwezigheid (mijn vader noch mijn moeder was vroeg genoeg bij de brievenbus om me voor te zijn in het onderscheppen van de officiële missives waarmee het Cesare Baronio zijn beklag deed over mijn plotse desertie van school).

De ongewilde verantwoordelijke voor die straffeloosheid was Vincenzo. Hij was mijn universele vrijgeleide. Mijn vader wist dat we bevriend waren en dat was voor hem genoeg om ervan uit te gaan dat we samen onze vrije tijd doorbrachten, aangezien hijzelf de zijne doorbracht met meester Lombardi: de illusie dat we een parallel leven leidden bracht hem in een gemoedstoestand die bijna rustig te noemen was.

Ik had dus iets heel voorspelbaars gemist, sinds die middag toen ik mijn moeder had betrapt tijdens het shoppen met Sabrina in de Via Sparano. Mario Lombardi was nu de advocaat van onze familie, met alles wat dat met zich meebracht, afgezien van de dagvaardingen.

Contacten... Dat was het toverwoord. Kantoor Lombardi opende voor mijn ouders de deuren naar een wereld waarvoor een goedgevulde bankrekening niet volstond. Mijn vader drukte nu tientallen nieuwe handen, terwijl de advocaat sluw toekeek. In restaurants, in de hal van congreszalen of bij een cognac in de rookkamer van de Circolo del mare, waar hij voor het eerst het niet te evenaren genoegen smaakte een stap te zetten in een wereld waar iedere minimale verovering een volgehouden strijd vergde naar een hemel waarin de uitverkorenen het gevoel deelden moeiteloos rond te zweven, voortgedreven door de inerte balsem van de onderlinge bijstand. Had mijn vader toevallig de beste cardioloog van heel Zuid-Italië nodig? Een plastisch chirurg? Een rechter, een architect die meer was dan de gebruikelijke vermomde landmeter? Had hij een paar akkefietjes gehad met de fiscus en kende hij niemand bij de afdeling inkomensbelasting? Wel, nu kende hij die allemaal.

Hij zag de advocaat nu iedere zondag voor een partijtje tennis. In de kleedkamers fantaseerden ze met handdoeken om hun lendenen over verkoopcontracten en vastgoedinvesteringen. Ze hadden het uiteraard ook over juridische problemen. En ze mochten elkaar graag, dat stond vast. Mario Lombardi werd gefascineerd door de neiging om de klauwen uit te slaan die zijn nieuwe vriend zelfs na tien jaar Rotary niet zou kwijtraken. In iedere transactie die ze bespraken waren er wel facetten die de advocaat niet vatte, maar die mijn vader in een oogwenk kon blootleggen, want volgehouden aandacht voor alle mogelijke details was nu eenmaal al dertig jaar zijn stokpaardje. Mijn vader was in de wolken over de absolute emotionele beheersing die de advocaat tentoonspreidde, het natuurlijke resultaat van drie generaties machtsuitoefening. Het ontbreken van iedere vorm van spanning waarmee Mario Lombardi zaken aanpakte waarmee enorme belangen waren gemoeid, zijn aangeboren savoir-vivre waarmee hij wist te verleiden door afstand te creëren tussen zichzelf en wie dan ook, dat vond mijn vader adembenemend.

En hun echtgenotes? Om de machine van de nieuwe alliantie op de meest traditionele manier te smeren, moesten ook zij hun steentje bijdragen. Mijn moeder en Sabrina werden beste vriendinnen. Ze gingen samen naar vernissages, klassieke concerten en kersttombola's. Het enige wat ze gemeen konden hebben, was hun afkomst uit een wereld die zo ver als maar mogelijk van de hogere burgerij af stond. Afgezien daarvan geloof ik niet dat ze tijd hebben gehad zich af te vragen of ze elkaar eigenlijk wel mochten – maar ze deden met bewonderenswaardige zelfverloochening hun plicht. Ze liepen gearmd om elkaar moed te geven onder de fonkelende luchters van een foyer, achterdochtig in het oog gehouden door de gemene feeksen die van jongs af aan verplicht waren geweest aan de piano Schubert te verkrachten, en die de andere helft van de fine fleur van de stad vormden.

Het meest tastbare resultaat van al die ontwikkelingen was de beslissing om voor de zoveelste keer de werkzaamheden te onderbreken in de villa waarin we al in het verre 1985 onze intrek hadden moeten nemen.

De zeldzame keren dat ik thuis lunchte, waren de gespreksonderwerpen die tot aan de koffie konden voortslepen problemen als het design van een dakraam met dubbel glas. Door hun contacten van de laatste maanden was bij mijn ouders het vermoeden gerezen dat ze een vergissing hadden begaan. De overvloed van roze marmer, die tot voor kort werd beschouwd als de beste manier om de welstand van een keurige familie uit te dragen, dreigde inmiddels vulgair gevonden te worden. De natuurwetten van de hoge burgerij schreven niet noodzakelijk een proportionele verhouding voor tussen goede smaak en de hoeveelheid geld die werd besteed aan een schoorsteenmantel van travertijn met daarboven twee aartsengelen van een meter vijfentachtig. Als je de keuze had, kon je beter minder uitgeven en gaan voor raffinement. 'Wat vind je hiervan?' vroeg mijn moeder terwijl ze een brochure openvouwde waarin een sierlijke console met verticale zwarte en roomkleurige stroken was afgebeeld. 'Klein probleempje,' becommentarieerde mijn vader sceptisch, 'de voeten zijn ongelijk.' – 'Maar dat is met opzet! Het is een ontwerp van Sottsass!' – 'En wie mag dat dan wel zijn?' Vervolgens werd mijn moeder zenuwachtig, en als mijn vader geen dringende afspraak had, vonden ze ook nog de tijd om ruzie te maken.

Hoewel ik hen bekeek vanuit mijn licht aangebrande vijandigheid (in combinatie met de vervormende spiegel van mijn trip van de vorige dag), wist ik onder ieder woord van mijn moeder een geëlektriseerde onrust te ontwaren, alsof haar opwinding over al die veranderingen een tactiek was om de materie waaruit ze bestonden niet grondig op de proef te hoeven stellen. Ze steigerde en verhief nodeloos haar stem, uitgerekend wanneer mijn vader de zijne dempte ten teken van een wapenstilstand waar alleen Ettore Sottsass wel bij kon varen. Maar op dat moment vertrok ik naar Rachele, en na een paar ploffen van mijn knalpot bestond de wereld van onze ouders al niet meer.

En zo miste ik de meesterlijke wijze waarop Mario Lombardi onze juridische problemen oploste. Die konden worden samengevat met de naam Gianfranco Balestrucci.

Vincenzo's vader had aan een paar telefoontjes genoeg om de curator, die er twee jaar over had gedaan om de goederen van de ongelukkige te inventariseren, er in minder dan eentwintigste van die tijd toe te bewegen alle bezwaren te laten varen voor de liquidatie van een bedrag dat door de geaccumuleerde rente niet minder aanzienlijk was geworden. De advocaat was daarmee nog niet tevreden, en ontbood mijn vader naar zijn kantoor. Hij zei: 'Dat is nog niet al het goede nieuws.' Hij wist te vertellen dat de laatste bezittingen van Balestrucci de daaropvolgende maandag door het gerecht zouden worden geveild, met bijzonder lage openingsbiedingen. Blijkbaar was Balestrucci er met veel moeite in geslaagd het nodige geld te verzamelen om toch een paar van zijn bezittingen te recupereren. Hij had er vooral alles aan gedaan de verkoop bij opbod niet zoals door de wet voorgeschreven aan te kondigen. 'Maar weet je,' zei de advocaat in het halfduister van zijn kantoor, 'in die veilingzaal is het altijd een drukte vanjewelste...' Ik hoop dat mijn vader toen toch even *Dat kan ik niet maken...* heeft gedacht voordat er uit het zwarte gat van zijn verleden vol ontberingen een beeld opdook en hem de woorden 'Ik maak wat beleggingen vrij en maandagochtend ben ik in de rechtbank' in de mond legde. De advocaat waarschuwde hem: 'Je wilt toch niet dat hij met een revolver voor je deur staat? Maak je beleggingen gerust vrij, maar naar de rechtbank sturen we een stroman die we kunnen vertrouwen.'

Ik merkte weinig van dat alles, maar mijn vader was niet minder verstrooid. In Bari werd iedereen die een btw-nummer had en enigszins in het oog liep omgeven door een dichte zwerm geruchten. Mijn vader moet zeker hebben horen vertellen dat de advocaat met zijn zaken een tweesporenbeleid volgde. Hij verkoos dus bepaalde informatie toe te schrijven aan afgunst, en vergat die hoe dan ook graag toen hij – in het begin van de lente – samen met mijn moeder de eer had te worden uitgenodigd op het feest voor het tachtigjarige bestaan van het advocatenkantoor.

Niet alleen daarvoor waren mijn ouders blind. Ze brachten de wallen onder mijn ogen ook nooit met iets anders in verband dan met de rusteloze slaap van een tiener. Net zomin als vader en moeder Rubino dat met Giuseppe deden, die veel meer drugs gebruikte dan ik. Maar in dat geval ging het om een vrouw die tien jaar lang in alle winkels van de stad creditcards had versleten zonder ooit aan te voelen dat ze niet de echte eigenaar was van haar geld, en om een man van wiens inkomsten de laatste tijd door de droevige verschijning van de Grijns nog vijf procent meer werd afgeknabbeld. Hij kon dus moeilijk aan iets anders denken.

Op de grijze asfaltvlakten voor de hekken. Opgesloten in een plee of achter het doek van een pasfotohokje. Op de binnenplaats achter het grote appartementsgebouw aan het einde van de Via Pitagora – een onbegroeide berg grond die door iedereen verlaten was, behalve door de zwerfkatten die voortdurend door de tralies van het hek sprongen en bevroren in het beeld van pupillen die net de derde flash van die dag hadden beleefd. Opgesloten in een andere wc. Op de achterbank van een auto met gedeukte portieren. Lopend langs de Via Gentile, ter hoogte van de oprit van de ringweg, waar 'de paus', een dealer die meer dan honderd kilo woog, de hele dag precies in het midden van een grasveld in een lederen fauteuil zat. En vervolgens in appartementen als dat van Santo Petruzzelli, waar ik nooit een voet over de drempel heb gezet.

Dat was het decor waarin Giuseppe wegzonk, zonder dat ik het merkte. De eerste weken van 1988 was hij een volwaardig onderdeel van de wijk geworden, meer dan Rachele en ik ooit hadden kunnen hopen te zijn. Meer ook dan Vincenzo, die toch al veel langer in Japigia kwam – maar honderd Zwarte Dames waren daar nog altijd minder waard dan een keer met 'Maxi de spuiter' langs de verroeste spijlen van een hek te hebben gewandeld, en zo naar de binnenplaats, samen met een paar katten, op het moment dat de zon net achter de daken was verdwenen, voorbij gebroken potten en gedroogde bladeren op een hoop, om er rug tegen rug te gaan zitten, klaar voor het uur nul, dat het hoogtepunt is voor iedere echte junk.

Maxi de spuiter, en alle anderen (vriendschappen die een paar weken duurden, of gewoon gezellen voor de tijd van één trip) met wie Giuseppe de meest mysterieuze periode van de levenscyclus van de heroïneverslaafden deelde. Later kwamen er vanzelf meer bronnen bij, toen zijn naam en voornaam werden genoteerd in politieregisters of bij een eerste hulp, of op een evaluatiefiche waarop rekening wordt gehouden met vernederende aspecten als 'deelname aan groepsactiviteiten' en manden vlechten in afkickcentra. Maar lang voordat de junk op de officiële lijst van vijanden van de maatschappij belandt of liefdevol wordt terugbezorgd bij zijn familie, is er een tussenfase waarin niets over hem bekend is, met uitzondering van geruchten over geruchten dat hij zich op een bepaalde plaats zou bevinden, in het gezelschap van specifieke personen, te ver weg en altijd te laat om hem op het spoor te komen.

Het was de periode waarin ik hem 's avonds tegenkwam op kruispunten en hij zei: 'Wil je een sigaret?' Ik nam hem op en stelde vast dat zijn zwaarlijvigheid veranderd was in een vreemd soort overgewicht dat tegelijk lomp en precieus was. Het licht waarin ik hem de eerste keer had gezien, tussen de schoolbanken, had een ideaal aspect aangenomen waarin zijn vroegere prestaties een lange voorbereidingsoefening leken voor een ervaring die hem in de gelegenheid stelde diepe opluchting te voelen over zijn hele bestaan.

Absolute afhankelijkheid... De lp's en de merkkledij en de sportauto's en de reclamecampagnes waaraan de ziel van een heel decennium zich al enthousiast had verkocht, verhielden zich tot heroïne in een verhouding van leerling tot meester. Want welke marketingspecialisten heeft heroïne ooit nodig? Welke productverbetering? Welke nieuwe verpakking? Als dit het definitieve product was, stond de onherroepelijke vastberadenheid om leegte en verlies te beleven (je schafte geen koopwaar aan, je verkocht jezelf er helemaal aan) jongeren zoals Giuseppe toe om in de walvisbuik van hun tijd te komen.

Maar in die maanden had ik steeds meer hiaten in mijn herinnering. Ik beperkte me ertoe hem een tiental minuten gezelschap te houden, zonder te begrijpen wat hij wilde doen, en zonder me af te vragen of er een reden was waarom Rachele en ik liever rookten in plaats van te spuiten – een verlangen om ondanks alles te overleven, denk ik nu, een onuitgesproken verlangen terug te keren naar die wereld die we zo hard probeerden te haten.

Op dezelfde manier beperkte ik me tot het verstrooid vaststellen van Vincenzo's aanwezigheid in de straten van de wijk. Chic en hoekig, gekleed in een trenchcoat, met vlugge pas en vooral net zo *woedend* als bepaalde personages van Dostojevski die met opengesperde ogen door de straten van Sint-Petersburg dwaalden. Ik liet hem voorbijlopen zonder hem aan te spreken, en gedurende een zekere tijd wilde ik me zelfs niet afvragen wat voor problemen hij had. Tenslotte was hij degene die ons daarnaartoe had gesleept. Maar nu zag hij het reusachtige fiasco van zijn onderneming ten volle in. Dat hij de advocaat had uitgedaagd, had geen resultaat opgeleverd, terwijl Giuseppe iets aan het realiseren was, ook al was dat langs de weg van zijn eigen zelfvernietiging, wat het gewezen cultobject van een hele school moest toegeven misschien wel nooit te hebben gehad: een echte roeping.

Maar voor mij bleef Vincenzo toen beperkt tot enkele korte ontmoetingen. En ik maakte me evenmin zorgen over Donatella, over wie steeds hardnekkiger geruchten begonnen te circuleren: ze was samen met Giuseppe beginnen te gebruiken; ze had gebroken met Vincenzo; ze had zelfs gebroken met Giuseppe en doolde nu moederziel alleen door Japigia. De dealers zagen haar langskomen en sloten weddenschappen af... Ze zou een perfect slachtoffer van de wijk zijn geworden als vader en moeder Lattanzi niet juist in die periode een briefje van vijftigduizend lire in haar kamer hadden aangetroffen, naast een spiegeltje waarop een paar opake lijntjes zichtbaar waren. Ze moeten in een oogwenk de afgelopen maanden in het leven van hun dochter hebben overzien. Na een stevig pak slaag hadden ze haar gedwongen zich er in haar eentje doorheen te slaan, door haar tot het eind van de zomer op te sluiten in een kamer waaruit Vincenzo noch Giuseppe noch ik noch iemand anders haar ooit kwam opeisen.

Gebeurde dat echt allemaal? Ik wist het niet, het interesseerde me niet, en ik had geen zin om eraan te denken. Iets wat nieuw was, volwassen, totaal, maakte me moe en onverschillig. Toen Giuseppe na vele weken bij Santo binnenkwam, was het enige wat ik deed hem groeten door lui mijn rechterarm op te heffen, zonder van het matras te komen waarop ik al de hele dag met Rachele had liggen nietsdoen. Ik zag hem met Santo en een paar andere jongens smoezen. Op een bepaald moment hoorde ik hem 'overmorgen...' zeggen, over de doop van een achterneef, een van die eindeloze maaltijden in een zaal in suiker-boonkleur waar de hele Rubino-clan de hele dag opgesloten zou zitten. Groepssolidariteit was toen wijdverspreid onder junks die nog niet helemaal heen waren, en het huis van je eigen ouders leegroven was de moedigste manier om die in praktijk te brengen. 'Overmorgen,' herhaalde Giuseppe, die zo de ondergang van zijn familie versnelde, 'overmorgen is er bij mij niemand thuis.'

Zombies die door een supermarkt lopen, dat plaatje was het zo ongeveer.

We kwamen er aan met een man of vijftien. Iemand had zijn laatste dosis gebruikt om de grote slag alvast te vieren. Je moet je dus een groep wankelende jongeren voorstellen die in het licht van eind maart samenscholen voor het hek en vervolgens het gazon vertrappen, over de irrigatiesproeiers struikelen en vlot over de haagjes stappen.

Giuseppe stak zijn sleutels in de geblindeerde deur, schakelde het alarm uit en gebaarde dat de kust veilig was. We liepen de kamers van de villa binnen, met vuilniszakken in onze handen. We begonnen laden open te trekken, codes in te tikken op de muurkluizen en onze handen uit te steken naar de legplanken. We verzamelden juwelen, vulpennen, jaguarstola's en andere waardevolle voorwerpen die uit hun barokke gevangenis werden bevrijd. Toen Rachele me een Patek Philippe doorgaf die het topstuk had kunnen zijn op een internationale veiling (en mijn vingers de hare raakten voordat het horloge in de vuilniszak verdween), werd ik niet bemoedigd door het besef hoeveel gram drugs het zou opleveren, maar door het gevoel dat die diefstallen stuk voor stuk iets sacraals, iets zuiverends hadden.

Drie kwartier later zaten we allemaal samen te snateren in het stilstaande water van het zwembad. Met het groenige water tot aan mijn hals streelde ik het natte haar van Rachele en duwde haar voorhoofd tegen het mijne. Uiteindelijk liepen we naar het hek met achter ons een spoor van waterplasjes, die in de wind algauw opdroogden.

14

De Grijns had net geplast achter het kleine tufstenen gebouw-
tje en keerde nu terug naar de stationwagen. Een intense pol-
lengeur stroomde de kale, ronde open plek binnen, maar die
leek niet afkomstig te zijn van de amandelbomen die hij onderweg was tegengekomen, noch van het gras daarnaast, want
dat jaar was de lente als een vrouwenlichaam dat ontwaakte
uit een lange, vlakke slaap en er meteen weer in wegzonk – en
zolang het ontwaken niet volledig was, leek het alsof de hele
atmosfeer op grillige wijze werd doordrongen van die geuren,
die op al even verrassende wijze vervaagden in de metalen
hardheid van een seizoen dat nog niet volledig werkelijkheid
was geworden.

Als hij zich in een vlak landschap had bevonden, zou hij in
de verte de lichtjes dichterbij hebben zien komen. Maar hij
hoorde alleen het ronken van een traag rijdende auto, en pas
toen hij zijn hand uitstak naar het portier, zag hij de lichten
eerst naar boven schijnen en vervolgens, toen de rode Fiat Panda aan de afdaling begon, naar beneden. Hij stapte in de stationwagen, sloot het portier, pakte een van de sleutels van zijn
bos en opende het dashboardkastje. Hij wachtte tot de Panda
bleef staan. *Laatkomers...* dacht hij.

Er waren altijd laatkomers, hoewel inmiddels iedereen die
zich bij de Grijns kwam bevoorraden wist dat er na elf uur niemand meer was: de stationwagen sloeg een landweg in, de
kustweg over, en verdween in de nacht. Maar die avond leek
het wel alsof een reuzenrad alle junks van de stad had ge-
schept. Het was een ononderbroken komen en gaan geweest

van auto's, scooters, vrachtwagens en arme drommels die wie weet hoeveel kilometer te voet hadden afgelegd terwijl ze het geld in hun handen telden. Hij liet de sleutel pas los toen hij hoorde dat de motor werd afgezet. Het portier van de Panda ging open. Er kwam een jongen in spijkerjasje tevoorschijn die met onzekere tred naar hem toe liep. De Grijns draaide het raampje naar beneden, stak zijn hand in het dashboardkastje om de drugs te pakken, en toen pas (als een herinnering die ontstaat uit de nog niet afgebroken opeenvolging van de onmiddellijk daaraan voorafgaande seconden) hoorde hij iets wat hij voor onmogelijk hield: het geluid van een Panda die werd afgezet en vervolgens nog eentje. Hij keek op en speurde de hele open plek af tot hij op de top van de helling het zwarte silhouet van twee andere auto's zag. Ze waren met gedoofde lichten aan komen rijden en blokkeerden nu de enige toegang tot het kleine pad dat naar de stad leidde.

Het was duidelijk dat hij nooit in de stationwagen had mogen stappen. En hoogstwaarschijnlijk was er om halftwaalf geen Panda verschenen als meester Lombardi hem twee weken eerder niet had bedankt voor bewezen diensten. Hij had hem laten plaatsnemen aan de andere kant van het bureau. Hij had zijn handen op zijn agenda gevouwen en gezegd: 'Je wordt bedankt.' Hij had zijn formele erkentelijkheid uitgesproken voor tien jaar dienst en hem vervolgens meegedeeld dat het kantoor Lombardi hem niet meer nodig had. De Grijns had geknikt. De advocaat had zijn hand uitgestoken.

De ontmoeting was zo snel verlopen dat hij de indruk had gekregen dat er niet echt iets was veranderd: minder dan een halfuur later zat hij alweer in zijn auto voor zijn gebruikelijke incassoroute. Hij stopte voor verkeerslichten en liep door de straten van een stad die – afgezien van de onvoorspelbare hittegolven – dezelfde was als altijd. Hij begreep wel dat hij geen bescherming meer genoot nu hij was ontslagen, maar hij begreep niet waaróm hij was ontslagen. De volgende dagen had hij met die vraag getobd, maar toen hij terugdacht aan het tafereel (de advocaat vouwde opnieuw zijn handen op zijn agenda, hij knikte, ze namen afscheid...), had het hem bevreemd dat zelfs Mario Lombardi die dag zijn woorden niet volledig meester was – alsof zijn blik en stem en bewegende handen werden gestuurd door iets wat veraf was, en onstuitbaar. Hij was blijven rondrijden en vervolgens iedere avond naar de velden tussen de zeedijk en Japigia gereden, met tien gram heroïne in zijn dashbordvakje. Hij was bang dat het doorbreken van die routine verdacht kon lijken.

Toen de jongen voor het halfopen raampje verscheen en 'een pakje' zei, wist de Grijns zijn schrik verborgen te houden. Hij ontweek de blik van de jongen en draaide zich naar het dashboardkastje. Hij keerde de jongen de rug toe en bood hem zicht op het kleine toefje pikzwart haar dat koppig onder aan zijn nek groeide. De eerste kogel ging door zijn nek en doorboorde zijn rechteroog. De volgende kogels troffen hem toen hij er al niet meer was.

Dat er verandering in de lucht hing, bleek ook uit de nervositeit die overal heerste.

De eerste dagen van april, toen Donatella al niet meer van de partij was, en een paar weken na de korte periode waarin de stilte van Japigia door ambulancesirenes was verscheurd, waren Rachele en ik voor het eerst in ons leven getuige van gewelddadige taferelen. We waren de deur uit gegaan om sigaretten te kopen en net op weg terug naar Santo's huis. Rachele droeg haar katoenen jurken weer en was een levendig toonbeeld van middagschoonheid in de woestenij van de Via Gentile. We hoorden schreeuwen. Toen we ons hoofd omdraaiden, was de jongen in spijkerbroek en blauw t-shirt ons al aan de andere kant van de straat voorbijgelopen. Uit een zijstraat kwam een grote Vespa aanscheuren. Een tweede scooter nam een veel te ruime bocht en vloog bijna bij ons het trottoir op. De bestuurder gaf een ruk aan het stuur en versnelde tot hij weer op koers lag. Op elke scooter zaten twee jongens. De vluchtende jongen nam de wijk naar het trottoir, struikelde over zijn eigen benen en begon weer te rennen, recht tegen de muur op. Een van de scooters reed links aan hem voorbij. De man achterop beschreef een halve cirkel met zijn arm. De biljartkeu die hij in zijn handen geklemd hield, brak in tweeën. Tegelijkertijd viel de jongen in het blauwe T shirt op zijn rug. Hij bleef even roerloos liggen en vouwde nog voor ze bij hem waren zijn handen op zijn hoofd.

Rachele en ik keken als verlamd toe. Een van de belagers hield op met de jongen te schoppen en keek in onze richting. Hij schreeuwde iets. Er was niemand anders op straat. Hoe absurd ook, maar ik liep naar hem toe. Ik had geen flauw idee wat hij van plan was. Ook de anderen hielden nu op met slaan. Ze keken me alle vier ongelovig aan. Op dat moment besefte ik waaruit mijn moed bestond. Een kracht die gezaghebbender was dan mijn eigen wil blokkeerde mijn beenspieren. Ik deinsde terug. Zodra ze hem weer onder handen begonnen te nemen, keerde ik me om en holde weg zo snel mijn benen me konden dragen. Na een meter of vijftig dacht ik aan Rachele. Ik bleef meteen staan. Rachele was er niet. In paniek liep ik snel naar waar we vandaan gekomen waren. Twee blokken verderop vond ik haar terug. Ze stond stil naast een geparkeerde auto, met de armen naar beneden en een verdwaasde blik in haar ogen. Kennelijk was ze al vóór mij op de vlucht geslagen. We schaamden ons dood en meden de hele middag iedere conversatie.

Iets vergelijkbaars gebeurde er een paar avonden later bij Santo Petruzzelli. Rond tien uur hoorden we vuisten op de deur bonken. Santo liep naar de ingang, gevolgd door mij, Rachele en de paar nieuwsgierigen die niet volledig stoned waren. Hij opende de deur en keek naar buiten. Toen hij de deur weer krachtig dicht wilde duwen, verscheen er een gymschoen in de opening. De eigenaar van de schoen zei: 'Alsjeblieft, Santo, laat me erin!' Die probeerde de deur verder dicht te duwen. De stem herhaalde: 'Alsjeblieft, shit, man!' De huisbaas loste zijn greep. Even zagen we in de opening een magere krullenbol verschijnen. Hij droeg een sweater en een gele broek. Hij hijgde. Santo haalde de ceintuur van zijn kamerjas aan en gaf hem een trap in zijn maag, waarna hij de deur alsnog in het slot gooide. We hoorden de jongen naar de bovenverdieping hollen, gevolgd door een stel anderen. Het geluid van een lichaam dat van de trappen werd gegooid kwam steeds dichterbij. Santo glimlachte: 'Als ik jullie was, zou ik nog minstens een uur binnenblijven.' Meer zei hij niet, en hij ging weer op de bank zitten.

Toen ik die avond naar huis was teruggekeerd, viel ik in slaap terwijl ik naar het nieuws keek. De Sovjet-Unie trok zich terug uit Afghanistan en president Gorbatsjov bereidde zich voor op een historische ontmoeting met de staatssecretaris van het Vaticaan. Een woordvoerder van het Witte Huis gaf toe dat een raketschild onmogelijk te realiseren was, terwijl de Poolse communistische partij in crisis verkeerde als gevolg van een staking op de scheepswerven van Gdansk. De paus galmde: 'De kinderen die de oorlog hebben meegemaakt, zijn de enige hoop op vrede.' Madonna verklaarde: 'Ik kan niet gelukkig zijn zolang ik niet net zo bekend ben als God.'

De volgende ochtend werd ik wakker met het gevoel dat de wereld veel intenser had gedroomd dan ik – intenser en sneller. Een witte elektrische stroom liep in één nacht miljarden keer over de meridianen van de aarde.

Vincenzo's vader zei: 'Luister nu even naar me, ik wil je een goede raad geven...'

Zonder zijn handen uit zijn zakken te halen zei Vincenzo tegen Giuseppe: 'Hé, luister eens, ik wou je wat zeggen...'

Domenico Rubino's zwager vroeg aan Domenico Rubino: 'Hoe bedoel je? Gaan we met de bestelwagen van Eurogarden?'

De twee stonden in de loods van de firma, in feite een lange gang vol koopwaar in rekken. Giuseppes vader liet het plastic bekertje tussen zijn duim en vingers draaien. Hij schakelde het koffiezetapparaat uit. Hij reikte verder naar boven en zette ook de verwarming uit. Hij dronk zijn koffie op, gooide het bekertje in de vuilnisbak en liep naar de metalen laadvloer van de goederenlift. 'Ze mogen er zelfs geen moment aan twijfelen dat wij het zijn.' Meer zei hij niet. Hij draaide aan de klavervormige plastic knop. Het luik voor hun voeten sprong open. Ze daalden met schokjes af.

Twee grote, stevig aan het plafond bevestigde neonlampen gingen knipperend aan. Ze belichtten een rechthoekige kelder, niet hoger dan tweeënhalve meter. Tegen een van de wanden stond een metalen kast. Domenico's zwager zei: 'Tex...' Achter in de ruimte, waar het neonlicht ternauwernood reikte, kwamen twee lichtpuntjes in beweging. Domenico Rubino zei 'kom' en sloeg met zijn hand op zijn dij. De Duitse herder kwam uit het donker tevoorschijn. Hij was oud en zwaar. Hij strompelde kwispelstaartend naar de twee mannen. Daarna ging hij voor hen zitten, met bungelende tong. 'Vul jij de schoteltjes,' zei Domenico.

Toen de man bij Giuseppes vader terugkwam, stond de kast open. Daarin lag een groot lederen foedraal met twee halfautomatische Beretta's M34. Ze pakten de wapens en keerden terug naar de lift. 'Wacht,' zei Giuseppes vader, 'ik laat hem even wat ronddollen.' Hij floot een eerste en een tweede keer, totdat de hond weer bij hen was.

Boven pakte hij de riem en twee sleutelbossen. Ze liepen

door de gang en sloten de schuifdeur van de loods achter zich. Ze hoorden meteen de vogels zingen. Het was een koude, heldere ochtend. Dunne blauwe nevelslierten hingen over de velden rondom. De twee andere mannen stonden bij de bestelwagen te roken. Domenico zei: 'Gaan jullie maar, ik rijd wel met de andere auto naar huis.'

Zonder te wachten tot ze in beweging kwamen, begon hij met de hond aan de riem te lopen. De man en de Duitse herder liepen over de asfaltweg totdat die afboog naar een landweggetje. Daar begon een schitterende olijfgaard. Hij maakte de riem los van de halsband en klom over het muurtje. De Duitse herder jankte. Hij boog zijn kop en begon te kwispelstaarten. Hij blafte een paar keer. Uiteindelijk waagde hij het erop. Hij nam een kleine aanloop en sprong. Hij botste met zijn achterpoten tegen een gladde, puntige steen. Een moeizame sprong, maar hij was erover. Domenico nam zijn kop tussen zijn handen, en de hond ontworstelde zich trots aan de greep. Samen vervolgden ze hun weg tussen de kromme, knoestige olijfstammen.

Als hij had geweten dat het lichaam van de Grijns een paar dagen later gevonden zou worden, met zijn gezicht naar beneden tussen de voorste banken van de stationwagen, zou hij niet langer hebben gepiekerd over de complexiteit van de toestand. Hij zou hebben begrepen wat er op til was, en misschien zou hij zijn vertrouwdste medewerkers niet zo haastig hebben opgetrommeld. En als zijn vrouw niet zoals gewoonlijk alles verkeerd had begrepen, had ze, nadat ze van het feest waren teruggekeerd, misschien wat meer vertrouwen in hem gehad toen hij bij de aanblik van alle geopende kluizen en alle leeggehaalde planken was beginnen te schreeuwen. Hij stond te fulmineren tegen de anonieme dieven die zojuist de villa hadden leeggeroofd. En vooral... Als hij de laatste tijd niet was begonnen de boekhouding inderdaad te vervalsen (vijfhonderdduizend lire minder per anderhalf miljoen gefactureerde omzet), dan zou hij die diefstal misschien niet met zo veel stelligheid als de zoveelste provocatie hebben beschouwd, de laatste maar niet de laatste spottende belediging van iemand die een oude lening had weten om te zetten in een veroordeling. Hij had het zelfs niet nodig gevonden een visuele inventaris op te maken van wat er allemaal was meegenomen, waar zijn vrouw mee bezig was ('De poppen! Zelfs die hebben ze meegenomen!'). Eén blik op de eerste omgekeerde lade was voor hem genoeg om een rood waas voor ogen te krijgen.

Zijn woede was ook de volgende dagen niet verdwenen. Dus toen hij samen met zijn zwager de loods uit kwam, was het voor hem alsof er sinds het doopfeest nog maar een minuut was verstreken. En nog een minuut toen de bestelwagen met het opschrift EUROGARDEN een paar uur later had halt gehouden in de Via Pasubio, voor speelzaal PLAY AND REPLAY, een van de weinige zaken die direct werden gerund door diegenen die hij inmiddels als zijn vijanden beschouwde. De plastic lantaarns van de stadsverlichting bungelden boven hun hoofd en het voor een kwart neergelaten rolluik maakte duidelijk dat de zaak weldra ging sluiten. Een bromfiets met opgevoerde motor vulde de straat met een lawaai als van een luchtafweerraket. Domenico zei tegen zijn zwager: 'Kom.' De twee andere mannen bleven in de bestelwagen zitten.

Behalve een jongetje dat met zijn zakken vol wisselgeld druk doende was het hoogste niveau van Moon Patrol te halen, was er in de speelzaal alleen een kassier aanwezig, een grote, slecht geschoren man met een bril aan een kettinkje en een lelijke katoenen trui met groene en zwarte vakken. Hij keek de twee mannen vragend aan, tot ze vlak voor hem stonden. Giuseppes vader zei in het dialect: 'Maak de kassa open.' De man wreef met zijn hand over zijn wang en riep naar het jongetje dat hij naar huis moest. De jongen bleef onverstoord met de joystick spelen. De kassier zuchtte, schudde zijn hoofd, keek de mannen opnieuw aan en legde zijn handen duidelijk in het zicht op het houten tafeltje. Hij richtte zich tot Giuseppes vader en zei: 'Het is niet de avond.' Domenico antwoordde: 'Alles in orde...' en legde uit dat de baas van de speelzaal onaangekondigd bij hem aan huis was geweest, en dat hij hem nu alleen maar een wederdienst wilde bewijzen. 'Alles in orde,' herhaalde hij. Op het gezicht van de kassier tekende zich een vermoeide uitdrukking af. Toen zag hij het pistool en leek hij nog vermoeider dan daarvoor. Hij opende de la van de kassa en begon bergen muntjes van tweehonderd lire op tafel te leggen. Giuseppes vader kliefde de lucht met de Beretta. De kassier tilde langzaam het plastic deksel op. Domenico's zwager sperde angstig zijn ogen open en bewoog zijn rechterhand onbewust langs zijn broeksriem. Maar de man nam alleen maar de bankbiljetten uit de onderste la van de kassa. Hij haalde de stapeltjes biljetten tevoorschijn en stapelde die op elkaar op het beetje ruimte dat beschikbaar was. Giuseppes vader zei: 'Dat is genoeg.' Hij stak het pistool terug in zijn broekband, pakte een stuk van tweehonderd lire van tafel en – met een gebaar dat hij toen pas bedacht – liet hij het muntje, dat glinsterde in het kunstlicht, tussen duim en wijsvinger aan de kassier zien: 'Zeg tegen je baas dat dit genoeg is. Hij is mij niets meer schuldig en ik hem niet.' De kassier zweeg en volgde de twee mannen die naar de uitgang liepen met zijn ogen, waardoor hij de zijkant van de bestelwagen goed kon zien. Toen ook die uit het zicht was verdwenen, begon hij op te ruimen. Hij legde de bankbiljetten terug op hun plaats. Hij ordende geduldig het kleingeld in de plastic gleuven en deed de kassa op slot. Hij leek niet opgelucht noch kwaad noch bang noch iets anders. Hij pakte zijn leren jas van de kapstok, opende een in de muur ingewerkt deurtje en trok de plastic hendel naar beneden. Achter in de zaal schreeuwde het jongetje: 'Hè, verdorie!'

Drie weken later hadden ze zijn loods in brand gestoken. Buizen, hydraulische leidingen, elektrische pompen... Honderden miljoenen aan koopwaar, allemaal in rook opgegaan. De ruimte met de druiplijsten was veranderd in een hedendaags kunstwerk. De hond was de verstikkingsdood gestorven in de kelder. Het had nog veel erger kunnen zijn. Ze hadden persoonlijk met hem afgerekend als niet voor begin mei de naweeën al waren begonnen van een reusachtige aardverschuiving met het epicentrum in het oosten die hen allemaal in de gevangenis had laten belanden. Toen zijn zwager hem belde en opgewonden schreeuwde: 'De loods!', had hij niet eens tijd gehad erover na te denken, want (de ene klap volgde op de andere) zijn kop zat nog vol met beelden van zijn zoon die met spoed was overgebracht naar de reanimatieafdeling van het ziekenhuis van Bari. Pas een paar dagen later slaagde hij erin met de nodige kalmte te bedenken dat als hij niet als een cowboy de speelzaal was binnen gevallen, hij op dit moment – nu zijn vijanden door een grotere kracht waren verslagen – een vrij man zou zijn geweest.

Medio maart ontsloeg hij de Grijns. Aan het eind van diezelfde maand las hij over zijn dood in een plaatselijke krant. Maar toen februari op wonderlijke wijze nog even volhield in het schuilhokje van het schrikkeljaar, vroeg hij nog aan zijn gesprekspartner: 'Weet je het zeker?'

De man antwoordde: 'Zo zeker als het feit dat we de volgende negenentwintigste februari niet meer weten wat we hiermee nog kunnen aanvangen.' Hij klapte de atlas dicht die tussen hen op het bureau lag en liet zich tegen de rugleuning van zijn stoel zakken. Hij voegde eraan toe: 'Mario, ik meen het: ontdoe je van hen. Ze zijn nu al de helft minder waard. Nog even en ze zijn alleen nog maar ballast.'

Hij was een knappe, grote, stevige man met een fysiek als dat van een rugbyspeler, verlicht door een chic halfzijden pak. Uit zijn grote, kortharige hoofd met een bril met geraffineerd zwart montuur sprak een pretentie die in een minder provinciale omgeving slechts de suggestie had gewekt van een man die altijd weet naar welk restaurant hij je kan meenemen. Hij was een paar jaar jonger dan meester Lombardi, en was om drie uur 's middags diens kantoor binnen gelopen. Het was inmiddels vijf uur. Toen de man de atlas opensloeg en met een potlood lijnen begon te tekenen op de dunne, poreuze pagina's, ontbood Vincenzo's vader zijn secretaresse en zei: 'Wie er ook belt, ik ben er niet.'

Ze hadden elkaar leren kennen in het begin van het decennium, en er een gewoonte van gemaakt elkaar een paar keer per jaar te zien om de stand van zaken op te maken. Ze wisten alles van elkaar, alleen door geruchten waarvan de juistheid nooit werd ontkend, alsof ze allen door zich op basis van oncontroleerbare geruchten voor elkaar open te stellen een blijvende, oprechte vriendschap hadden kunnen sluiten. Vincenzo's vader had zijn bezoeker nooit juridisch bijgestaan, en hij had altijd de verlokking weerstaan zich te laten betrekken bij een van de vele zaken die de man ertoe dwongen zijn horloge voortdurend gelijk te zetten op het uur van het land waarin zijn hotelkamer zich bevond. Ook dat was een garantie: aangezien ze niet dezelfde belangen hadden, hoefden ze elkaar ook niets voor te liegen.

Hij schonk twee vingers cognac in zijn glas. Ze lichtten elkaar in over hun familiesituatie en praatten vervolgens vrijuit. Ze informeerden elkaar over heel specifieke situaties en personen, wat hen inspireerde tot kleine bijsturingen. De advocaat besloot een zaak te laten vallen of spande zich juist in om die te bemachtigen. Zijn vriend investeerde wat geld in een onderneming die volgens Mario Lombardi de nieuwe ster was van de plaatselijke bedrijfswereld.

Maar nu had de man hem na de gebruikelijke plichtplegingen een radicale breuk aangeraden. 'Carmelo Terlizzi, Savino Menolascina, Vito Lopez, Dante Rutigliano...' Hij bleef maar namen noemen uit een kleine maar niet onaanzienlijke niche van cliënten die de advocaat de afgelopen jaren had bijgestaan. Vincenzo's vader grinnikte: 'Besef je wel dat die samen goed zijn voor eenderde van de omzet van deze tent? En het is ook niet het soort mensen dat zich zomaar aan de kant laat zetten.' De man deed alsof hij het niet had gehoord: 'Zorg om te beginnen dat je afkomt van die holbewoner van een chauffeur. En dan… Je hoeft ze niet bij je te ontbieden. Stuur gewoon iedereen een aangetekende brief en zeg dat je niet langer hun raadsman bent.' De advocaat keek ernstig. De man duwde zijn bril op zijn neus: 'Ik bespaar je alleen maar een heleboel gedoe. Let op mijn woorden, vijf maanden, misschien nog wel minder, en dat volk is niks meer waard. Diegenen die niet in de gevangenis zitten, zullen hoogstens nog de ambitie hebben een keurige pizzeria te openen.' Vincenzo's vader nam een slok cognac. 'Ik weet niks van een onderzoek…' De man onderbrak hem: 'Een onderzoek? Misschien heb je het niet begrepen. Ze worden overweldigd door iets wat ongelooflijk veel groter is.' Hij verbeterde zichzelf: 'Wé worden overweldigd.' Hij wachtte even en voegde eraan toe: 'Begrijp je dan niet wat er te gebeuren staat?'

Toen stond hij op, ging naar de boekenkast en haalde er de grote Treccani-atlas uit. Hij liep terug, sloeg het boek open en bladerde snel door totdat hij had gevonden wat hij zocht. Hij nam een potlood uit zijn etui en begon op de landkaart verscheidene corridors te tekenen die naar Italië kwamen vanuit de Socialistische Sovjetrepubliek Kazachstan, vanuit de Socialistische Sovjetrepubliek Turkmenistan, vanuit de Socialistische Sovjetrepubliek Oezbekistan, vanuit Hongarije, vanuit de dalen van de Tisza. 'Alles…' zei hij tegen de advocaat, 'alles komt vanaf morgen onze kant op. Dit worden de snelwegen van de toekomst. Wie dat inziet, speelt er nu al op in. Wie het niet inziet, komt geen meter meer vooruit.' Hij zuchtte. 'Carmelo Terlizzi is een van diegenen die het niet inzien. Je andere cliënten hebben het ook niet ingezien. Als ze er al op inspeelden, had ik het geweten. Maar ik ken mensen die hún plaats al hebben ingenomen. Misschien worden zij in de toekomst jouw cliënten.'

De advocaat vouwde zijn handen in zijn nek. Hij rekte zich uit: 'Luister... Ik lees ook kranten. Ik zie wel degelijk wat er vroeg of laat zal gebeuren. De paus die het Kremlin bezoekt enzovoort. Maar dat duurt allemaal nog lang, en als je trouwens echt wilt weten...' De man onderbrak hem nogmaals: 'Dit soort nieuws haal je niet uit de kranten. Zelfs niet van de televisie. Ken je een parlementslid? Vergeet hem. Besteed je tijd aan iemand bij de Kamer van Koophandel en laat die je lijsten van import- en exportfirma's zien. Dan zul je interessante dingen ontdekken. Je zult zien dat projectontwikkelaars net van een ambtenaartje, weggestopt in een of ander regeringskantoortje in Tallinn, toestemming hebben gekregen voor het bouwen van een reusachtig toeristisch resort aan de Baltische Zee. Je zult zien dat de straten van Warschau worden overspoeld door winkels van Benetton en Calzedonia. En het leuke, weet je... Het grappige is dat als je hierover iets vraagt aan kameraad Ceauşescu, hij daar niets vanaf weet, en kameraad Gorbatsjov en kameraad Jaruzelski al evenmin. Maar ga even praten met Tomasz. Spreek met Andrus, met Mart, met Lukáš... Vraag aan die anonieme ambtenaar in Tallinn hoe makkelijk het was de handtekening van zijn superieuren te vervalsen.' Hij pakte zijn glas en dronk een slok cognac: 'Vierhonderd miljoen uitgehongerde zielen die snakken naar het Westen. Dat is zelfs geen leger. Het is een reusachtige oceaan vol energie, het is verlangen in zijn zuiverste staat. Geen tank kan zoiets tegenhouden. We worden overspoeld door het verlangen van al die Gavrils en Dalma's en Alina's...' Hij dacht even na, en hief het glas in de richting van zijn vriend: 'En zo worden we allemaal communisten!'

Vincenzo's vader barstte in lachen uit: 'Communisten?' De

man zette zijn glas neer en priemde zijn wijsvinger omhoog: 'Beschavingen krijgen pas echt gestalte wanneer ze in het niets opgaan. Ga maar na...' Hij hield zich in. Hij pufte, alsof de hele theorie in de eerste plaats hemzelf ergerde: 'Luister.' Hij haalde zijn benen van elkaar en kruiste ze in de andere richting. 'Vorige week was ik in Praag. Ik had een ontmoeting met iemand voor een zaak, maar dat is nu even niet het punt. Het punt is dat ik er van vrijdag tot zondag verbleef, en die kerel ontmoette in de hal van mijn hotel, altijd om tien uur 's ochtends. De rest van de tijd kon ik doen waar ik zin in had. Ik ging dus op pad door die prachtige stad en... tsjak. Vrijdag al, nauwelijks een kwartier nadat ik mijn hotel uit was gelopen, werd ik aangeklampt door twee meisjes. Ze vroegen me of ik Engels sprak. Ik zei: 'Jazeker, ik spreek Engels.' Ze wilden dat ik wat met ze praatte. Ze waren Engels aan het leren en wilden wat oefenen. Stel je even voor, twee prachtige meiden. De kleinste ongeveer een meter tachtig. Ze zouden kunnen defileren op modeshows in Milaan. Ze zouden het kunnen maken in Hollywood. Ze zouden de wereld rond kunnen reizen en hun schoonheid ter beschikking kunnen stellen van iets vulgairs dat veel geld opbrengt. Maar ze zitten gevangen binnen de grenzen van hun land en dragen witkanten blousejes. Je weet wel, van die nonnenhemden. Ze verzekerden me dat Praag in hun ogen de saaiste stad ter wereld is. Ze waren vierentwintig, hooguit vijfentwintig. Maar toen ze *nineteen* zeiden nadat ze eerst even een blik van verstandhouding hadden gewisseld, begon ik te denken dat ze misschien niet eens meerderjarig waren. Ze vroegen me waar ik vandaan kwam. Toen ik het zei, vroegen ze me om wat Italiaans te praten. Italiaans leren was volgens hen heel nuttig. Ik wilde naar bed met ze, met *allebei*. Maar ik ging iets met ze drinken. We zetten ons gesprek voort in een café aan het Wenceslasplein. Ik begon ze het hof te maken. Op een onschuldige, kuise manier, waarin we ons beperkten tot het suggereren van wat een Italiaan van middelbare leeftijd en twee Tsjechische meisjes samen zouden kunnen doen. Ze giechelden en wilden weten waar ik ze mee naartoe zou nemen als we verloofd waren. En waar wil je zo'n heerlijk dom meisje mee naartoe nemen met wie je een gesprek aanknoopt? 'We zouden naar Parijs kunnen gaan,' zei ik. Ze vroegen me waar precies in Parijs. Ik somde de gebruikelijke flauwiteiten op: de Notre-Dame, het Louvre, de winkeltjes op het Île Saint-Louis. Ze haalden hun neus op. 'Wat? Willen jullie het Musée d'Orsay dan niet bezoeken?' vroeg ik. Kon ze gestolen worden... Ze waren jaren naar oersaaie staatsscholen geweest en in hun ogen waren Rubens, Goya, Rodin, Proust, Giuseppe Verdi en consorten minstens even saai als partijpropaganda. Ik probeerde het verloren terrein terug te winnen en zei dat ik 's avonds, na een wandeling langs de Seine, met ze uit eten zou gaan in La Tour d'Argent. Opnieuw zuchtten ze ontgoocheld. 'Wacht even, we zijn in Parijs en jullie willen niet in La Tour d'Argent eten?' En toen zeiden ze het... Die twee engeltjes wilden in Parijs bij McDonald's gaan eten, zoals hun leeftijdsgenoten in West-Europa. Ze wilden verdwalen in de Galeries Lafayette. Op pelgrimstocht gaan naar de Club 79. Ze geven geen klap om Delacroix, maar waren bereid zich in ruil voor een cheeseburger door de eerste de beste aap met gymschoenen te laten pakken. En dat is dus het punt. Ik heb nog eens in hun grote ogen gekeken en was ervan overtuigd dat niet onze kleinkinderen of kinderen, maar *wijzelf*, wij allemaal heel gauw zo zullen worden.'

'We worden communisten...' zei Vincenzo's vader zonder dat de glimlach van zijn gezicht verdween. 'Zoals ik al zei, beschavingen krijgen pas echt gestalte wanneer ze in het niets opgaan.' – 'En het nazisme dan?' daagde de advocaat hem uit. De man spreidde zijn armen en zei niets. De advocaat zei niets. De man zei niets. Vincenzo's vader draaide zijn glas tussen zijn vingers: 'Luister. Om even terug te keren naar onze kleine problemen. Laten we even aannemen dat het zit zoals jij beweert.

Stel dat dit echt te gebeuren staat. Laten we ervan uitgaan dat de illegale handel op deze wereld het IJzeren Gordijn neerhaalt en dat mijn cliënten door die gebeurtenissen worden ingehaald. En dat ze dus straks inderdaad niet meer meetellen. En dat ze een pizzeria moeten openen om rond te komen. Goed. Maar als ik die aangetekende brieven onderteken en verstuur, wie garandeert mij dan dat ze de volgende dag niet mijn auto opblazen? Wat uiteraard nog het minste van mijn problemen zou zijn.'

De man zette zijn bril af en legde die op het bureau: 'Hoe lang kennen we elkaar al? In al die tijd heb ik nooit enige moeite hoeven doen om je van iets te overtuigen.' Hij zuchtte diep. 'Jij zegt dat je het nu niet kunt doen. Maar de wind begint nu wel uit een andere richting te waaien. Aan de andere kant rommelt het al.' – 'Welke andere kant?' De man deed alsof hij zich ergerde: 'Toe nou, "welke andere kant"! De andere kant van de wereld, van de stad, van de brug, van de maan… In deze *wijk* rommelt het zelfs al! Binnenkort krijg je een van die klassieke incidenten. De gebruikelijke vijftien of twintig sukkels worden met opengesperde ogen en een naald in hun aderen teruggevonden, en dat wordt voor de politie het startsein. Jouw auto opblazen zal voor je ex-cliënten dan hun laatste zorg zijn.'

Vincenzo's vader voelde een schok, die hij probeerde te verbergen. Hij zat even in stilte te piekeren. Hij legde zijn vingertoppen tussen zijn neus en mond tegen elkaar en vroeg: 'Weet je het zeker?' De man knikte zonder iets te zeggen. 'En kan ik…' De advocaat pauzeerde even, alsof hij zich afvroeg of het wel opportuun was te zeggen wat hij wilde gaan zeggen, 'mag ik voor deze ene keer weten wie je zulke nauwkeurige informatie heeft bezorgd?' De man stond op: 'Dat staat niet in onze overeenkomst.' Hij glimlachte. De advocaat sloeg zijn handen op zijn dijen en stond eveneens op. Een kwartier later namen ze vriendschappelijk afscheid bij de deur.

Mijn moeder kwam de woonkamer binnen. Ze droeg een nauwsluitende zwarte jurk en had een parelketting om. Mijn vader zag haar en zei: 'Je ziet er prachtig uit.' En het was waar: die jurk, op die specifieke meiavond, plaatste haar in het centrum van een mysterie dat volwassen vrouwen er zo nu en dan toe brengt knapper te zijn dan ze ooit als meisje zijn geweest. De prikkelende wind van de jeugd speelde met haar, van top tot teen, en veranderde zelfs het gewicht der rijpe jaren in een rustige, hypnotische bovennatuurlijke kracht. Ze gingen naar buiten, namen de Mercedes en reden samen naar de Circolo del mare.

'In de Circolo del mare' had Vincenzo's vader een week eerder gezegd. Zijn zoon had hem zonder iets te zeggen aangekeken, wat misschien betekende dat hij hem zijn zin zou geven.

De advocaat was trouwens het hele diner lang inschikkelijker geweest dan Vincenzo had kunnen denken. Met die onverwachte toegeeflijkheid had hij hem laten voelen hoeveel belang hij eraan hechtte hem aan zijn zijde te hebben tijdens de kleine party ter ere van het tachtigjarige bestaan van het kantoor. 'Je grootvader,' had hij gezegd, 'waarbij hij een geschiedenis doornam waarin hij ook Vincenzo's rol voor de hand liggend vond, 'en de vader van je grootvader, die jij nooit hebt gekend.' De jongen had niet gereageerd.

Daarna wilde Vincenzo opstaan, maar de advocaat hield hem bij zijn hand vast. 'Wacht,' zei hij, en hij riep Sabrina. Zij was na het eten voortdurend van de ene kamer naar de andere gelopen. Ze had geen schoenen aan en had die avond haar haar opgestoken. Ze droeg een witte kimono met purperen bloemmotieven. Ze was druk op zoek naar iets wat blijkbaar niet gevonden wilde worden. Ze bleef staan op haar lange negenentwintigjarige benen. De advocaat zette zijn vriendelijkste gezicht op: 'Vind je het erg om ons even alleen te laten?' Sabrina reageerde met een 'nee hoor!' zonder enige wrok, maar bleef toch nog een paar minuten in de woonkamer. Daarna verdween ze naar de slaapkamer.

Toen zei de advocaat: 'Luister, ik wil je een goede raad geven.' De jongen keek hem recht in zijn ogen. Zijn vader bleef hem strelen met de bijna onbehouwen glimlach van iemand die vlak voor het eind van de wedstrijd moeite heeft zijn voorsprong te behouden. Dat wekte natuurlijk nog meer de argwaan bij Vincenzo. Mario Lombardi nam een appel van de tafel en begon die te schillen. 'Luister, ik heb geen flauw idee wat jij in je vrije tijd uitspookt. Waar je naartoe gaat na school. Waar je 's avonds uithangt. Op zaterdagavond, bijvoorbeeld. Waar je je op zaterdagavond gaat amuseren, met wie je omgaat... Ik weet het niet. Ooit heb ik je laten volgen. Misschien was dat een vergissing. Als dat zo is, wil ik me daarvoor verontschuldigen. Maar laten we eens aannemen...' Hij hield op met schillen en keek zijn zoon recht in de ogen. 'Laten we gewoon eens aannemen dat jij 's avonds naar Japigia gaat.' Vincenzo probeerde onverstoorbaar te blijven. Zijn vader draaide de appel om. 'Laten we aannemen dat je uitgerekend daar uithangt en dat je, ik zeg niet altijd... maar af en toe... dat je af en toe, om te zien wat het effect ervan is. Laten we aannemen dat je af en toe experimenteert met drugs...' – 'Nooit drugs gebruikt, van mijn leven niet,' onderbrak de jongen hem beslist. Hij loog niet. En toch verrasten die woorden Mario Lombardi, want voor zover hij zich kon herinneren, was Vincenzo nooit zo gespannen geweest dat hij iemand midden in zijn uiteenzetting onderbrak.

De advocaat ging verder: 'Natuurlijk heb je nooit gebruikt, maar we redeneren even in een aanname. Dus, nog altijd in die aanname, gaan we ervan uit dat jij af en toe heroïne hebt gebruikt en nog altijd gebruikt. Dat zijn uiteraard jouw zaken. We zijn volwassenen. En tussen volwassenen hebben verboden misschien altijd iets gemeens, maar goede raad is geoorloofd. Mijn goede raad is dan ook om geen greintje van die

troep aan te raken gedurende... laten we zeggen de eerstko-
mende twee of drie weken?' Vincenzo moest zich beheersen
om onder de tafel niet zenuwachtig met zijn been te wippen –
een jongen die zich duizend vragen stelt, en evenveel veronderstellingen verwerpt, en er niets van snapt. Hij had zich nooit
zeventienjariger gevoeld dan toen, op dat moment.

Zijn vader legde de geschilde appel op tafel. Hij legde ook
zijn mes neer en zei ontwapenend, in alle rust: 'Wat we tot nu
toe hebben gezegd, zijn hypothesen. Wat daarentegen vast-
staat is dat, zoals de kranten het de volgende dagen zullen be-
schrijven, Japigia op het punt staat te worden overspoeld door
een lawine van heroïnekillers. Hoe ik dat zo zeker weet? Tja,
kijk... Jij komt misschien niet in Japigia en je hebt van je hele
leven geen drugs gebruikt, maar ik heb te maken met mensen
die er hun broodwinning van hebben gemaakt.' Hij zweeg
weer even. 'Geloof me, ik weet waar ik het over heb.' En dat
was echt wel het toppunt voor de jongen, die nu met zijn voeten op de vloer danste. Want afgezien van het drugsgebruik
bleek de advocaat niet alleen op de hoogte van waar hij uit-
hing, hij had net ook het deksel gelicht van de beerput van de
onuitsprekelijkste aspecten van zijn leven, en daarmee Vincenzo's onvermoeibare pogingen hem te betrappen onschadelijk
gemaakt. En hij had dat gedaan met een superieure houding
die hem de grond onder de voeten wegsloeg. Vincenzo zat nu
dus of voorgoed in de val, of hij was volstrekt vrij, afhankelijk
van de invalshoek van waaruit hij de zaak wenste te bekijken.
Maar hij begreep er nauwelijks wat van, en kon ook niet uit-
maken of zijn vader net met het scalpel van de grootmoedig-
heid iets fundamenteels bij hem had weggesneden, of zijn
sluwheid dermate ver had doorgedreven dat hij niet meer begreep waarover het ging.

De volgende dag liep Vincenzo als een bezetene door de straten van Japigia, met de zoom van zijn trenchcoat in zijn vuis-

ten geklemd. Het was vier uur 's middags. De drukkende hitte kroop lui over het asfalt en hooguit een enkeling liep al even lusteloos door de straten. Hij zag Giuseppe twee blokken verderop met zijn rug tegen een klein hek staan keuvelen met een man, gehuld in een smerige, linnen jas die niet om aan te zien was en op verscheidene plaatsen gescheurd. De eigenaar leek overigens alleen nog uit koppigheid onder de mensen te verkeren.

Zodra hij hem zag, kwam Giuseppe hem tegemoet. Vincenzo stak zijn handen in zijn zakken en zei: 'Heb je even?' Giuseppe keek hem aan en haalde zijn schouders op. Hij gaf Maxi de spuiter met een teken te kennen dat hun gesprek beëindigd was. Ze liepen in westelijke richting, over een weg bergop die door de middagzon in een bescheiden lichttunnel werd veranderd. Een van de twee zei tegen de ander: 'Luister, ik moet je wat vertellen...'

De feestzaal van de Circolo del mare was een halve cirkel van nog geen honderd vierkante meter die aan de oostkant uitzicht bood op de jachthaven, met mooie rode stoffen gordijnen die opengeslagen waren voor grote panoramische vensters. De zeilen van kleine bootjes en de ra's van de jachten staken af tegen de warme avondlucht. Een stuk of tien ronde tafels stonden om de centrale vloer, terwijl de tafel waaraan onder andere omstandigheden het bruidspaar zou hebben gezeten, uitzicht bood op alle andere tafels, en vlak bij het grote venster stond. De sfeer was trouwens die van een bruiloft of een trouwjubileum, en de Circolo – de grote zaal, de gang die naar een kleine aanlegsteiger leidde, de gezellige pianobar met rondom sofa's en tafeltjes – was net iets te functioneel ingericht om eruit te zien als een van de belangrijkste machtscentra van de stad. Het etablissement had niet het indrukwekkende van het Paleis van Justitie noch het fluweel van de grote Aula van de universiteit.

En toch verleende het feit dat een besloten groep mannen, gewend om elders dagelijks die indrukwekkende sfeer op te snuiven en op dat fluweel te zitten, elkaar geregeld uitgerekend hier zagen, aan de overigens heel gewone, met afwasbare verf geschilderde muren een vreemde sfeer, die iets fatsoenlijks en tegelijk iets dreigends had en een bovenwereldse kracht uitstraalde die zelfs de schoonmaaksters voelden als ze de dag na een bijeenkomst kwamen stofzuigen totdat de laatste kruimel van de wollige tapijten was verdwenen.

Ook die avond werd er gekletst en gelachen en gekust en gediscussieerd door mannen die al minstens één keer in een televisieprogramma te gast waren geweest, als expert op een terrein als de hartchirurgie of de ontwikkeling van het landbouwareaal, of door oude vossen die alleen bij hun eigen personeel bekend waren. Maar er waren ook nieuwe gezichten. Bijvoorbeeld mijn vader, in een mooie tweedjas, vergezeld door mijn moeder met haar schitterende parelketting, waarvoor maar weinig van de aanwezige vrouwen fijnzinniger gevoelens wisten te ontwikkelen dan afgunst. Ze hadden een plaatsje gekregen naast twee oude stellen met wie ze het uitstekend wisten te vinden. Voor mijn moeder was het al genoeg dat ze erbij was. Mijn vader had een reeks parabels gedebiteerd over persoonlijk succes die er als zoete koek in gingen bij een publiek dat het gewend was zich te laven aan primeurs over wisselingen van de wacht aan de top van de Italiaanse Nationale Bank of van de Beursautoriteit en die op zulke feestelijke gelegenheden hun werkagenda voor de volgende dag zaten in te vullen. Dezelfde ontspannen sfeer heerste aan de andere tafels, en uiteraard ook aan de hoofdtafel, waar de advocaat en Sabrina zich perfect kweten van hun taak als gastheer en gastvrouw. Vincenzo zat tussen hen in en gedroeg zich voorbeeldig.

Inmiddels was er ook al getoost. De koffie en de afzakkertjes waren rondgegaan. De ouderen en jongeren zoals Vincenzo begonnen de zaal te verlaten en verspreidden zich over alle hoeken van de stad. Andere genodigden namen afscheid van elkaar. Over een paar minuten zou het feestje als afgelopen worden beschouwd.

Maar ik heb van de afloop van dat feest minstens twee verschillende versies gehoord.

De jaren daarop, toen ik informatie begon te verzamelen over de scheiding van mijn ouders, en ik tantes en oudooms en neven in de derde graad onverhoeds begon te ondervragen, gebeurde het weleens dat ik (terwijl ik op zicht voer op een zee van ontwijking) af en toe een familielid ontmoette dat zo wreed en expliciet was dat hij, tussen het gekwetter van onze gesprekken door, de stekel liet opduiken van een onuitsprekelijke episode, die meteen werd bedekt met het zoete conserveringsmiddel van andere banaliteiten. Dus toen het feest ter gelegenheid van het tachtigjarige bestaan van het kantoor Lombardi was afgelopen, stapte een exacte kopie van mijn ouders in de Mercedes en keerde naar huis terug, terwijl een andere versie van mijn vader en mijn moeder...

Het was niet echt een verrassing, want voordat ze het huis uit gingen, had hij gezegd: 'Het zou ook wel vanavond kunnen gebeuren.' Mijn moeder, die net haar jas aantrok, had niets beters kunnen bedenken dan te antwoorden met een glimlach om haar nervositeit te onderdrukken: 'Het lijkt me nog altijd een onnozelheid die wordt rondgebazuind door een paar idioten. Maar als het gebeurt, tja, wat dan? We zijn dan tenminste met velen.' Ze hadden het er de afgelopen weken af en toe over gehad, ze hadden erom gelachen, ze hadden zich er zorgen over gemaakt, en ze waren er uiteindelijk maar van uitgegaan dat de kans heel klein was.

Maar kort voor middernacht, toen nog een twintigtal mensen in de zaal was, verhuisden ze naar de pianobar. Toen een van de gasten van de ene sofa naar de andere was gelopen en op alledaagse toon 'hij is er' had gezegd, waren ze door de gang naar de aanlegsteiger gelopen, waar de loopbrug aan het uiteinde van de houten constructie al was neergelaten en een boot van een kleine vijftien meter had afgemeerd. Het was geen admiraalsschip, maar een klein, sportief jacht.

Ze stapten een voor een in de boot. Hun benen maakten korte sprongetjes in de leegte alvorens te landen op het teakhouten dek. De loopbrug werd ingehaald en de plank ging schoksgewijs omhoog. Iedereen was aan boord. Ze verspreidden zich over de zonnedekken, waar kristallen tafeltjes vol cocktailglazen voor melkkleurige banken stonden. Ze zagen houten vissersboten langszij komen – met op de achtersteven namen van vrouwen of winden of steden – en lieten de zeilboten en andere motorboten die in de kleine bocht van de jachthaven voor anker lagen achter zich.

Minder dan tien kilometer uit de kust waren de lichtjes van het jacht nog zichtbaar voor iedereen met uitzicht vanaf de zeedijk of vanaf het kunstmatige heuveltje aan het eind van Japigia of vanaf de minuscule uitloper boven de kreek van San Giorgio. Daarna waren ze alleen nog een puntje in de verte. De oostenwind begon krachtiger te waaien terwijl ze alcoholvrije cocktails dronken op de bank of vooroverleunden op de commandobrug, waar iemand stond te babbelen zonder zich nog op te winden of te glimlachen, alsof woorden nu alleen nog dienden om op te gaan in het geluid van de golven die door de boeg van de boot werden doorkliefd. Een ielige zestiger die het tijdens het feest de hele tijd over enten en wijnen op fust had gehad, kwam uit de stuurhut tevoorschijn met witte knieën en slappe borsten en volstrekt kale testikels onder het verrimpelde vlees boven aan zijn dijen. Hij nam een van de glazen, wisselde een paar woorden met een stevige dame in een rode jurk en keek naar de zee. Ook de anderen kleedden zich toen uit, terwijl mijn moeder en mijn vader niet eens de tijd hadden te bedenken: *Wat vreemd, nu gebeurt het echt...* want toen zaten ze er al middenin.

Het was niet eens een orgie, ze zaten gewoon naakt als een slak op het dek van een jacht en dronken intussen alcoholvrije aperitiefjes. Het was een gewoonte waaraan sommige bezoekers van de Circolo zich af en toe overgaven om redenen die nooit echt werden uitgesproken: hetzij om de mythische verhalen te imiteren die in die jaren circuleerden over de zomervakantie van advocaat Agnelli (naakt voor de kust van de Bermuda's op zijn F100, in het gezelschap van Kissinger en Pamela Churchill), hetzij vanuit een behoefte aan duidelijkheid ter compensatie van een leven dat werd doorgebracht met het manoeuvreren tussen licht en schaduw, hetzij omwille van een bizar ritueel dat hen, als het mogelijk was geweest, ertoe had aangezet zich eveneens van hun botten en hun hele lichaam te ontdoen, om de spirituele kant van de macht beter te laten uitkomen. Hetzij misschien om een kleinburgerlijke droom te realiseren die zelfs dit soort mannen begon te besmetten.

Mijn moeder trok eerst haar ene schoen uit en vervolgens haar andere. Ze voelde het gladde, koude houten oppervlak onder haar voeten, deed de ritssluiting achter in haar nek open en liet haar zwarte jurk op haar enkels vallen. Ze trok ook haar beha en haar slipje uit. De precieuze zachtheid van haar billen en haar volle borsten viel op in het kunstlicht van de nachtlampjes. Ze keek niet hoe mijn vader zich van zijn kleren ontdeed, want haar eigen naaktheid tonen als een wonder waarop niemand behalve zij rechten kon laten gelden, was een manier om niet depressief te worden bij het zien van de staalkaart van slappe lullen, uitgezakte konten, blubberbuiken en onbehaarde kuiten rondom. Ze dronk haar aperitief zonder de andere passagiers vertrouwen in te boezemen. Ze keek om zich heen en verwijderde zich van de groep. Ze stak een van de loopbrugjes aan de zijkant over en kruiste in de halfschaduw een vrouw met heupen vol roze rimpeltjes. Daarna was het de beurt aan een andere zestiger om peinzend voorbij te lopen. Voordat ze bij de achtersteven kwam, zag ze het enige wezen dat zich met haar kon meten. Sabrina stond met haar zij tegen de reling. Haar lange, gladde benen, de ribben die zichtbaar waren op haar bescheiden borstkas, de perfecte rondingen van haar boezem en haar kastanjebruine bos schaamhaar baadden in het maanlicht. Ze straalde jeugd uit, als een ongecontroleerde schreeuw. Maar Sabrina's schoonheid had op dat moment ook iets hartverscheurends, een hoogmoed die voortdurend dreigde te worden verminkt, alsof van het ene moment op het andere een verschrikkelijk zeemonster uit het water kon opduiken om gedecideerd haar romp open te rijten. Mijn moeder liep haar voorbij. Ze keken elkaar aan zonder elkaar aan te kijken. Ze groetten elkaar niet, en schiepen zo een onmogelijke solidaire afstand tussen mooie vrouwen wier leven misschien wel een beter lot had verdiend.

Ze liet het meisje achter zich en kwam bij de achtersteven, waar een ander zonnedek uitzicht bood op de zee. De diamantvormige belvedère was voor eenderde gevuld met vrouwen die zaten te keuvelen, plus twee mannen van middelbare leeftijd, allemaal met een glas in de hand. Ze ging op enige afstand zitten en leunde met haar onderarmen op de reling. Ze liet haar borstkas achteroverleunen en voelde haar poriën door de koude samenkrimpen. Ze keek naar het zwarte waterdek, dat zich overal uitstrekte, zonder dat ze een beeld kreeg van de precieze positie van het jacht. Toen gebeurde het. Het duurde maar even: hoogstens vier of vijf seconden. Ze wist niet of een van de mannen opzettelijk zijn hand op haar achterste had gelegd, of hij haar onbedoeld had aangeraakt. Maar op een bepaald moment was die hand daar, en de man hield die daar enige tijd. Mijn moeder ging niet opzij, protesteerde niet en deed niets anders. Ze wachtte alleen maar tot die onbekende haar niet langer betastte. Ze draaide zich zelfs niet om om hem te keuren, want ze was die eindeloze zwarte vlakte aan het bekijken en wilde daar niet mee ophouden. En toch moest ze erkennen dat ze niet was uitgedaagd door een prachtig zeemonster, maar door een vrij onbetekenende man, een overkammer met weggewaaid haar en voeten vol knobbels en onnatuurlijk magere benen in vergelijking met de omvang van zijn buik. Toen werd ze overvallen door een banaal gevoel van verspilde schoonheid, van verloren tijd, en banaler nog, van een vergooid leven. Haar man was ver weg, aan de andere kant van het jacht, en als ik – van alle, vele mogelijke momenten – er een moet kiezen waarop ze besloot mijn vader te verlaten, dan was het dat.

Het was maar moeilijk te begrijpen waarom Vincenzo zich ooit de moeite had getroost hem op te zoeken als hij het hem vervolgens niet had verteld. Hij kon van gedachten zijn veranderd, maar dat was de minst waarschijnlijke hypothese. Ze hadden een halfuur naast elkaar gelopen. Vincenzo had hem een sigaret aangeboden en vervolgens was hij met een eindeloze omhaal van woorden nooit tot het enige gespreksonderwerp gekomen dat hij had moeten aansnijden. Als hij thuis was gebleven, zou het resultaat niet anders zijn geweest. Dat zou evengoed een onvergeeflijke omissie zijn geweest. Maar hij was hem wel gaan opzoeken, en daar ging het nu net om: ten volle het gewicht en de schande van het verraad smaken. Een laatste halfuur naast Giuseppe lopen, hem nog levend in het gezicht kijken, om het even welke seconde in die dertig minuten kunnen aangrijpen om hem te waarschuwen voor het gevaar, maar niet het besluit nemen dat daadwerkelijk te doen.

Op 16 mei 1988, om twee uur 's ochtends, werd Giuseppe Rubino overgebracht naar de reanimatieafdeling van het ziekenhuis van Bari, na een ademstilstand, te wijten aan een overdosis heroïne. Toen de brancard aan het eind van de gang – een

lange, slecht verlichte, vuile en bouwvallige tunnel – rechts af-
sloeg, had hij een blauw gezicht en waren zijn pupillen onzichtbaar. Een ononderbroken echo van ijzeren wieltjes wekte de
indruk dat diep in het ziekenhuis andere brancards intussen in
andere gangen rondreden, in een soort geïmproviseerd nachte-
lijk spoedafdelingfestival.

De verpleger wachtte totdat de injectiespuit gevuld was met
exact 0,4 milligram naxolon en daarna gaf hij hem een intrave-
neuze injectie met Narcan. Giuseppe kwam niet bij bewustzijn. Maar na de vierde injectie van het paardenmiddel kon hij
zijn ogen openen. De drie hoofden van de verpleger lichtten op
en werden doorzichtig en versmolten uiteindelijk tot één gezicht. Giuseppe had geen tijd om zijn eigen gezicht te betasten
of te glimlachen of 'dank u' te zeggen. Hij begreep zelfs niet of
hij de nodige krachten bezat om op te staan. Iemand anders
zette de hoofdsteun van de brancard omhoog, het bed kwam
schokkerig in beweging, het beeld van de verpleger werd kleiner en splitste zich opnieuw en verdween daarna door de deur
van de zaal. Hij bleef alleen achter in een gang nadat een andere hulpverlener een lelijke wollen deken over hem heen had gegooid, zonder tijd te verspillen aan een verklaring, of hij daar
moest blijven of zich al als ontslagen mocht beschouwen. De
afgelopen minuten waren nog meer jongeren opgenomen, zoals ook al 's middags, en er zouden tot het ochtendkrieken nog
meer bij komen. Ze waren op het allerlaatste moment gered,
in een ambulance, of hun hart had het al begeven terwijl iemand schreeuwde: 'Nog een overdosis!'

Maar diezelfde ochtend, om de klok even zo'n vijftien uur terug te draaien, waren Rachele en ik wakker geworden in onze
favoriete slaapzak, terwijl het veelbelovende meilicht zich in
veelhoeken over de muren uitspreidde. Het was maandag, en
we hadden nog maar eens een smoesje bedacht om de nacht

buitenshuis door te brengen. We gingen naar de keuken en zetten koffie. In zijn haar krabbend kwam ook Marco Corallo erbij staan. Hij was een van de nieuwkomers die de laatste weken in de wijk waren aangespoeld. Hij droeg een pyjamabroek, een verschoten T-shirt en geen schoenen. Hij keek ons slaperig aan zei: 'Voor mij ook een kopje...'

Hij was een ukkie die iets jonger was dan wij, de zoon van een plaatwerker uit Acquaviva die door een oprechte passie voor verdovende middelen en het gouden tijdperk van de psychedelica ver van huis was beland, een lentekoopje uit de onuitputtelijke voorraad van de neohippiecultuur, een van die mensen die je nog ongegeneerd 'broeder' konden noemen. Een naïeve loser uit het boekje. Maar ik vond hem wel sympathiek. Rachele vond hem zelfs aandoenlijk, op de manier waarop meisjes soms vertederd kunnen zijn door onschuld die nog niet door erotische spanning is gefilterd, en een belangeloze geest van zelfopoffering aan de dag leggen als iemand met wie ze nooit naar bed zouden gaan, in hun ogen tot geen kwaad in staat is. Als ze zich om zo iemand bekommeren, die beschermen, is dat geen manier om hun geweten te sussen (bij het zien van die wezens werd het latente schuldgevoel van die meisjes niet alleen manifest, maar zelfs hartstochtelijk), maar om met absolute zekerheid te doen wat goed is.

Niet dat ik jaloers kon zijn op Marco Corallo, maar ik vermoedde toch dat de affectie van Rachele voor die jongen een illustratie was van haar impliciete overtuiging dat de rest iets had wat fout was. Mij niet uitgezonderd. Sinds we zagen hoe die kerel op straat in elkaar werd geslagen, had ik de indruk dat Rachele steeds meer piekerde, alsof ze met iets belangrijks bezig was en dat wilde doen zonder daarbij gestoord te worden. We deelden ons ontbijt met Marco. Daarna kwamen andere jongeren. Zij zetten nog meer koffie, gingen in de kast op zoek naar de laatste beschuiten en wroetten met hun vingers in een honingpot, die ze doorgaven totdat hij ergens werd achtergelaten. Toen was het al middag. Dus wilde ik wakker worden en ging ik in mijn eentje uit wandelen.

Maxi de spuiter was de ouderdomsdeken van de junks van Japigia. Hij was nog geen vijftig en was begonnen te gebruiken toen het nog mode was je na een politieke ontgoocheling in de armen van de heroïne te gooien. Maar hij, die in de wijk geboren en getogen was, had zich nooit wat aangetrokken van politiek, en hij was eraan begonnen omdat de onophoudelijke dwang om te blijven gebruiken – kopen gebruiken behoefte, kopen gebruiken behoefte – gepaard ging met de eeuwige terugkeer naar hetzelfde, een terugkeer die als een pijnstiller zijn stempel drukte op de afwezigheid van hoop en de afwezigheid van pijn in het hele zenuwstelsel van deze buitenwijk.

Hoewel iets in Maxi nog blijk gaf van de oude routine van iemand die jong was geweest in de jaren zeventig, had hij ook alle veranderingen ondergaan die bij vijftien jaar verslaving horen. Volgens de brochures van volksgezondheid had hij allang dood moeten zijn. Maar hij zat nog steeds gevangen in een soort onvergankelijke laatste fase, en terwijl zijn redeneringen af en toe het product leken van een falend brein, was het hele lichaam van Maxi daarentegen één perfect functionerend hersenweefsel waarop zelfs ieder haartje in de richting van de volgende dealer groeide.

Toen ik die ochtend Rachele bij Marco Corallo had achtergelaten, kwam ik hem tegen tussen de Via De Lilla en de Via Pitagora, waar hij het grootste deel van zijn tijd doorbracht. Ik vroeg hem hoe het was en hij antwoordde: 'Een waardeloze lul…', wat betekende dat de man met wie hij had afgesproken niet was komen opdagen. Er gingen tien minuten voorbij, waarin hij zich ertoe beperkte de sfeer op te snuiven. Als de drugs niet naar hem kwamen, moest hij zelf op pad. Hij maakte zich los van het hek en liep naar de brug. Ik liep met hem mee.

We verlieten Japigia, door het laatste stuk van de wijk San Pasquale, en liepen zo naar het centrum. Hij was op zoek naar een dealer, en aangezien die altijd wel ergens was, moest hij ook wat geld bij elkaar zien te schrapen voor de volgende dagen. Hoewel hij scheef liep, ging hij heel doordacht om met zijn tijd en zijn krachten. Op een kruispunt bij het station, voor een stuk asfalt waarover een anonieme opeenvolging van voorbijgangers liep, was het alsof hij net een werveling van energie had opgemerkt en leken die vele opeenvolgende lijnen een dreiging in zich te hebben. Kort daarna verscheen aan het andere eind van de straat een man in een legerjas. Hij stond vlak bij een verkeerslicht en bekeek hem met zijn handen in zijn zakken. Hij schudde het hoofd. Maxi mompelde iets. We liepen verder, naar de Piazza Umberto.

Ter hoogte van de universiteit begon hij voorbijgangers lastig te vallen. Hij vroeg wat geld en toonde de stigmata van zijn verslaving, zoals een lamme op zijn rolstoel wijst. De stroom mensen splitste zich voor ons naarmate wij erdoorheen liepen, en sloot zich meteen achter ons weer aaneen. Een man van middelbare leeftijd – rozig gezicht, wit haar, lelijke jas met visgraatmotief – beging de vergissing hem iets te lang aan te kijken. Maxi ging voor hem staan. De man keek bang om zich heen, terwijl de andere mensen rondom hem haastig doorliepen. Maxi boog driekwart voorover en liet zijn klinkers verschrikkelijk slepen: *Alstubliiieft... een paaaar muntjes voor een koooffie.* De man balde zijn vuisten. Maxi was zo verzwakt dat zelfs een kind hem omver had kunnen duwen. De man had hem willen slaan maar kon het niet. Hij doorzocht instinctief zijn zakken, totdat hij uiteindelijk met zijn geopende portemonnee in zijn handen stond. Bij het zien van het geld schakelde Maxi over op de automatische piloot. Zijn stem werd nog nasaler en hij spreidde zijn armen om zijn gehavende aderen te tonen. Het kon hem niet schelen dat in de ogen van de man nu de grootste minachting te lezen stond – geen persoonlijke, maar abstracte haat – want nu was er geen Maxi meer, alleen nog de honger naar heroïne. Ze waren allebei bezetenen, sprekende machines, en alleen op die manier wisten ze de impasse te overwinnen: de man reikte hem een biljet van duizend lire aan en Maxi greep het vast.

Rond drie uur, toen we nog wat geld hadden verzameld, waren we terug in San Pasquale. Het laatste halfuur was Maxi steeds nerveuzer geworden. Zijn behoefte aan dope kwelde iedere cel en hij had nog steeds geen dealer kunnen vinden. Dat was onverklaarbaar. In de absolute stilte van de siësta, een paar meter bij twee naast elkaar gelegen scholen vandaan, trof hij een man die op hem leek te hebben zitten wachten. Hij was hoogstens dertig en droeg een witte trainingsbroek van Diadora. Hij ging naar hem toe en ze praatten met gebogen hoofd. Ze hielden allebei hun handen op dezelfde plaats. Maxi keerde schouderophalend naar mij terug. Het koude zweet brak hem uit en hij gebaarde *nee, nee* met zijn hoofd. Hij ging op het trottoir zitten, stak zijn hoofd tussen zijn knieën en begon te grienen.

Een uur later liepen we alweer door de straten van Japigia. Maxi had zijn jas dicht om zich heen getrokken en foeterde in zichzelf. Het verre lawaai van racende scooters ging vergezeld van een vliegtuigstreep die langzaam uitdijde aan het hemelgewelf. Uit de laffe middaghitte kwam nog een junk tevoorschijn. Hij kwam over straat op ons af gestrompeld en vroeg of we wat nodig hadden. Hij noemde een prijs: 'Bijna voor niets…' Maxi schudde het hoofd, een vermoeid en ontroostbaar 'nee'. Daarna bekeek hij ons alsof hij zich toen pas realiseerde hoe weinig we met elkaar te maken hadden. Hij keerde ons de rug toe en liep naar de kant van de weg, op zoek naar een plekje waar hij zich kon verschuilen om de naar verwachting verschrikkelijke volgende uren door te komen. Toen had ik het moeten begrijpen… Mijn benen hadden onmiddellijk in beweging moeten komen. Ik had de wijk meter voor meter moeten doorkruisen, totdat ik Giuseppe had gevonden: 'Kijk uit, er is iets vreemds aan het gebeuren.' Maar ik ging terug naar het appartement van Santo Petruzzelli.

De ruimte was in halfschaduw gehuld, en de weinige zonnestralen die door de kieren van de luiken priemden, schiepen een vreemde sfeer van slaperigheid en jarenlange verwaarlozing. Op dat uur van de dag was er bijna niemand in het huis. Rachele, die op haar zij op haar dubbelgevouwen slaapzak lag, was nog altijd met onze vriend uit Acquaviva aan het praten.

Marco Corallo zat in kleermakerszit op een van de matrassen. Het tweede matras was leeg, daar lagen alleen Racheles schoenen. Ze stelde vast: 'Daar ben je weer...' Marco draaide zich naar mij om en glimlachte: 'Kom eens.' Ik deed een paar stappen vooruit en ging tussen hen in zitten, maar ze hielden op met praten. Dus zei ik ook niets. Rachele stak een sigaret op. De rook van haar eerste haal krinkelde omhoog en ving een lichtstraal op. Het was alsof de geluiden en de stemmen en het hele verhaal van de stad tijdens die lange namiddag even de kamer binnen kwamen. De jongen stond op, stapte over het eerste en het tweede matras, pakte zijn Falchi-rugzak en ging weer zitten. Rachele maakte haar sigaret uit op de vloer. Ze pakte mijn hand en hield die stevig in de hare vast. Ze droeg een smaragdgroen zich T-shirt en een heel strakke spijkerbroek, die overging in haar nerveuze witte voeten. Santo Petruzzelli verscheen in de deuropening. Hij keek om zich heen, stelde vast dat alleen wij er waren en verdween weer. Marco Corallo zei: 'Oké... Dan is het nu tijd voor een tripje.' Hij opende zijn rugzak en begon de drugs klaar te maken. Ik bekeek hem zonder een woord te zeggen. Rachele liet mijn hand los. Ze knielde voor de slaapzak, ontrolde hem voorzichtig op de vloer, trok de ritssluiting open en kroop in de katoenen cocon. Ook ik kroop in de slaapzak. Ik deed de rits dicht en legde mijn handen op haar rug.

Toen ze mijn vingers half onder het elastiek van haar slipje voelde, probeerde Rachele me tegen te houden. Er volgde een stille, clandestiene schermutseling. Maar vervolgens lukte het me haar broek en slipje tot haar knieën naar beneden te trekken, en zodra ik mijn kin op haar schouder legde, zag ik de jongen krachteloos neerzijgen op het matras. Racheles lichaam verslapte en haar handen, die ze om mijn dijen geklemd had gehouden, losten hun greep en bleven onbeweeglijk tot ik klaar was. Haar ademhaling vertraagde en ook ik viel in slaap.

Om kwart voor vijf werd Rachele wakker. Ze sloeg haar ogen op en haar pupillen vergrootten zich in het kastanjebruin van haar irissen om in het halfduister van de kamer iets te kunnen zien, tot een ander paar pupillen zich in de hare weerspiegelde. De hare trokken zich voortdurend samen, de andere leken meer op een dode lagune.

Ik schrok wakker en ging rechtop zitten in de slaapzak. Toen ik Rachele haar handen in het duister zag spreiden en ze met een huilend piepstemmetje 'nee! nee! nee!' zei, drong het tot me door dat het meisje even daarvoor had geroepen, en dat mijn halfslaap de explosie van haar stem terug in de tijd had verplaatst: het was alsof ik al wekenlang haar jammerklacht hoorde. Maar nu was ik klaarwakker. Toen ik probeerde Rachele bij haar armen te nemen, trok ze die terug. Ik zag Marco Corallo met opengesperde ogen op het matras liggen. Meteen daarna kwam Santo Petruzzelli de kamer binnen, gevolgd door een man met lang haar dat door een elastiekje bij elkaar werd gehouden. De huisbaas zei: 'Wat is er aan de hand?' De man met het staartje zette vlug het raam open. De kamer baadde plots in het licht. Een koude lentewind verdreef de duffe binnenlucht en het lijk van Marco Corallo vormde het roerloze hart van een scène die ook al een hele tijd eerder leek te zijn gespeeld. Santo vloekte ('Godverdomme!') en het meisje bleef maar onthutst herhalen: 'Alsjeblieft! Alsjeblieft!' Het stof op de vloer brandde in de zonnestralen. Het was geen droom en toch had ik het absurde, versteende gevoel dat tussen het moment dat we in de slaapzak in slaap waren gevallen en weer wakker waren geworden, jaren waren verstreken, en dat we daar nu alle vier (Rachele en ik, Santo Petruzzelli en de man met het staartje) alleen maar waren omdat onze toekomstige persoonlijkheden tegelijkertijd een gedeelde herinnering koesterden. Niemand van ons was echt in het appartement: Santo was verhuisd, ik was vertrokken uit Bari... Ver van elkaar verwijderd herbeleefden we in het heden hetzelfde ogenblik. *Doe iets, alsjeblieft...* Het meisje zei inderdaad: 'Doe iets, alsjeblieft!' Ze deinsde achteruit, struikelde over een van de matrassen, pakte haar schoenen en trok die aan terwijl ze bleef huilen. Santo Petruzzelli kwam naast het lichaam van de jongen overeind en zei: 'Dood.' *Daarna richtte hij zich...* Daarna richtte hij zich tot de man: 'Help me eens even, dan brengen we hem ergens anders naartoe.' Rachele begon opnieuw te schreeuwen. Santo zei ongeduldig: 'Breng haar eens tot bedaren!' Maar toen verloor hij alle consistentie en ging zijn gestreepte kamerjas op in de lichtstrepen en werd ook zijn stem opgeslorpt door het vergulde stof, wat liet vermoeden dat in de toekomst van waaruit we aan deze scène aan het terugdenken waren, hij daar zojuist mee was opgehouden (hij stond voor een kruispunt met zijn handen op het stuur, en vlak nadat hij eraan had teruggedacht hoe hij had gezegd: 'Breng haar eens tot bedaren!' was het op groen gesprongen), maar ik probeerde nog een keer om bij haar te komen.

Rachele liep naar de gang. Ik volgde haar tot aan de deur. Ze stond met haar rug tegen de deur te hijgen en keek me aan alsof ik de vijand was. Ik kwam naar voren en probeerde haar te omhelzen. Ik probeerde het niet te zeggen, maar nog een keer zei ik stomweg: 'Rachele, alsjeblieft, laten we proberen rustig te blijven,' in de hoop dat ze niet zou zeggen en doen wat ze op het punt stond te zeggen en te doen (ik had die scène al zo vaak teruggespoeld, in de hoop dat het elastiek van de tijd zou slijten, maar de tijd was de eeuwige trilling van een verborgen elastiek), en dus probeerde Rachele me als altijd weg te jagen nog voordat ik haar kon aanraken, en zei: 'Laat me met rust!' Ze opende de deur en liep de trappen af. Haar stappen vermenigvuldigden zich in de betonnen diepte, en een paar ogenblikken later waren we op straat, *waar een indrukwekkende...*

... waar een indrukwekkende zonsondergang steeds weer boven ons hoofd en boven de daken van de stad ontplofte, en terwijl de hoge, grijze gebouwen het sprakeloze overblijfsel leken van een verlaten filmset, was de hemel levendiger en veranderlijker dan ooit. Toen hoorden we de schoten in de verte. Iets was definitief gebroken, terwijl Rachele maar bleef lopen en ik haar achternazat, langs een rij gebouwen en vervolgens een open ruimte met geel en bloemig gras, en daarna de donkere tong van een pad bergopwaarts. En dus strompelden we nu de kunstmatige heuvel op die het eindpunt was van de wijk, met zijn grijze, zachte grond, en in de verte de mooie mastiekstruiken waarachter de huizen met elkaar streden om als eerste de haven te bereiken, terwijl de vlaggenmast op de vuurtoren en de strenge witte kathedraal overgingen in de schittering van de zee, die de kleuren van de zonsondergang probeerde te doen vergeten – laag na laag na laag – tot Rachele zich naar me omdraaide en op rustige en bedaagde toon zei: 'Maar begrijp je het dan niet?', maar ik dacht dat ik het maar al te goed begreep, want op ons hoofd, achter onze rug, voor onze ogen, overal was de dijk doorgebroken. En hoewel het nog meer dan een jaar voor het uur x was, had het uur x al geslagen, en honderdduizenden mensen trokken feestend van oost naar west, door de Brandenburgse Poort, en ze vernielden muren en stroomden deze kant op, alsof deze kant de trechter van ieder menselijk verlangen was, en ze wisten grenzen uit en sloegen lijkwaden over tanks en kernbomarsenalen, en ze zongen voor de schuifdeuren van winkelcentra, van luchthavens, van stadions het 'mayday mayday' van de nieuwe wereldorde, het Watermantijdperk, de belofte van eeuwige vrede, en hoewel aan de overkant van de zee de Socialistische Federale Republiek Joegoslavië zich maar trots bleef beroemen op de Olympische Winterspelen van 1984 in Joegoslavië, was Joegoslavië één groot bloedbad, en zelfs opgesloten in zijn gevangenis op Robbeneiland won Nelson Mandela de presidentsverkiezingen van Zuid-Afrika. En hoewel het slechts een paar uur later zou gebeuren, werd onze vriend Giuseppe Rubino al naar het ziekenhuis gebracht, en activeerde en valideerde hij het opzettelijke verraad van Vincenzo, het schuldige verraad van mijn verstrooidheid en oppervlakkigheid, en werd hij gered door vier injecties met Narcan en begon hij zijn odyssee van het ene ziekenhuis naar het andere, van het ene afkickcentrum naar het andere. Hij was geen jongen meer, maar een man, en ook ik was een man en ging weg uit Bari. Over Giuseppe wist ik niets meer, maar het meisje bleef me koppig het hoofd bieden, fier rechtop in al haar wrede zeventienjarige schoonheid op die heuvel, en terwijl ze opgroeide en volwassen werd, verdween ook zij uit mijn gezichtsveld, ook over haar wist ik niets meer, gelanceerd naar de toekomst werd ze een afwezigheid, werd ze een gemis, werd ze een pijnlijke herinnering, werd ze de vrouw voor wie ik daar, daar was geweest om haar in een verwarde, verschrikkelijke nacht in 1998 op te bellen. Ik nam de hoorn in de hand, maar ik liet het zo, want *die* Rachele bleef maar zeggen: 'Maar begrijp je het dan niet?', woorden als een vervloeking, *Wat had ik dan wel moeten begrijpen?* zou ik haar mettertijd blijven vragen, de tape steeds verder terugspoelend, naarmate de wereld de andere richting op draaide (het was tien jaar geleden, en het jaar erna waren het er al elf...), ik had me er misschien van moeten overtuigen dat niets van wat toen gebeurde echt gevolgen heeft voor wat nu gebeurt, en dat het dus geen zin heeft te blijven piekeren over Giuseppe en Vincenzo, onze verre vrienden, onze verdwenen vrienden, dat het onmogelijk is een telefoontje van hen te krijgen, onmogelijk dat je wordt opgebeld in het heden, terwijl je blijft herhalen: 'Je begrijpt het niet,' zinloos te bedenken dat zij het meisje was dat ooit zei: 'Kom in de keuken en help me een zwartje te maken…', want als het geen gevolgen geeft, zal niemand er ooit nog bovenop komen, als het niet bestaat, betekent het dat het nooit heeft bestaan, maar kan het dan toch iedere avond blijven bestaan, tussen de purperen strepen aan de avondhemel en in een eerdere toestand, op de golflengte waar het licht nog niet waarneembaar is – de tijd die vernielt, is de tijd die bewaart – en dat betekent dus dat het me spijt, het spijt me en ik begrijp het niet, ik begrijp het niet goed, ik begrijp het nog niet zo heel goed.

EPILOOG

Op 8 april 2008 werd 's middags op een nationale televisiezender de pilot uitgezonden van het spelletjesprogramma *De hele waarheid*. De presentatrice was een gewezen tv-showassistente die bij het grote publiek vooral bekend was als de vrouw van een voetballer uit de jaren tachtig van wie ze zich had bevrijd toen zijn carrière werd beëindigd door een schandaal dat een maand lang de krantenpagina's vulde. In het volgende decennium had ze met succes een ochtendprogramma gepresenteerd waarvan de grootste publiekstrekker de onschuldige 'rangschikking van de sterrenbeelden' was.

Maar nu stond ze in het midden van een agressief decor waarvan de blauwe achtergrond werd doorkruist door talrijke gele lijnen. De inmiddels veertigjarige professional (knap fysiek, witte blouse, zwarte rok tot vlak boven de knie) hield een notitieblokje in de hand en kondigde aan: 'Het moment van de waarheid is aangebroken: een prijzenpot van tweehonderdvijftigduizend euro, en een kandidaat die zal proberen die te winnen.' Nadat ze op een lege stoel had gewezen, verscheen op haar gezicht een zweem van gehard berouw dat de kijkers gewend waren te interpreteren als een teken van betrokkenheid en toch afstandelijkheid. Ze verscheen in close-up en verzekerde haar vier miljoen vertrouwelingen: 'En neemt u van mij aan dat ik voor geen geld daarboven ga zitten.' De camera zwenkte naar het logo van het programma – drie lijnen die over een blad millimeterpapier zigzagden dat afkomstig leek uit een medisch rapport – en toen was het tijd voor reclame.

De spelregels waren eenvoudig en toch ook weer revolutio-

315

nair. De kandidaat werd onderworpen aan twintig vragen waarop hij het antwoord al kende. Het kon ook niet anders, want het waren vragen over zijn eigen leven. Tijdens de voorafgaande dagen – legde de presentatrice na de reclame uit, terwijl Michele uit Bologna, een jonge vertegenwoordiger van farmaceutische producten met een stevige lichaamsbouw en brillantine in zijn haar, op de lege stoel ging zitten – was de kandidaat aan de leugendetector gekoppeld, die alle waarheden blootlegde en, zo bracht ze in herinnering, '... werd gebruikt door de grootste inlichtingendiensten van de wereld. Zelfs door de FBI!' preciseerde ze, aanknopend bij het onterechte minderwaardigheidsgevoel van de Italianen wanneer het op repressietechnieken aankwam. Door bloeddruk, hoeveelheid zweet en borst- en buikademhaling te meten had het mechanisme het zenuwstelsel van de sympathieke Michele uit Bologna haarfijn uitgekamd 'tot en met zijn diepste geheimen'. De redactie van het programma wist dus, of dacht toch te weten, op welke van de meer dan tweehonderd vragen de kandidaat zonder te liegen had geantwoord. Nu waren er twintig uit geselecteerd die hem in volgorde van dramatische intensiteit opnieuw werden gesteld. Het echte spel kon dus beginnen.

'Zul je zo oprecht zijn dat je deze tweehonderdvijftigduizend euro verdient?' vroeg de presentatrice, die in een oogwenk, als bij toverslag, een toon en een houding aannam waarin moederliefde en een nooit verduidelijkte oproep tot verantwoordelijkheidszin de biechtvader, psychiater en politieagent in haar naar de achtergrond verdrongen – aspecten die heimelijk in een format waren verenigd dat herinnerde aan Zuid-Amerikaanse dictaturen van het eind van de jaren zeventig en aan sciencefictionfilms.

Michele uit Bologna glimlachte zoals hij dacht dat een cowboy van de Emiliaanse vlakten hoorde te doen: 'Ik ben er klaar voor.'

Op dat moment – en vergezeld van de luchtverplaatsing van

een kleine verrassing, zonder dat het echt een verrassing was (en een luchtverplaatsing al evenmin: hoe kon die namelijk op televisie worden waargenomen?) – kwamen de ouders van de kandidaat de studio binnen, gevolgd door zijn beste vriend en Tania, een knap meisje met zwart haar dat wel heel erg uitstraalde dat de receptiezaal voor de bruiloft volgende zomer al besteld was. 'Om ons huis te betalen...' zei het meisje verontschuldigend toen ze zich voorstelde, met een verwijzing naar de prijzenpot. Toen volgde de stem van de moeder van de kandidaat (een geloofwaardige vrouwelijke versie van Franklin Delano Roosevelt), die met vlugge penseelstreken een portret van haar zoon schilderde ('Een flinke jongen, maar hij geeft te veel geld uit aan onbenulligheden'), die van zijn vader ('Boetes vooral... een heleboel boetes'), en de wanhopig ironische lof van zijn beste vriend ('Het gekke is,' besloot hij grinnikend, 'dat hij echt gelooft dat hij de knapste van het gezelschap is'). Het licht in de studio werd gedimd en de presentatrice zei: 'We hebben de persoonlijkheid van onze kandidaat wat beter leren kennen. Als Michele akkoord gaat, kunnen we nu overgaan tot de vragen van het eerste niveau.' En het spel ging van start.

Toen Michele op een tiental vragen correct had geantwoord en hij had geprobeerd de dreigende ontsteltenis op het gezicht van zijn dierbaren te negeren ('Poets je iedere ochtend je tanden?' – 'Wie is je beste vriend?' – 'Heb je ooit iets gestolen?' – 'Heb je ooit een homoseksuele ervaring gehad?'), antwoordde de kandidaat op die laatste vraag vastberaden: 'Nee, natuurlijk niet...', waarna zich op het gezicht van de presentatrice diepe ontgoocheling aftekende. Ze sloeg haar ogen neer en mompelde bijzonder aangedaan: 'Het spijt me, je hebt gelogen.' En een gele € 50.000 in koeien van letters viel aan diggelen op het reuzenscherm achter hen beiden. Tania-de-verloofde zette het op een huilen dat geen televisiehuilbui was en zelfs geen gewone huilbui, maar een tranendal en niemandsland waar de meest waarachtige emotie iedere band verloor met zowel empathie als met een mogelijk herstel van haar imago. Ze schreeuwde: 'Als je het me tenminste had opgebiecht... dan had ik het je wel kunnen vergeven!' De al gereserveerde feestzaal, 250 euro per persoon, waarde als een spook rond in de tv-studio, en precies op dat moment vervloekte ik mezelf dat ik zo lang was blijven kijken. Ik stond op en zette het toestel uit.

Ik zei mijn vader, die al de hele tijd op de bank lag te dommelen, gedag. Ik verliet zijn villa, stapte in de Golf die ik van mijn moeder had geleend en reed naar het huis van Giuseppe.

Onderweg bedacht ik dat het spelletjesprogramma een getrouwe vertaling was van de afgelopen twintig jaar van ons leven. Het waren niet langer de idiote komieken van *Drive In*, maar er was toch een rode draad die tussen de bochten van de gebeurtenissen in ons leven opdook en weer verdween. De chronologie schetsen van onze afdaling naar het allerlaagste leek in het licht van het belang van causale verbanden inmiddels iets banaals. Ook het niet negeren van die overduidelijke neergang gold als een retorische oefening. En toch was het onloochenbaar dat in de twintig minuten van die uitzending een ongestrafte schending van onze fundamentele rechten zat vervat. Een machine peilde de diepten van een mens en deed zijn recht op liegen uiteenspatten, als een technologische vertaling van de aloude schandpaal. Het feit dat de veroordeelde-kandidaat zich geheel vrijwillig aan die aberratie had onderworpen – dacht ik, terwijl ik steeds langzamer over een weg reed die ik in geen twintig jaar had gezien – nam niet weg dat een aberratie gestalte had gekregen. De situatie werd er ook niet beter op door de omstandigheid dat er geen bewust slechte bedoelingen konden worden toegeschreven aan de presentatrice van het programma (die alleen maar wilde voorkomen dat ze werd weggedrukt door de concurrentie van programma's op andere zenders), aan de leden van de redactie van het programma (die het nethoofd niet in zijn verwachtingen wilden teleurstellen, en hun tweede woning wilden kunnen blijven afbetalen), en zelfs niet aan het nethoofd, enzovoort.

Pervers en tegelijk wonderbaarlijk was dat het instinctieve geknipper van de presentatrice ('Zul je de waarheid zeggen?' – 'Zul je erin slagen oprecht te zijn?') volstond om tussen het scherm en de kijkers een energiemassa te genereren, bestaande uit zuivere emoties, die het besef verpulverde dat je zojuist getuige was geweest van een kleine misdaad tegen de menselijkheid. Het belangrijkste werd op dit moment *de waarheid zeggen*. Goed, maar waarom? En vooral: tegen wie?

Ik was al ongeveer vijftien jaar uit Bari weg. Van de vele beroepen waaruit iemand met een brede algemene ontwikkeling en goede diploma's kan kiezen, had ik er een gekozen dat ook nog werd omgeven door een waas van fascinerende maar onschadelijke voornaamheid. Niet alleen had ik die baan gekozen, maar het ging me ook behoorlijk voor de wind. Ik reisde veel, leerde voortdurend nieuwe mensen kennen en slaagde erin op een respectabele manier een inkomen te vergaren. Ik kon minstens twee keer per maand tot honderd euro aan een etentje spenderen. Hoewel ik geen stabiel liefdesleven had, had ik wel korte erotische vriendschappen die de wereld in mijn plaats als bevredigend beschouwde. Een van de gevolgen van dit soort bestaan was dat bijvoorbeeld de scheidslijn tussen werk en privéleven al een hele tijd vervaagd was. Als ik naar bed ging met een vrouw, had ik soms de indruk dat de daad een voortzetting was met andere middelen van public relations. Wanneer er geld op mijn rekening werd overgemaakt, wist ik vaak niet meer met welke eerdere prestatie dat geld verband hield. Natuurlijk gebeurde ook het tegendeel: ik klaagde dat tegenover sommige van mijn vermeende grote prestaties geen passende vergoeding stond. Een tweede gevolg was dat ik – in bijna alle omstandigheden – goed wist wat het gezond verstand voorschreef, zonder dat die luciditeit me ook maar iets vertelde over wat (in diezelfde omstandigheden) de juiste of foute aanpak was. Het derde zijdelingse effect: nu en dan werd ik 's ochtends vroeg overvallen door korte huilbuien. Het vierde gevolg: als ik voor mijn werk op een verre luchthaven landde, nam ik een taxi en observeerde de chauffeur terwijl hij me naar mijn bestemming bracht. Ik stak de magneetkaart in de verticale gleuf van mijn hotelkamerdeur, ging de kamer binnen en controleerde onmiddellijk de minibar. Ik controleerde de airco en de satelliettelevisie. Ik ging voor het raam staan en observeerde de architectuur van een onbekend panorama, en ik had zin om uit het raam te springen.

En zo was ik vijf dagen eerder geland op de luchthaven van Bari-Palese. Ik had mijn intrek genomen in het huis van mijn moeder en het telefoonboek opengeslagen in de hoop Donatella te vinden.

Mijn moeder kwam af en toe de gastenkamer binnen met een dienblad met een kop warme thee. Ze vroeg: 'Hoe gaat het?' Ik keek haar aan en glimlachte. We spraken in verwarde zinnen, maar daartussenin vielen stiltes waarin ik iets betekenisvols voelde stromen. Ze was hertrouwd in 1997, en woonde nu met haar man in dit mooie appartement in de wijk Poggiofranco. Ze verkeerde in goede gezondheid en veroorloofde zich om de twee jaar een reis, een *all inclusive*-pakket met suggestieve namen als 'Romantische cruise over noordelijke zeeën'. Als ze het even te kwaad kreeg, klampte ze zich vast aan de praktische instelling die ze zich in de jaren meteen na haar scheiding door schade en schande eigen had gemaakt. Ze had al geruime tijd een waardig, intelligent, om niet te zeggen wijs compromis met het leven gesloten.

Mijn vader was ik gaan opzoeken de dag nadat ik Donatella had gezien. Hij woonde in de villa – die eindelijk was afgewerkt – waarin we vijfentwintig jaar eerder zouden zijn gaan wonen. Het was een koele, elegante, ruime woning met enigszins ouderwets behang en meubels van de hoogste kwaliteit. Hij bracht er zijn nachten in eenzaamheid door, omdat ook zijn tweede huwelijk op de klippen was gelopen. Toen ik hem ging opzoeken, omhelsden we elkaar met bescheiden enthousiasme. Ik zette een paar stappen achteruit en vroeg: 'Hoe gaat het?' 'Eh...'antwoordde hij, zonder zijn ogen af te wenden van de gestileerde vlinders op het behang. Toen ik bij hem op het nachtkastje – bij hem, die lezen altijd als tijdverlies had beschouwd – een boek van Anthony De Mello zag liggen, en andere boekjes, zoals *Aristoteles, Confucius en de kunst van het geluk*, kon ik hem wel om de hals vliegen en omhelzen tot we er allebei niet goed van werden. Ik wilde het doen, maar ik kon het niet. Hij keek weg van het behang en vroeg: 'Hoeveel dagen ben je hier al?' Wat ik ook antwoordde, hij schudde het hoofd. Zijn toestand werd goed samengevat door de hometrainer die in een nooit ingerichte kamer stond: veel ochtendgymnastiek, maar geen plek om naartoe te gaan.

Ten opzichte van het merendeel van zijn collega-ondernemers had hij de herhaalde debacles die de laatste jaren de hele Italiaanse economie en in het bijzonder zijn sector hadden getroffen, goed doorstaan. Een zorgvuldige reorganisatie van zijn bedrijf en een paar doeltreffende vastgoedinvesteringen maakten het hem mogelijk behoorlijk comfortabel te leven (veel beter dan ik, bijvoorbeeld), met de zekerheid dat hij dat zou kunnen blijven doen tot het eind van zijn leven. Maar... de grote golf, de elektriserende wind van het succes wakkerde niet langer aan onder de broze structuren van zijn dromen. En nu hij was uitgespuwd door de turbine van adrenaline die nu elders stond te draaien, stelde hij op zijn zeventigste vast dat hij zich de gebruikelijke vragen stelde waarmee een mens vroeg of laat wordt geconfronteerd: wat heb ik gedaan met mijn leven, waarvoor voel ik genegenheid, heeft dit allemaal zin? De vragen waren nieuw en overweldigend, hij was er niet echt goed op toegerust, en de tijd waarover hij beschikte zou misschien wel onvoldoende blijken. Ik denk dat hij zich op sommige momenten geterroriseerd voelde. Ik observeerde hem terwijl hij op de bank in slaap viel. Ik moest mijn best doen mijn blik niet af te wenden.

Ik had mijn vader en mijn moeder gezien. Het was me gelukt Donatella te ontmoeten. Begin februari was het me zelfs gelukt Vincenzo te spreken. Nu reed ik met bonkend hart naar het huis van Giuseppe. Maar ik was al ongeveer een jaar bezig met dit alles, sinds mijn crisissen zorgwekkend intenser waren geworden en een reconstructie van het verleden mij als therapie een klassieker leek waarop ik nog wel wat geld wilde inzetten.

Mijn eerste stap was een beroep doen op de enige grote, perfect zichtbare en onweerlegbare revolutie in de recente geschiedenis van de mensheid. De eerste maanden van 2007 begon ik op Google namen en voornamen in te tikken die ik al lang niet meer hardop had uitgesproken, vriendschappen voor te stellen op Facebook, updates van blogs en de ruwe openheid van Myspace te lezen. Soms bleek het spoor labiel: oude kennissen die deelnamen aan academische bijeenkomsten of die in een onlinekrant hun mening over de laatste selectie door de trainer van het nationaal elftal vermeld zagen. In andere gevallen waren nergens op het web sporen te vinden van iemand die ik zocht. In nog weer andere gevallen bracht ik hele nachten lurkend aan koppen oploskoffie door met het doorsnuffelen van blogarchieven.

De eerste conclusie die ik trok na te zijn afgedaald in de diepten van het www, was dat mijn oude vrienden internet gebruikten als een onmisbaar defensiemiddel. In hun HTML-bijdragen somden ze de banen op die ze achtereenvolgens hadden gehad of de plaatsen waar ze hun zomervakantie hadden doorgebracht, ventileerden ze hun – soms zelfs heel scherpe – meningen over de nieuwste films of over de politiek. Maar dat was een rookgordijn. Zelfs persoonlijke pagina's vol emoticons en andere dramatische hulpmiddelen leken een strategie te volgen die gericht was op het verborgen houden van dingen: pogingen om door hun exhibitionisme anderen op een dwaalspoor te brengen. Als ik die pagina's bekeek waarvan de bedoeling officieel was zichzelf genereus aan iedereen vrij te geven, stond er in feite niets echt relevants in over de auteurs ervan. Intelligente redeneringen, polemische of grappige tirades, bizarre kleine weetjes, dat wel, ja. Maar welke mening hadden ze echt over zichzelf, wat verwachtten ze van de toekomst, door welke angsten werden ze achtervolgd... Dat alles kwam gelukkig niet tevoorschijn. Het was alsof ze – in het tijdperk van algehele tekijkzetterij – een manier hadden gevonden om aan het perifere deel van hun leven de taak toe te vertrouwen voyeurs af te leiden van het overige. Als er in hun virtuele sporen al iets werd geopenbaard, was het de wil om iets te beschermen, zo al niet te verbergen. Het leek me een bewonderenswaardige strategie. Maar waarom iets verbergen?

Toen pas begon ik me te realiseren dat ergens in het verleden een ramp van gigantische omvang moet hebben plaatsgevonden. Een onzichtbare botsing, een stille ineenstorting, een trauma zonder gebeurtenis. En de krater die de inslag ervan in velen van ons had geslagen, was het echte hart van het probleem. Er was geen D-day, Hiroshima-day, 8 september 1943, 25 april 1945. Er was niet dat ene feit dat alle andere verklaarde en waarnaar we met zekerheid konden verwijzen om ons verhaal te vertellen. Daarom had ik op een bepaald moment de computer uitgezet en was ik begonnen iedereen op te zoeken. Ik vond het niet belangrijk bevestigd te krijgen dat Donatella de minnares was geweest van Vincenzo. Ik vond het wél heel belangrijk Donatella's gezicht te kunnen zien terwijl ze

het me vertelde. Als er een litteken was maar geen corpus delicti, moest ik dat litteken ondervragen.

Vincenzo was een van diegenen die niet de behoefte hadden gevoeld een dagboek online te zetten.

 Het intikken in zoekmachines van de combinatie 'Vincenzo
Lombardi' leverde bijna achtduizend hits op. Het was een slopende inspanning (twee dagen met mijn ogen aan het scherm
geplakt) om me ervan te vergewissen dat het mensen waren die
toevallig dezelfde naam hadden. Leraren statistiek, strijders
uit het Risorgimento die herinnerd worden door Wikipedia,
een kerel die op eBay een originele tekening van Charles
Schulz te koop aanbood... Zevenduizendachthonderd volstrekt nutteloze hits. Maar daar was hij plots. Er bestaat een
zesde zintuig voor het web. Toen die naam – identiek aan alle
andere – verscheen op een lichtblauwe achtergrond, met een
sober professioneel profiel onder het lemma 'about us' van het
advocatenkantoor Bucks, Goldsmith, Lebowitz, Lombardi &
Partners, dacht ik onmiddellijk: *Dat is 'm*. Ik wist zeker dat het
Vincenzo was, niet zozeer door de band met het beroep van
zijn vader, maar omdat die vier neutrale, kille, ondoorgrondelijke lijntjes van zijn curriculum kenmerkend waren voor hem.
En hoe absurd het ook moge lijken door de fosformuur van
een scherm, maar even leek het alsof we weer recht tegenover
elkaar zaten.

 Ik las alle pagina's van de site en vernam dat het kantoor ze-
tels had in Milaan, Londen, New York, Hongkong en Dubai,
en een beroep deed op meer dan honderd professionals, onder
wie advocaten, experts en revisoren. Het beloofde zijn cliënten
naar beste vermogen bij te staan op terreinen als internationale handel, financiële bemiddeling en fiscale planning van
rechtspersonen. Ik belde de zetel in Milaan, in de hoop dat hij
in Italië was gebleven. Een van de receptionisten bevestigde
dat Vincenzo in het kantoor aan de Via Clerici werkte, al was

hij op dat moment niet aanwezig. Na een week niet te zijn doorverbonden, kreeg ik hem uiteindelijk aan de lijn. Hij was vriendelijk, kort, op zijn manier zelfs hartelijk: hij behandelde me niet als een vreemde, maar als iemand op wie hij al twintig jaar zat te wachten om hem niets belangrijks te vertellen. 'Over een dag of tien dan...' zei hij, en we maakten een afspraak.

Begin februari zocht ik hem op in zijn kantoor. Het was een luxueus kantoor, maar zonder de opzichtigheid die ooit wenselijk werd geacht voor ontvangstvertrekken: ruim, helder, minimalistisch, vol kasten met melkglazen deurtjes. Typisch Ikea als Ikea ook duurder meubilair produceerde. Achter het bureau hing – als een bewust en doeltreffend contrast met al die lichtheid – een naakt van Lucian Freud, wellicht een origineel.

Vincenzo ontwapende me met een handdruk. Hij was nog knap en slank, en toen hij me tegemoetkwam in een azuurblauw pak, dat hem minder tastbaar maakte en hem in een soort ijzige schittering deed belanden, begreep ik uit zijn glimlach en o zo beheerste handdruk dat ik niets te weten zou komen. Hij liet me tegenover hem plaatsnemen en koffie brengen voor twee en een fles Perrier. Hij vertelde me over zijn carrière (zeven jaar in het kantoor van zijn vader, en daarna de grote sprong naar de *law firm*) en over zijn privéleven (twee kinderen, getrouwd met een gewezen ballerina van het American Ballet Theatre), en hij verwachtte dus dat ik hem ook iets over mezelf vertelde. Maar op dat punt was er niets dat ik hem echt kon vertellen, want in de kunst van het vluchten was hij zoals gewoonlijk subliem: ieder woord dat hij uitsprak en het minste gebaar dat hij maakte, hadden al een sfeer geschapen van een pneumatische leegte waarin zelfs de meest bescheiden aanvalspoging onwaarschijnlijk werd. Ik vertelde hem over mezelf zoals ik – jaren daarvoor – had kunnen doen tijdens een sollicitatiegesprek. Terwijl ik vervolgens nutteloze informatie ten beste gaf over mezelf, kon ik achter zijn rug naast de foto van een knappe vrouw met Scandinavische trekken die zijn echtgenote moest zijn, nauwelijks het portret missen van de oude Mario Lombardi, in een lijst van massief zilver. 'Hoe gaat het met je vader?' vroeg ik, terwijl ik de hand vervloekte waarmee ik maar naar de foto bleef wijzen, als om de schuld van mijn indiscrete vraag op die mooie lijst af te schuiven. Vincenzo vernauwde zijn ogen tot spleetjes. Eindelijk verscheen er een scherp boosaardig barstje in zijn gepolitoerde glimlach, en zijn mond bewoog nauwelijks terwijl hij zei: 'Stel je voor... maagkanker.' Toen hij eraan toevoegde dat hij gestorven was in het najaar van 2002, had zijn stem alweer het licht medelevende officiële karakter van een overlijdensbericht in de krant. Dat was alles. Maar misschien was het meer dan ik had mogen hopen: door zijn bliksemsnelle, onaangename *stel je voor...* kwam heel even de echte Vincenzo tevoorschijn. Het kon worden geïnterpreteerd als een spottende erkenning van zijn nederlaag, aangezien een oude strijd slechts door een natuurlijke slijtage en ziekte was beëindigd.

Voordat hij afscheid van me nam, wilde hij wraak nemen voor dat moment van zwakte: hij zei dat hij me in contact zou brengen met de afdeling van het kantoor die zich bezighield met auteursrechten, als wilde hij voor ons allebei bevestigen dat we elkaar terugzagen zoals oude vrienden plegen te doen: voor een advies, een gunst, iets praktisch. Ik haalde de valste glimlach tevoorschijn waartoe ik in staat was en zei: 'Goed, dan wacht ik het telefoontje af,' hem en mezelf verzekerend dat we elkaar nooit meer zouden horen of zien.

Van Giuseppe was er op internet zelfs geen bloedeloos professioneel profiel te vinden. Een berichtje over voetbal, een filmrecensie, een bijschrift bij een foto met een geliefde... Niets, helemaal niets.

De laatste keer was ik hem bij toeval tegengekomen, bijna tien jaren eerder, in 1999. Het was niet zozeer een ontmoeting als wel een stomp in mijn maag.

Ik was in Bari voor de kerst (geland op 22 december, terugreis al geboekt voor de 25ste 's avonds) en liep door de Via Sparano, waar ik op kerstavond iets na acht uur wanhopig op zoek was naar de laatste geschenken. Tussen de talloze mensen die eveneens veroordeeld waren tot die kerstdwangarbeid, maar duidelijk van hen onderscheiden, zag ik hem op een bepaald moment voor me opduiken. Corpulent was hij altijd al geweest, maar zijn opvallend haarloze slapen reikten nu tot aan zijn schedeldak, hoewel je hem nog niet echt kaal kon noemen. Hij droeg een bizarre spijkertuinboek en daarboven een normaal donzen jack. En hij had geen mooie teint. Het duurde even voor ik me ervan had vergewist dat hij het inderdaad was, maar zodra ik er zeker van was, was ik hem alweer kwijt. Hij moet me wel hebben gezien, en toch liep hij me voorbij zonder zelfs maar de indruk te wekken zijn pas in te houden.

Een paar uur later, tijdens twee kerstdiners waarop ik me bijna tegelijkertijd wist te vertonen om niemand te kwetsen (het eerste bij mijn moeder thuis, het andere in de villa van mijn vader), herinnerde ik me dat veel afkickcentra van hun patiënten eisen alle contact met mensen uit de periode van hun verslaving te mijden. Dealers, verloofdes, vrienden, kennissen... Mensen die maar enigszins herinneringen konden oproepen aan een middag die destijds in het teken stond van de jacht op een shot, mochten niet worden benaderd, zelfs niet voor een kop koffie – op straffe van onmiddellijke verwijdering uit het centrum. Met die enorme overwinning op zichzelf, door mij niet te groeten, bedacht ik, had Giuseppe ongetwijfeld zijn vrije kerstweekend veiliggesteld. Voor mij volstond een niet geretourneerde blik om hem te laten gaan.

Ik wist dat de familie Rubino problemen had gehad en dat Giuseppe er nog erger aan toe was. Ik had een mobiel nummer weten te bemachtigen, had al mijn moed verzameld en hem opgebeld. In de tijd tussen mijn ontmoeting met Donatella en onze afspraak reed ik in stilte door wijken straten die ik in geen eeuwen leek te hebben gezien. Alles was veranderd, overal. Japigia was een gewone woonwijk geworden. De undergroundkroegen waren verdreven door de moderne clubcultuur, en zelfs drugs ondergingen – zoals overal ter wereld – een langzaam integratieproces. De zee was een kalme blauwe vlakte onder een al even rustige hemel. Van de mysterieuze stad die ik zozeer had bemind en verstoten en daarna nog veel wanhopiger bemind, was niet veel overgebleven.

Ik reed de Via Napoli helemaal door en sloeg links af, naar de villawijk met aan het einde het vroegere Rubino-rijk. De lentemiddag bereikte zijn hoogtepunt en op de autoradio waren berichten over veralgemeend wantrouwen te horen. Om mezelf moed te geven – zoals gewoonlijk voor elk van deze ontmoetingen – dacht ik aan Rachele, aan het feit dat ik haar niet had gezocht en ook niet van plan was dat te doen. Ik had bewust geen informatie over haar verzameld en ik had vooral de verleiding weerstaan haar op te zoeken, alsof deze omissie ten aanzien van een vrouw van wie ik veronderstelde dat ze zich in goede lichamelijke en geestelijke gezondheid bevond (nog altijd knap, met een liefhebbende echtgenoot, licht ontgoocheld door een reeks gebeurtenissen, maar per slot van rekening onbezorgd en zonder grote behoefte herinneringen op te halen met een oude vlam – dat alles volgens mijn oncontroleerbare verbeelding), was een verplichte vorm van respect, of een nooduitgang, een zone die ik onbevlekt liet als tegengewicht voor al het onaangename en foute dat de rest van mijn onderzoek kon opleveren.

Zodra ik de eerste villa's voorbijreed, stelde ik een verandering vast die ik de laatste tijd ook in andere delen van Italië had gezien. Het mooie dat een belediging wordt, een overdaad aan vitaliteit die verkleurt tot een roes van onmacht, de exuberante arrogantie van de welstand die de weg inslaat van de frustratie. Het waren indrukwekkende, brutale gebouwen geweest, die overliepen van de gebreken en de kunstgrepen, en nu leken ze zich met hun nagels en tanden vast te klampen aan de harde greep van het onderhoud, om te voorkomen dat de pleisterlaag eraf viel en roest de kozijnen tot in hun ziel zou aantasten.

Aan het eind van de grote laan sloeg ik de zijstraat in die ik als jongen zo vaak had genomen. De villa van de familie Rubino doemde als een capitulatie voor me op. Het hek stond half open en bood toegang tot een door onkruid overwoekerde tuin. Klimplanten maakten de oude gipsen discuswerpers onsterfelijk, en een tapijt van mos en groene blaadjes bedekte de kiezel van het paadje tot aan de voordeur van een huis met drie verdiepingen dat door jarenlange verwaarlozing was verslonden.

Ik stapte uit, liep door het hek en zag toen pas dat half verscholen tussen de netels en het venushaar het wereldwonder van destijds verrees. De mobiele parkeergarage stond in een positie ongeveer veertig centimeter boven de grond – wie weet hoe lang hij al vaststond in die dode positie. Talloze grassprieten hingen in de leegte en een vermoeden van wortels en verroest metaal verdween in het clair-obscur van de diepte. Ik had nauwelijks een stap op de trap gezet, of de deur ging al open. Daar stond hij... Daar waren we, weer samen. Hij droeg een katoenen trui en een spijkerbroek. En hij was uitgezakt, verouderd, bijna helemaal kaal. En geel. Maar hij schoot mij te hulp. Hij glimlachte – een volle, echte, vriendschappelijke glimlach – en zei: 'Ik wed dat als je me op straat was tegengekomen, je me niet had herkend.' Zo maakte hij mijn gêne en mijn schuldgevoelens onschadelijk, maar tegelijk bracht hij een rake klap toe aan de zekerheden over wie nu wie hoorde te troosten. We omhelsden elkaar heel attent, en probeerden intussen allebei tot op de millimeter de precieze afstand te berekenen die we in acht moesten nemen om menselijke warmte te laten blijken zonder de ander in verlegenheid te brengen.

Het interieur weerspiegelde de teloorgang van de tuin. De woonkamer was een grote lege ruimte waarin alleen nog de bank en de televisie stonden. Ik volgde Giuseppe naar de keuken, waar hij een pannetje water warm maakte. Ik kreeg de indruk dat slechts een deel van de villa nog werd gebruikt: naast de levende zones lagen er inmiddels hele ruimtes onder een laag stof. En dan de stilte. Het was niet de rust van een tijdelijke afwezigheid, maar een die verried dat Giuseppe er helemaal alleen woonde. Van zijn ouders, zijn oudere broer, zijn familie, de werknemers van Eurogarden was zelfs geen spoor van een herinnering, alsof de strijd tussen Giuseppe en die stilte – een lange, loyale strijd – geleidelijk alle beschikbare ruimte had gevuld.

Hij zette de kopjes gerstekoffie op een mooi dienblad dat de zondvloed had overleefd. Ik liep achter hem aan naar de woonkamer. We gingen zitten op de bank, die eindelijk bevrijd was van de porseleinen poppen. Hoewel het handiger was geweest de gordijnen voor het grote raam open te doen, stak hij in de gang het licht aan, wat me liet vermoeden dat de staande lamp in de woonkamer doorgebrand was. Hij ging weer zitten. Nu werden we omgeven door een halfduister dat door het kunstlicht en de lichtstralen die onder de fluwelen gordijnen naar binnen vielen nog onnatuurlijker en verstikkender werd. Een paar meter verderop bevond zich de trap naar de bovenverdieping, naar de kamer van zijn jeugd. Ik probeerde er niet naar te kijken. En dus kwam hij me nog een keer tegemoet: hij vroeg me of ik nog wist hoeveel feesten we daarbinnen wel niet hadden georganiseerd. Uiteraard wist ik dat nog, terwijl hij niet veel om herinneringen leek te geven. Hij gaf me niet de indruk gevoelens van wrok te koesteren voor het verleden, maar wellicht had hij inmiddels alles wel al verwerkt. En toch zei hij: 'Weet je nog hoeveel feesten...' en zette hij zo de deur open naar episodes en intriges en personages waarvan ik uiteraard nog geen genoeg kon krijgen. Ik volgde hem. Onze babbel werd minder gênant en we begonnen ongedwongen over Vincenzo te praten. Over Donatella. Zelfs over Rachele. We namen een slok en praatten verder. Ik vroeg hem me te helpen om enig licht te werpen op gebeurtenissen waarover ik me nog altijd het hoofd brak, en hij probeerde me tevreden te stellen. Als hij zelf een puzzelstukje miste, beperkte hij zich tot een 'ik weet het niet' of 'dat herinner ik me niet' – hij haakte er nooit op in, deed nooit aanzetten en sloeg nooit ergens een slag naar, en telkens als er een stukje op zijn plaats viel, voelde ik de *klik* en het bewegen van een scharnier dat opnieuw begon te functioneren. Maar in tegenstelling tot wat was gebeurd bij andere mensen tot wie ik me het afgelopen jaar had gericht, gaven die klikken me op een bepaald moment geen enkele voldoening meer. Ik voelde niet het plezier van de puzzelaar die zijn kleine charade oplost, omdat alleen al de aanwezigheid van Giuseppe, die daar naast mij zat, suggereerde dat de materiële reconstructie van een oud verhaal altijd onvoldoende, arrogant, onvolledig is, en niets is... niets is ten opzichte van het openspreiden – over dat wat je niet weet, over dat wat je denkt te weten – van een mantel van welwillendheid die zelfs de wrijving voorbij is die nodig is om te kunnen vergeven. Toen alle gespreksonderwerpen waren uitgeput, met andere woorden toen Giuseppe inzag dat ikzelf besefte dat de *klik klik klik* die ik voortdurend in mijn hoofd hoorde niet meer waard was dan zeepbellen, liet hij zijn koffiekopje staan en zei: 'Wat zitten we hier te doen? Laten we naar buiten gaan.'

We keerden terug naar de tuin, waar de zwaluwen met hun lawaai de bijna zomerse avondhemel vulden. Giuseppe zei: 'Laten we een paar ligstoelen halen.' Ik was in de war, en wist niet

hoe ik me moest gedragen. Hij had geduldig op alle vragen geantwoord en ik was niet in staat hem iets te vragen over zijn
huidige toestand. Ik kon geen betere manier bedenken om het
onderwerp aan te snijden dan via de hond: 'Pippa, hoe is het
daarmee afgelopen?' Giuseppe bleef staan. Hij wees op het
half omhooggekomen platform. 'De hond ligt daar, daaronder,' zei hij, en hij legde uit dat het karkas wie weet hoe lang al
in de diepten van de autolift lag. Misschien had Pippa zelf op
die plaats een laatste toevlucht gezocht, of misschien had iemand haar erin gegooid toen ze haar strijd met de tijd verloren
had. Hij wees niet langer naar de parkeergarage en keek me
wezenloos aan. Het was het enige moeilijke moment van de
dag, een vorm van toegeven dat onze hele ontmoeting eigenlijk draaide rond het concept van de dood of van de sterfelijk-
heid. We namen twee ligstoelen en sleepten die achter naar de
veranda. Vervolgens namen we daar plaats, opnieuw aan de
rand van het zwembad. Dat was gevuld door de laatste regen,
en daarvoor nog door winterse buien. Op het groene oppervlak trokken schaatsenrijders sporen en erboven vlogen mug-
gen.

We gingen zitten. Giuseppe vond zijn rustige expressie terug
en zei: 'Weet je, ik ben er eindelijk van verlost…' Ik antwoordde: 'Ja, dat dacht ik wel.' Hij vertelde me over de vijftien jaar
die hij dan weer in dit, dan weer in dat afkickcentrum had
doorgebracht, opgesloten in een kamertje, en daarna weer op
straat, op zoek naar een dealer. Het moet een nachtmerrie zijn
geweest. Maar hij trad niet in details en liet me vrij mijn eigen
verbeeldingskracht te gebruiken of er niet te veel aandacht aan
te besteden. Hij vertelde wel over zijn vader. Hij zei dat die had
geprobeerd zijn bedrijf weer op te starten, maar de explosie
van Tangentopoli – die ertoe leidde dat werven werden stilge-
legd en alle klanten zonder liquide middelen kwamen te zitten
– had de definitieve ondergang van zijn megalomane dromen
ingeluid. Nu beperkte Domenico Rubino zich tot kleine onder-

houdswerkzaamheden in huizen. Hij kon het hoofd boven water en houden en je hoorde hem niet klagen. 'Mijn moeder, daarentegen…' zei hij. Rosa Rubino had het niet aangekund een stap terug te zetten. Ze was gek geworden, als het voor die kwalificatie volstond te weten dat ze lid was geworden van een groep bezetenen in Gods naam. 'Jehova's getuigen?' vroeg ik. 'Op dit moment, terwijl wij zitten te praten,' zei hij zonder enige hatelijkheid, 'klopt ze bij een onbekende aan om het einde van de wereld aan te kondigen.' – 'Sorry, maar hebben jullie geen contact meer met elkaar?'

Hij sloeg zijn blik ten hemel. 'Ik heb het ze niet echt gemakkelijk gemaakt.' En hij legde me uit dat een verslaafde zoon in een gezin dat dagelijks moet vechten om niet ten onder te gaan de beslissende factor kan worden. Dus toen zijn vader (moe, uitgeput, op de rand van een instorting) had moeten kiezen of hij hem of haar wilde redden, had hij voor haar gekozen. 'Mijn moeder…' zuchtte hij, terwijl hij me weer aankeek. In zijn halve glimlach waren er tekenen van een flauw begrip. 'En trouwens, kijk, ze hebben me deze mooie erfenis nagelaten,' voegde hij eraan toe terwijl hij zijn armen liet rondgaan. De villa dus? Ook hierover stelde ik hem vragen. Hij schudde het hoofd. 'Je zult het niet geloven, maar met al het geld dat mijn ouders maandelijks uitgaven aan auto's, eten, kleren, juwelen… Kortom, geen van beiden heeft er in die jaren ooit aan gedacht de hypotheek af te lossen.' Toen duidelijk was geworden dat ze het huis zouden verliezen, waren ze ervandoor gegaan. Maar hij, Giuseppe, was gebleven, en alleen de afmattende traagheid van bureaucratische procedures stelde de komst uit van de mensen die hem eruit zouden gooien.

Daarna sprak hij over zijn ziekte. Hij lag roerloos op de stoel. De schaduwen van de avond vielen steeds langer over het gras en verteerden ook de details van zijn gezicht. 'Ik sta op de wachtlijst voor een transplantatie,' zei hij. Hij had zijn heroïneverslaving overwonnen maar de ontwikkeling van hepatitis c niet kunnen voorkomen. Het was in de loop der jaren een chronische aandoening geworden, zonder dat hij er erg in had. Nu dreigde het te ontaarden in een levercarcinoom. 'We hopen er maar het beste van...' voegde hij eraan toe. Uit zijn stem begreep ik dat hij doodsbang was. Het lukte me eindelijk er even het zwijgen toe te doen. Ook Giuseppe hield op met praten. De zwaluwen bleven zinloos gieren terwijl ze door de hemel kliefden. Rondom groeiden de planten uiterst langzaam en Giuseppe leefde nog, ik leefde nog op de stoel naast hem, dat viel niet te ontkennen, en terwijl de afgelopen twintig jaar hem op zichzelf hadden teruggeworpen, verzwakt, in een toestand die in onze tijd meedogenloos als 'mislukt' werd bestempeld, behoorde ik in theorie nog tot de mensen met een hele toekomst voor zich. En toch voelde ik me overrompeld door iets waarvan Giuseppe al genezen was. Morgen, op ditzelfde tijdstip, is hij nog steeds hier, dacht ik, terwijl ik voor het oplichtende vertrektijdenbord van een luchthaven vol andere reizigers sta. Maar nu was het alleen maar de avond van 8 april en zaten we ademloos aan de rand van een vervallen zwembad. Je kunt niet verliezen wat je nooit hebt gehad, je kunt niet hebben wat je nooit hebt verloren. En het leek me eenvoudigweg onmogelijk over iets anders na te denken.